한국 현대사 산책 1940년대 편 1권

한국 현대사 산책 1940년대 편(전2권)
8·15해방에서 6·25 전야까지 · 1권

ⓒ 강준만, 2004

초판 1쇄 2004년 4월 3일 펴냄
초판 17쇄 2017년 9월 13일 펴냄

지은이 | 강준만
펴낸이 | 강준우
기획·편집 | 박상문, 박효주, 김예진, 김환표
디자인 | 최진영
마케팅 | 이태준
관리 | 최수향
인쇄·제본 | 제일프린테크

펴낸곳 | 인물과사상사
출판등록 | 제17-204호 1998년 3월 11일

주소 | 04037 서울시 마포구 양화로7길 6-16 서교제일빌딩 3층
전화 | 02-325-6364
팩스 | 02-474-1413
www.inmul.co.kr | insa@inmul.co.kr

ISBN 978-89-5906-044-3 04900   ISBN 978-89-5906-197-6(세트)
값 12,000원

8 · 15해방에서 6 · 25 전야까지 **1940년대 편 1권**

한국 현대사 산책

강준만 저

인물과
사상사

머리말 한(恨)과 욕망의 폭발 8

제1장 36년 묵은 한(恨)의 분출 / 1945년

자세히 읽기

제2장 좌우(左右) 갈등의 폭발 / 1946년

자세히 읽기

머리말

한(恨)과 욕망의 폭발

과연 이데올로기 투쟁이었나?

우리는 1940년대 후반이 '이데올로기 투쟁'으로 몸살을 앓은 시절이었다고 말한다. 그런데 과연 그런가? 이 책에서 자주 거론될 인물 가운데 김두한이 있다. '빨갱이 사냥'에 앞장섰던 우익 전사(戰士)였다. 과연 그에게 이데올로기가 있었을까? 자신의 아버지 김좌진이 공산주의자에 의해 살해되었다는 이유만으로 갖게 된 증오를 이데올로기라고 볼 수는 없지 않은가.

김두한으로 대표되는 우익 이데올로기 전사들이 이데올로기 투쟁에 참여한 이유는 다양했다. 원한관계도 있었지만, 먹고살기 위한 방편으로서의 투쟁도 있었다. 우익 청년단체 조직원들이 실업의 고통 속에서 우익 정치인들의 정략적 이용과 결탁하여 호구지책으로 이데올로기 전사라는 신종 직업을 택했다면, 그들이 외치는 이데올로기를 과연 이데올로기라고 할 수 있을까.

김두한은 극단적이긴 하지만 예외적인 사례는 아니다. 일반 민중들에게 있어서, 해방정국과 이후 6·25전쟁에서의 반공(反共)과 친공(親共)은 이데올로기보다는 원한(怨恨)관계와 얽혀 있는 경우가 더 많았다. 그래서 더더욱 대화와 타협은 불가능했다. 또 그래서 그 시절에 저질러진 학살도 "근대적 국가기구에 의해 감정 중립적, 관료적 방식으로 진행된 것이 아니라 전근대 시절 부족간의 전쟁에서 나타난 것처럼 무자비한 살인과 강간, 재산의 탈취, 피학살자를 거의 동물 수준으로 전락시키는 극히 잔인한 방식으로 진행되었다."[1]

해방정국에서 일반 민중의 이데올로기 선택에선 원한관계와 더불어 전통적인 인간관계나 유대관계도 크게 작용하였다. 예컨대, 어느 시골 마을에서 '인물'로 대접받던 인물이 어떤 이데올로기를 택하면 마을 사람들은 그 사람의 지도력을 따라 좌우(左右) 어느 한쪽으로 기우는 경우가 아주 많았다.

처세술로서의 이데올로기 과시까지 가세했다. 어느 것이 대세(大勢)라거나 자신의 '인정 욕구' 충족에 도움이 된다 싶으면 자신도 잘 모르는 이데올로기의 신봉자인 양 행세했다는 말이다. 김병걸의 증언에 따르면, 조용하던 마을이 해방 후 갑자기 열병을 앓게 되었는데, 그것은 '사회주의'니 '자본주의'니 '공산주의'니 '제국주의'니 하는 금시초문의 관념어들의 난무 때문이었다.

"모두 하루아침에 달변가가 되었으며 아울러 잔잔하기만 하던 마을에 사상적인 균열이 일기 시작했다. 좌(左)가 좋으냐 우(右)가 좋으냐 하는 시비와 논쟁이 날이 갈수록 심화되어 간 것이었다. …… 바로 얼마 전까지만 해도 일본을 절대적으로 믿고 충성스럽게 뛰어다니던 사람이 하루아침에 열렬한 사회주의자가 되어 떠벌리고 다니는가 하면, 심지어 만주에서 아편

---

1) 김동춘, 『전쟁과 사회: 우리에게 한국전쟁은 무엇이었나?』(돌베개, 2000), 294~295쪽.

장사를 한 것으로 알려진 사람도 사상가였던 것처럼 행세를 했다."[2]

이 시기에 진정한 이데올로기가 있었다면, 그건 대세 또는 힘이 센 쪽으로 기우는 기회주의였을 것이다. 해방 이틀 후 소련군이 서울역에 들어온다는 헛소문은 그런 기회주의를 유감없이 드러나게 해준 사건이었다. 후일 강력한 반공(反共)·반소(反蘇)주의자로 활동하게 되는 사람들도 그때엔 소련군에 대한 대대적인 환영을 준비하였기 때문이다.

피가 끓는 원한관계, 전통적인 유대관계, 대세 추종의 처세술 등과 같은 동기들로 인해 빚어졌거나 증폭된 갈등마저 이데올로기 투쟁이라 불러야 한다면, 그건 아마도 '의사(擬似: 실제와 비슷함) 이데올로기 투쟁'이라고 부르는 것이 더 타당할 것이다.

'기득권 투쟁'과 '면죄부 투쟁'

이데올로기를 이론적으로 역설했던 정치지도자들의 경우엔 과연 무엇이 얼마나 달랐을까? 자신의 욕망보다 이데올로기가 절대적 우선이었던가? '전면 긍정 또는 전면 부정'의 차원이 아니라, 최소한의 타협조차 거부해야 할 정도로 자신들이 그 어떤 절대적 이데올로기의 신봉자였는가 하는 것이다.

해방정국에서의 이데올로기 문제와 관련하여, '속살만 새빨간 수박과 겉만 새빨간 사과와 속도 겉도 모두 새빨간 토마토'라는 말이 떠돌았다.[3] 물론 이건 좌익을 겨냥해 나온 말이었지만, 그걸 뒤집으면 우익에게도 적용할 수 있는 것이었다. 무슨 색깔이건 겉과 속이 같은 색깔이었던 사람들이 과연 얼마나 있었을까?

---

2) 김병걸, 『실패한 인생 실패한 문학: 김병걸 자서전』(창작과비평사, 1994), 108~109쪽.
3) 오기영, 『진짜 무궁화: 해방경성의 풍자와 기개』(성균관대학교출판부, 2002), 193~195쪽.

이데올로기는 '메이드 인 서양'이었다. 서양은 사회 발전 단계가 이데올로기를 말해도 좋을 만한 수준에 올라 있었던 사회였다. 식민 통치를 36년간[4] 겪은 나라에서, 해방 직후의 혼란 속에서 절대다수의 민중이 절대빈곤에 시달렸던 상황에서, 일제 지배자들이 공산주의자들을 제거하려고 발악하는 걸 생생히 지켜봤던 사회에서, 공산주의라는 게 무어 그리 목숨 걸고 박살내야만 할 악(惡)이었을까?

최상용이 잘 지적했듯이, "그 당시에는 공산주의자가 위험인물이 아니라 지조가 높은 애국자로서 민중의 눈에 비치고 있어서, 우파 민족주의자도 '혁명', 혹은 '혁명가'라는 말을 사용하여 자신의 애국심 강도를 나타내려고 하였으며, 해방 후 전향한 공산주의자도 그들의 민족운동에 대한 공헌을 정당화하기 위하여 그들이 한때 공산주의운동에 참가했던 것을 부정하는 사람은 없었다."[5]

그럼에도 공산주의자들은 자신들의 입지를 좁히기 위해 안달이 난 것처럼 보였다. 나라를 잃었다가 신생 독립국가를 실현하려고 하는 상황에서 이데올로기의 외투를 걸치고 양심적인 우익까지 상호 타협이 불가능한 원수로 삼을 필요가 무엇이 있었단 말인가. 소련의 영향으로부터 자유롭지 못한 탓도 있었겠지만, 아무리 선의로 해석한다 해도 이데올로기를 공적(公的)이건 사적(私的)이건 그간 자신들이 겪어야 했던 고통을 견디고 욕망을 실현하기 위한 '아편'으로 삼지 않았다면 그런 어리석은 일은 일어나지 않았을 것이다.

해방정국에서 벌어진 갈등의 핵심은 '기득권 투쟁'과 '면죄부 투쟁'이었다. 일제 36년을 어떻게 지냈는가 하는 과거에 대한 평가와 그 평가에 따른 이해득실의 문제를 둘러싼 혈투였다. 이데올로기는 그 과정에서 도입

---

4) 일제 치하의 기간은 1910년 8월 29일 국치일부터 치면 정확히 34년 11개월 보름이었지만 이미 익숙해져 있는 '36년'이라는 한국식 셈법에 따르기로 한다.
5) 최상용, 『미군정과 한국민족주의』(나남출판, 1998), 85쪽.

된 장식물의 성격이 강했다.

　해방정국에서 벌어진 모든 갈등의 핵이었던 신탁통치 문제도 그 본질은 신탁통치가 아니었다. 반탁운동이 "친일파를 애국자로 둔갑시키는 손오공의 여의봉 같은 괴력을 지난 무기"[6]로서의 괴력을 발휘할 수 있는 상황에서 그건 독립의 방법론적 문제였다기보다는 생사(生死)와 흥망(興亡)과 이해득실의 문제에 더 가까웠을 것이다.

　마르크스의 말처럼, 우리 인간은 스스로 선택한 환경 속에서가 아니라 이미 존재하는, 주어진, 물려받은 환경 속에서 역사를 만들어 가는 것이라면, 해방정국에서 한국인들에게 주어진 선택의 여지란 많지 않았다. 일제 36년 간의 환경은 한국인의 단결과 화합에 너무도 치명적인 것이었기 때문이다. 마르크스는 모든 죽은 세대들의 전통은 악몽과도 같이 살아 있는 사람들의 머리를 짓누른다고 했지만, 한국에선 살아 있는 세대의 관습과 습속마저 자기 자신들의 나아갈 바를 옭아매고 있었던 것이다.

　반공만 해도 그렇다. 일제는 공산주의 사상을 억압하는 동시에 그걸 조선의 민족해방운동의 분열과 내부 갈등을 부추기는 데 이용하였다. 똑같은 독립운동을 하더라도 좌익 독립운동 세력에게 혹독한 탄압을 집중시킴으로써 독립운동 세력 내부의 좌우(左右) 반목을 조장하였다. 뿐만 아니라 일제의 반공주의는 혹독한 탄압을 통해 식민지 민중의 사회적 활동을 비교적 안전이 보장되는 연고주의에 의존케 하는 결과를 초래함으로써 이후 한국 사회의 공공 영역의 발달에 심대한 악영향을 미쳤다.[7]

---

6) 서중석, 〈총론: 친일파의 역사적 존재양태와 극우반공독재〉, 역사문제연구소 편, 『인물로 보는 친일파 역사』 (역사비평사, 1993), 45쪽.
7) 강경성, 〈20세기 한국의 부끄러운 자화상: 반공주의〉, 『역사비평』, 제47호(1999년 여름), 281~282쪽.

이데올로기라는 포장술

일제 치하에서 국가와 민족에 대한 자의식을 갖는다는 건 고통스러운 일이었다. 그 자의식을 실천으로 옮긴다는 건 자기 목숨도 내놓고 사랑하는 가족과 일가친척의 안녕까지 위협하는, 패가망신(敗家亡身)의 지름길이었다. 그럼에도 불구하고 수많은 사람들이 그 길로 뛰어들었다. 물론 그들보다 훨씬 더 많은 수의 사람들이 일제에 협력하고 일제를 찬양하였다. 조선의 엘리트 계급이 이렇게 양극을 치닫는 삶을 사는 가운데 일반 민중은 그 중간적 삶을 꾸려 갔을 것이다.

반일파와 친일파는 각자 자신을 위로할 그 무엇인가가 필요했다. 반일파는 망국(亡國)의 아픔과 고통을 한(恨)으로 달래거나 승화시켜 갔으며, 친일파는 욕망(慾望)이라는 동물적 본능에 충실하였다. 그 중간 영역 어딘가를 오락가락하면서 살았던 일반 민중은 한과 욕망을 나누어 가졌다. 일제 36년 간 한도 억눌리고 욕망도 억눌렸다. 폭발이란 억눌림이 있어야 가능한 것이다.

8·15해방은 바로 그런 폭발이었다. 한도 폭발하고 욕망도 폭발했다. 오늘날엔 엘리트들 간 갈등에 있어서 누가 나라를 더 생각하는 이타심을 가졌는지 개인을 더 생각하는 이기심을 가졌는지, 그걸 판별하는 게 비교적 쉽겠지만, 그 시절엔 그게 훨씬 더 어려웠다. 완전한 무질서에서 새롭게 시작해야 했기 때문이다.

카오스와 같은 세상에선 한과 욕망의 이분법이 더 이상 명료하지 않았다. 한을 가진 사람들에게도 유예된 욕망은 있었으며, 욕망에만 충실했던 사람들은 자신의 욕망을 계속 수호하고 정당화하기 위해 이데올로기라는 포장술을 도입하는 데 탁월한 능력을 갖고 있었기 때문이다.

한과 욕망의 동시 표출은 각 분야 수많은 개인과 단체들의 헤게모니 쟁탈전으로 나타났다. 민족적 한과 더불어 엘리트 집단의 억눌렸던 개인적

1948년 전남 여수에서 반란사건을 일으킨 공산 폭도로 지목되어 처형을 기다리는 한국인들.

욕망과 야심은 자신과 민족, 자신과 국가를 동일시하는 착각 또는 자기기만 효과를 창출하였다.

그 어느 쪽도 양보할 수 없는 전쟁이었다. 타협과 화합은 정상적인 시절을 살고 정상적인 삶을 산 사람들에게나 가능한 일이었다. 누가 옳건 그르건, 한 세대 이상에 걸친 비상한 시절에 모두가 다 비정상적인 삶을 산 사람들인지라 자기주장을 관철시키기 위한 전투성만이 돋보였고, 그런 양극의 충돌만이 해방정국이라는 새로운 무대에 펼쳐졌던 것이다.

식민 통치의 경험을 가진 나라가 조선만은 아니었지만, 조선의 경험은 독특했다. 식민 통치의 경험을 가진 다른 많은 나라들은 '기억의 단절'이 일어날 정도로 여러 세대에 걸쳐 오랜 기간 지배를 받았고, 지배자와 피지배자의 국가적 발전 격차가 너무 컸으며, 또 거의 대부분 상호 전혀 다른 인종이었다. 반면 조선은 일제 강압 이전의 기억은 물론 경험까지 생생히 살아 있을 때에 지배가 끝났고, '조선 대 일본'도 결코 그런 관계가 아니었다. 한때는 조선이 일본의 발전을 도왔던 관계였고, 그래서 비록 깊은 곳에 숨겨진 것이나마 자존심에 관한 한 조선이 일본을 압도했다.

언제든지 폭발할 만반의 준비를 갖추고 있는 사람들에게 열려진 출구, 그것이 바로 8·15해방이었다. 한과 욕망의 대폭발이라는 향연이 처절한 이데올로기 투쟁의 소용돌이에 휘말려든 건 그 폭발을 욕망으로 수렴되게끔 유도했던, 한반도를 둘러싼, 아니 한반도 안으로까지 쳐들어왔던 외세(外勢)의 막강한 자장(磁場) 때문이었을 것이다.

미군정 3년은 3년만의 역사가 아니다. 그건 이후 한국 사회의 정치, 경제, 사회, 문화 전반에 걸친 뼈대 형성의 시절이었다. 크게 보자면, 1945년에 '36년 묵은 한의 분출'이 있었고, 1946년에 각 세력의 욕망이 적나라하게 표출되면서 '좌우 갈등의 폭발'이 일어났으며, 그 결과 1947년에 '분열에서 분단으로' 가는 길로 치닫게 되었다.

1948년엔 대한민국 정부의 수립을 전후로 하여 '욕망과 폭력의 제도화'가 이루어졌다. 이미 민족적 한은 개인과 집단의 욕망과 투쟁의 소용돌이가 집어삼켰다. 국가 없이는 생존할 수 없는 냉혹한 현실에 대한 기억은 훗날까지 이 시기에 대한 비판을 '대한민국을 부정하는가?'라는 추궁을 낳게 했다. 그런 점에서 아직 우리는 1940년대의 연장선상에서, 그것도 크게 달라지지 않은 채로 살고 있는 것임에 틀림없다.

1948년에 확실하게 그 진면목을 보여줄 '반공의 종교화'는 향후 수십년간 대한민국을 사실상 지배하는 유일 신앙으로 군림하게 된다. 다른 정통 종교들도 그 유일 신앙에 합류하거나 그걸 받아들임으로써, 대한민국은 사회적 갈등의 비용을 원천적으로 제거하면서 국가주의적 경제 번영의 길로 나아가게 된다.

40년대 후반의 이야기는 뜨겁다

1940년대 후반의 이야기는 너무 뜨겁다. 70년대와 80년대의 역사도 뜨겁지만, 그 뜨거움은 그래도 '반공'의 틀 안에서 '민주 대 반민주'의 구도라는 안전을 누릴 수 있었다. 반면 이 책에서 다루게 될 해방 이후 40년대 후반의 역사는 남북(南北)을 아우르면서 분단의 문제까지 건드려야 한다. '반공'이라는 견고한 성채에 몸을 숨긴 채 그 일을 제대로 해내는 게 가능할까?

어려울 것이다. 지금의 잣대로 분단 이전의 이데올로기와 정치를 재단하려는 오랜 습속을 버리지 못하는 한 진실에 접근하기 어렵다는 데 이의를 제기할 사람은 없을 것이다. 여기서 '지금의 잣대'라 함은 '공산주의=악(惡)'으로 보는 대한민국 반공체제의 잣대를 말한다.

그러나 재미있는 사실은 해방정국에서 학살이나 테러를 지시했거나 그 일에 가담한 사람들이 이구동성으로 하는 말이 "지금 세상의 잣대로 당시 사건을 보면 안 된다"고 주장하고 있다는 사실이다.[8] 즉, 당시는 비상한 상황이었으므로 지금의 민주주의나 인권의 잣대로 보지 말라는 뜻일 게다.

일리가 없진 않다. 오늘의 관점에서 과거를 다시 보고 재해석하는 건 마치 수백 년 전의 왕조 시대를 오늘의 잣대로 평가하려는 것처럼 문제가 있을 것이다. 그렇다면, 공정한 게임을 하자. 그런 주장을 하고자 한다면, 대한민국 탄생 이전의 상태를 대한민국 탄생 이후의 잣대로 보는 것에도 문제가 있다는 데에도 동의해 달라는 것이다. 오늘날 대한민국의 경제적 번영을 분단의 정당화 논리로 삼으려는 유혹도 자제해야 할 것이다.

---

8) 이채훈, 〈아직도 말할 수 없는 한국현대사〉, 『역사비평』, 제56호(2001년 가을), 218~220쪽.

이렇게 공정한 게임의 룰을 적용한다면, 무슨 수단을 써도 좋은 '비상한 상황'이란 건 오늘의 상황으로부터 소급해 들어간 '오늘의 논리'에 근거한 평가라는 결론에 도달하게 된다. 한 걸음 더 양보한다 해도 역사적 사실을 있는 그대로 드러내게 하자는 타협책까지 거부할 사람은 없으리라 믿는다.

그러나 우리의 사정은 아직 그렇지 못하다. 아직도 국가보안법이 시퍼렇게 살아 있는 현실에서 40년대 후반을 '오늘'의 관점을 벗어나서 새롭게 보려고 애쓰는 건 결코 안전한 일은 아니다. 그래서 역사학도들이 40년대 후반을 겪었던 사람들을 대상으로 증언을 청취하려는 일도 영 쉽지 않다. 우익 쪽 사람들은 말을 자유롭게 하지만 좌익 쪽 사람들은 아직도 자유롭게 말을 하지 못하거나 않기 때문이다. 물론 우익 쪽이라도 학살의 가해자였을 경우엔 침묵하지만, 이들의 침묵은 피해자의 침묵과는 다른 성격의 것임에 틀림없다.

90년대 중반, 해방정국의 노동운동에 참여했던 어느 할머니는 "내가 무얼 믿고 이야기해. 아직 다 산 것도 아닌데. 그런 이야기를 뭐 땜에 할라구. 왜 목숨 걸고 뭐 땜에 그런 이야기를 해." 하면서 면담 요청을 거부했다고 한다.[9]

이 책 본문의 제주 4·3항쟁에 관한 이야기에서 더 거론되겠지만, 아직 대한민국은 무슨 이야기건 자유롭게 할 수 있는 사회가 아니다. 아마도 그런 이유로 40년대 후반의 역사는 우리로부터 멀어져 갔을 것이다.

진정한 '낙관과 긍정'을 위해

이 책은 많은 학자들의 귀중한 연구 성과를 모든 분야에 걸쳐 종합하여 이해하기 쉽게 정리해 보여줄 것이다. '보수'니 '진보'니 하는 이분법은 잠

---

9) 조순경·이숙진, 『냉전체제와 생산의 정치: 미군정기의 노동정책과 노동운동』(이화여자대학교출판부, 1995), 30쪽.

시 잊는 게 좋겠다. 다양한 시각을 다 소개할 것이다. 해방정국은 구조냐 개인이냐, 외부냐 내부냐, 위냐 아래냐 등등 모든 해묵은 사회과학적 논쟁이 시험받을 수 있는 무대이자 공간이기도 하지만, 그와 관련된 판단도 자제하면서 독자들 스스로 생각해 볼 수 있게끔 하는 수준에 머무를 것이다. 그래야만 할 이유가 있다. 아직 널리 알려지지 않은 역사적 사실들이 너무 많기 때문이다.

해방정국을 다룬 많은 책과 글들을 읽으면서 일부 글엔 해방정국의 '뜨거움'이 그대로 투영되고 있는 건 아닌가 하는 생각을 하지 않을 수 없었다. 예컨대, 이승만에 대해 생각해 보자. 일부 진보적 필자들은 이승만에 대해 이렇게도 볼 수 있고 저렇게도 볼 수 있는 문제까지 부정적(또는 악의적)으로만 해석하려고 든다는 느낌을 강하게 받았다.

바로 그런 식의 서술이나 이해가 오히려 맹목적으로 이승만을 미화하려는 사람들에게 역공을 취할 틈을 주는 건 아닐까? 뜨거움을 가라앉히긴 쉽지 않겠지만, 그런 과잉 해석을 자제하면서 차분함을 보여주는 것이 더 설득력을 갖게 되지 않을까?

반대로 우리 역사에 대한 '낙관과 긍정'을 위해 과거 또는 특정 인물에 대해 적당히 미화하거나 얼버무리거나 침묵하는 걸로 대응하는 게 과연 바람직한 건지 그것도 다시 생각해 볼 일이다. 오히려 진짜 문제는 우리가 '비관과 부정'을 낳은 과거의 기록과 탐구에 철저하지 못하다는 데 있는 게 아닐까?

진정한 '낙관과 긍정'을 위해선 우리 자신에 대한 자신감의 회복이 필요하다. 그래야 과거를 있는 그대로 직시할 수 있다. 그래야 오늘이 규명되고 더 나은 내일이 열린다. 어떤 역사적 조건의 산물 또는 역사의 상흔은 우리 자신도 깨닫지 못하는 의식구조로까지 자리잡아 당연하게 여겨지기도 한다. 역사 탐구의 장점은 현재 당연하게 여겨지는 것의 기원을 캠으로써 그것이 어떠한 역사적 조건의 산물이라는 걸 이해할 수 있게끔 해준다는 점일 것이다. 독자들께서 40년대 후반의 우리 역사를 마주 대하면서 많은 생각을 해보는 기회를 갖기를 바라마지 않는다.

개정판을 내면서

이 책은 2004년 4월에 냈던 걸 개정한 것이다. 제1판이 해방정국의 복잡다단한 정치 위주로 딱딱하게 쓰여서 이해하기 어려운 점이 있었다는 일부 독자들의 지적에 따라 설명을 쉽게 하는 동시에 문화와 사람 사는 모습을 더 보여주고자 했다.

한 대학생은 이 책을 읽다가 40년대 후반의 풍경이 너무 우울해서 도중에 책을 덮었다고 했다. 내게 미안해하면서 털어놓은 말이다. 나는 웃으면서 '배가 부른 탓'이라고 설명해 주었다. '껌 이야기'를 들려주었다. 해방정국에서 미군이 갖고 들어온 껌이나 초콜릿은 적어도 어린이들에겐 열광의 대상인 동시에 '미국은 위대한 나라'라는 생각을 갖게 만들었다.[10] 오늘의 젊은이들은 그런 이야기마저 우울하게 들을지 모르겠다. 그러나 당시 사람들은 전혀 우울하지 않았다. 껌 하나에 일희일비하면서도 행복했다.

분문에서 소개한 심훈의 시 〈그날이 오면〉을 읽어보라. 이해가 가능하겠는가? 해방만 된다면 두개골이 깨어져 산산조각이 나도 좋고 칼로 몸의 가죽을 벗겨도 좋다니, 그걸 무슨 수로 이해할 수 있을 것인가? 문학적 과장법을 감안한다 해도 말이다. 2000년대의 정서로 1940년대 후반을 이해하긴 어려운 일이다. 그래서 나오는 말이 '너무 우울해'다.

어찌 40년대 후반뿐이겠는가. 많은 한국인들이 시련과 수난으로 점철된 한국 역사보다는 승리와 정복으로 가득 찬 서양 역사나 중국 역사를 선호하는 이유도 바로 여기에 있다. 일종의 자기부정 심리라고나 할까. 그렇

---

10) 손광식, 『내고향 청계천 사람들』(창해, 2004), 48~49쪽.

지만 죽으나 사나 자신은 한국인인 걸 어찌하랴.

역사를 보는 나의 기본 시각은 명암론(明暗論)이다. 이 세상 모든 일에 명암이 있다는 걸 모르는 사람이 누가 있겠는가만서도, 의외로 그걸 세상 이해에 적용하는 사람은 매우 드물다. 명암론에 따르자면, 이 책의 '맺는 말'에서 다룬 한국인의 '전투적 극단주의'는 한국의 비극을 가져온 '저주' 인 동시에 한국을 세계에서 가장 역동적인 국가로 만든 '축복'이기도 하다. 늘 모든 경우에 다 그런 건 아니지만, 많은 경우 '저주'와 '축복'은 분리될 수 없는 동전의 양면관계를 형성하고 있다는 게 명암론의 핵심이다.

2000년대의 세계에 푹 빠진 사람들을 위해 40년대 후반을 좀 우울하지 않게 쓸 순 없을까? 따뜻하게 쓸 순 없을까? 실제로 그런 시도를 하는 사람들이 없지 않지만, 그거야말로 어리석은 일이라는 게 나의 생각이다. 미군의 껌 하나 받아먹고 황홀해하는 건 당시 뿌듯한 느낌까지 주는 행복이었는데, 그걸 우울하게 보겠다는 걸 무슨 수로 말릴 수 있단 말인가?

오히려 '그때 그 시절을 아십니까?' 류의 복고(復古)풍 재미를 만끽해 보라고 달래는 게 더 나을 것이다. 오늘날 '세계 10대 경제국가'를 만든 한국인에게 과거의 '우울'했던 역사는 수치라기보다는 훌쩍 커버린 한국의 발전상을 새삼 음미해 보는 뿌듯한 기회를 제공하지 않느냐고 타이르는 게 차라리 더 낫다는 것이다. 물론 이런 복고 자세도 썩 바람직한 건 아니지만 말이다.

조금만 냉정한 자세를 갖는다면, 2000년대에 사는 우리가 40년대 후반의 역사에서 배울 게 아주 많다는 걸 깨달을 수 있다. 오늘날에도 '독선', '오만', '도덕적 우월감', '과도한 인정욕구', '선악 이분법' 등에 중독된 사람들은 많은 사람들에게 우울과 불행을 안겨주고 있다. 그런 중독자들이 정녕 40년대 후반의 역사를 제대로 이해했더라면 그런 어리석음을 범하진 않았을 것이다.

오늘에 감사하되, 비판적 긴장을 잃지 않으면서 겸허한 마음으로 40년대 후반의 역사를 직면해 보자. 40년대 후반의 한국인들이 보여준 치열한 삶에 경의를 표하면서 그들의 불운을 반복하지 않을 지혜를 모색해 보자. 또 그들이 느꼈을 기쁨과 행복에 공감의 접근을 시도해 보면서 만족을 모르고 무한 질주하는 오늘의 삶을 되돌아보자. 이거야말로 즐거운 '산책'이 아니고 무엇이랴. 부디 독자들께서 그런 시간을 갖게 되길 기대한다.

2006년 10월
강준만 올림

1945년

제1장

36년 묵은 한(恨)의 분출

도둑같이 찾아온 8 · 15해방

거짓말같이 오고 만 해방

"해방은 도둑같이 뜻밖에 왔다"(함석헌), "참으로 거짓말같이 그날은 오고 말았다"(홍윤숙), "아닌 밤중에 찰시루떡 받는 격으로 해방을 맞이하였소"(박헌영)[1]

모든 이들이 이구동성으로 어느 날 갑자기 찾아온 해방에 대한 놀라움을 표현하였다. 해방 직전 전쟁에 광분하던 일제의 탄압과 핍박은 극에 이르렀기에 더욱 놀라웠을 것이다. 후일 친일파 논란에 휩싸이게 되는 미당 서정주는 회고조로 그때의 놀라움을 이렇게 표현하였다.

"미국 태평양지구 총사령관 맥아더 장군이 일본군에게 포로 되어 형편없이 끌려다니는 영화가 영화관마다 상영되었다. 싱가포르뿐만 아니라 아시아의 전역은 거의 다 일본군에 점령되어 가고 있는 소식만이 날

---

1) 박명림, 『한국전쟁의 발발과 기원 II: 기원과 원인』(나남, 1996), 56쪽에서 재인용.

일제가 패망하자 서둘러 귀국길에 오르는 조선 땅의 일본인들.

이 갈수록 번성해 갔다. …… 물론 콧수염을 익살맞게 단 맥아더 장군 포
로의 영화를 비롯해서 거짓말이 너무나 많은 보도들이었을 것이지만, 그
게 거짓이라는 걸 알게 된 건 1945년 8월 15일 해방 뒤의 일이고, 이때엔
나는 이걸 거부할 만한 딴 지식을 가지고 있지 못했다."[2]

물론 일제의 몰락을 감지한 사람들이 없진 않았겠지만, 그런 사람들
은 극소수였을 것이고 그들마저도 그것이 현실로 나타난 것에 놀라움을
억제하긴 어려웠을 것이다. 해방이라는 기적과 같은 소식은 라디오를 통
해 전해졌다.

1945년 8월 15일 아침 서울 시내 각처에는 '금일 정오 중대 방송, 1억

---

2) 서정주, 『미당 자서전 2: 서정주 전집 5』(민음사, 1994), 154쪽.

국민 필청(必聽)'이라는 벽보들이 나붙었다. 정오, 일본의 무조건 항복을 고하는 일왕 히로히토의 떨리는 목소리는 경성중앙방송국의 중계로 라디오를 통해 4분 10초 간 국내에서도 들을 수 있었다. 히로히토는 "항복"이란 말은 쓰지 않았지만, "짐은 제국 정부로 하여금 미·영·소·중 4국에 대하여 그 공동선언을 수락할 뜻을 통고케 하였다"는 말이 곧 항복 선언이었다.[3]

일본에서는 전날부터 항복 선언이 담긴 일왕의 녹음판을 빼앗으려고 난동을 부렸던 결사항전파와 극우파들의 할복자살이 잇따랐다. 육상 아나미는 이미 새벽에 배를 가르고 죽어 있었으며, 5명의 대장이 할복하고 장교 100명 이상, 민간인 30여 명이 패전(敗戰) 자살의 길로 뛰어들었다.[4]

전 일본 열도가 광기(狂氣)에 휩싸여 대성통곡하는 그 순간 조선은 감격과 환희의 도가니로 빠져들었다. 경성중앙방송국의 일본인 직원들은 일본의 패전에 울음을 터뜨리면서도 조선 내 일본인들의 생명을 지키기 위해 일본 내에 있는 조선인 250만 명을 거론하면서 호소 겸 경고 방송을 밤 9시부터 두 시간마다 반복해 방송했지만,[5] 대다수 조선인들은 보복보다는 해방의 감격과 환희를 만끽하는 데에도 힘이 모자랄 지경이었다.

해방의 감격과 환희

해방의 날,
서울 장안에 태극기가 물결쳤다.

---

3) 김삼웅, 〈1945년/일왕 히로히토, 항복방송〉, 『사료로 보는 20세기 한국사』(가람기획, 1997), 173쪽에서 재인용.
4) 김병걸, 『실패한 인생 실패한 문학: 김병걸 자서전』(창작과비평사, 1994), 99쪽.
5) 이내수, 『이야기 방송사 1924~1948』(씨앗을뿌리는사람, 2001), 250쪽.

옥에 갇혔던 이들이 인력거로 츄럭으로 풀려나올 제
종로 인경은 목이 메어 울지를 못했다.

아이들은 새해 입을 때때옷을 꺼내 입고
어른들은 아무나 보고 인사를 하였다.

서울 장안을 뒤덮은
태극기 우리 기,
소경들이 구경을 나왔다가
서로 얼싸안고 울었다.[6]

윤석중의 〈해방의 날〉이다. 태극기는 급조된 것이었다. 제대로 만들어진 것도 아니었다. 36년 간 빼앗겼던 태극기를 제대로 기억하는 사람이 얼마나 있었겠는가. 일장기에 푸른색을 칠해 만든 태극기, 푸른색도 없어 일장기의 빨간 부분 중 절반을 먹물로 색칠한 태극기를 든 사람들이 거리를 휩쓸었다. 애국가도 기억하지 못해 각기 다른 가사의 애국가를 부르면서 거리를 행진하기도 했다.[7]

여운형의 딸 여연구의 증언에 따르면,

"만세! 만세를 부르는 사람들의 얼굴로 뜨거운 눈물이 좔좔 흘렀다. 서로 얼싸안고 돌아가는 사람, 마당에 뒹구는 사람…… 젊은이, 늙은이, 어린이, 아낙네, 심지어는 지팡이에 겨우 몸을 의지한 할아버지들까지 나와서 울고 웃고 만세를 부르며 서로 얼싸안고 돌아갔다."[8]

---

6) 이기백, 『한국사신론』(일조각, 1997), 472~473쪽에서 재인용.
7) 지명관, 〈8 · 15의 날〉, 『한국을 움직인 현대사 61장면』(다섯수레, 1996), 32~33쪽; 박영수, 『운명의 순간들: 다큐멘터리 한국근현대사』(바다출판사, 1998), 169~170쪽.
8) 여연구, 신준영 편집, 『나의 아버지 여운형』(김영사, 2001), 139~140쪽.

대폭발을 위해 걸린 네다섯 시간

그러나 일본의 항복이 알려진 그 즉시 사람들이 거리로 뛰쳐나간 건 아니었다. 그렇게 하기엔 그들을 억압해 온 세월이 너무 길었다. 다소 생각할 시간도 필요했고 주변을 살펴볼 시간도 필요했다. 아니 그래야만 했다. 말 한마디에 목숨이 왔다갔다하는 시절을 내내 살아온 이들이 그렇게 하는 건 너무도 당연한 일이었을 것이다. 일부러 서울 종로 거리에 나갔던 조용만의 증언에 따르면,

"사람들이 큰길로 뛰쳐나오고 독립만세를 부르고 좋아라고 법석일 줄 알았는데, 그냥 그전대로 무표정하기만 했다. 오랫동안 줄곧 겁만 먹고 일본 경찰에 옴쭉달싹 못하고 눌려 지내온 때문일까. 일본이 항복했다 해도, 우리가 일본 통치에서 해방되었다고 해도 그것이 무엇을 의미하는지 모르는 것 같았다. 일본 경찰이 아직도 버티고 있었으므로 이것이 겁났을는지도 몰랐다."[9]

그랬다. 아직 더 살펴보고 알아봐야 할 것들이 많았다. 그런 침묵의 시간은 36년 간 내내 압축되어 온 밀폐 공간이 일순간의 대폭발을 위해서라도 필요했던 건지도 모를 일이었다. 그렇게 네다섯 시간이 흘러야 했다.

"4, 5시가 되어 감옥에서 정치·경제범들이 풀려나오자 그때부터 군중들이 트럭을 타고 태극기를 펄럭이면서 거리로 쏟아져 나와 만세와 환호로 서울 장안이 물끓듯 하였다."[10]

그러나 "8월 15일, 해방 당일 서울은 쥐죽은 듯 조용하였다. 일본의 항복은 알려졌지만 주민 대부분은 일단 관망하고 있었다. 그러나 바로

---

9) 조용만, 〈경성야화: 항복방송〉, 『중앙일보』, 1991년 11월 4일, 9면.
10) 조용만, 위의 글.

그 다음날……"과 같은 주장도 있다.[11] 8월 15일 내내 서울 거리는 조용했다는 증언들이 더 많다.[12]

서울이 아닌 지방에서도 다소 시간이 걸렸다. 당시 라디오 보급 대수는 2만여 대에 지나지 않았기 때문에 2~3일 후에야 해방을 알게 된 지역도 많았다. 라디오가 거의 없던 어느 마을에선 동네 어른들이 소문만 듣고 해방의 기쁨을 만끽하려는 젊은이들의 '경거망동'을 꾸짖기까지 했다.[13] 모든 게 확실해진 밤에서야 진정한 해방의 기쁨을 누렸을 마을들도 많았을 것이다. 소설가 유재용의 〈내 우상 쓰러지다〉엔 이런 장면이 묘사돼 있다.

"해방되던 날 밤은 집집마다 촉수 높은 전등을 문 밖으로 내걸어 큰 거리는 물론이고 골목골목까지 대낮처럼 밝았다. 바람이 시원한 그 여름 밤, 집밖으로 쏟아져 나온 사람들이 여기저기 모여앉아 밤 깊어 가는 줄 모르고 얘기의 꽃을 피웠다. 아이, 어른, 남자, 여자 할 것 없이 사람들이 밤거리에 하얗게 깔려 있었다. 아이들은 신이 나서 소리 지르며 사람들 사이를 이리저리 뛰어다녔다. 오랜 날들을 밤이면 어둠 속에 묻혀 있던 거리였다. 촉수 낮은 전등을 겹겹으로 가리고 또 가려 불빛이 새어나오지 못하던 거리, 사람들은 일찌감치 집 안으로 숨어 버리고 괴괴하리만큼 조용한 골목 속에서 어쩌다 불빛이 새어나오는 집을 향해 방공대원들이 외치는 소리만이 간간이 울리던 밤이었다. 그 어둡고 우울한 밤들 속에 갇혀 지내던 아이들은 이 휘황찬란한 밤에 취해 신들린 듯 뛰고 또 뛰었다. 그런 밤을 내 생애에 또 한번 맞을 수가 있을 것인가."[14]

8월 15일, 과연 그날은 그토록 신들린 듯 뛰고 또 뛰어도 좋을 '해방

11) 도진순, 『한국민족주의와 남북관계: 이승만·김구 시대의 정치사』(서울대학교출판부, 1997), 25쪽.
12) 강인선, 〈1945년 8월 15일, 서울은 조용했다: 50년 전 그날의 한국사람들〉, 『월간조선』, 1995년 8월, 346~362쪽.
13) 김병걸, 『실패한 인생 실패한 문학: 김병걸 자서전』(창작과비평사, 1994), 100쪽.
14) 유재용, 『제3세대 한국문학: 유재용』(삼성출판사, 1983), 104쪽.

의 날'이었나? 그날을 가리켜 '해방의 날'이 아니라 '분단의 날'이라는 주장이 나오는 건[15] 단지 결과론일 뿐인가? 물론 해방의 기쁨은 오래가지 않았다. 그러나 해방 이후에 닥칠 고통과 시련은 그래도 과거에 비해서는 훨씬 더 한국인 스스로의 능력과 판단에 좌우될 것이었기에 그것만으로도 8월 15일은 신들린 듯 뛰고 또 뛰어도 좋은 '해방의 날'이었음에 틀림없었다. 그 고통과 시련은 오랫동안 박탈당했던 자유와 자율에 익숙지 않기에 빚어진 비극이라는 점에서, 그건 해방의 불가피한 비용이었는지도 모를 일이다.

---

15) 송광성, 〈8·15는 진정 해방의 날인가〉, 역사문제연구소 편, 『바로 잡아야 할 우리 역사 37장면』(역사비평사, 1993), 141~146쪽.

"해방은 16일 하루뿐이었다"

조선총독부와 여운형의 교섭

이미 미국의 단파방송을 통해서 8월 10일에 나온 일본의 무조건 항복 결정(포츠담 선언 수락)을 알고 있었던 조선총독부는 조선에 있는 80여만 명에 이르는 일본 민간인과 군인들의 신변 보호, 그리고 안전 귀환을 최 우선 과제로 삼았다. 그래서 총독부는 8월 11일 경기도지사 이쿠다를 통 하여 조선의 자본가 · 지주 · 명사 세력을 대변할 수 있는 송진우를 접촉 하여 '행정위원회'를 구성하여 줄 것을 요청했다.

그러나 송진우는 중경 임시정부 봉대(奉戴)[16]와 연합군의 승인을 이유 로 대면서 그 요청을 거절하였다. 조선총독부는 8월 14일 송진우와 가까 운 김준연에게도 부탁했으나 김준연은 송진우의 참여 없이는 응하지 않

---

16) '봉대'는 공경하여 받들어 모신다는 뜻이다. 3 · 1운동 직후 상해에 수립된 임시정부는 일제의 중국 침략이 본격화된 후 상해를 떠나 항주(1932), 진강(1935), 장사(1937), 광동(1938), 유주(1938), 기강(1939) 등 중 국 내 여기저기로 옮겨다니다가 1940년에 중경에 자리를 잡았다.

겠다고 해서 이것 역시 무산되었다.[17]

그래서 조선총독부는 좌파 및 민중 세력을 대변할 수 있는 여운형을 접촉하였다. 1945년 8월 14일 여운형은 당시 총독부 경무국장이었던 니시히로로부터 일본의 패전 소식과 함께 15일 아침 정무총감 엔도 류사쿠의 필동 관저로 와 달라는 요청을 받았다. 일본 왕의 무조건 항복 발표 직전인 8월 15일 아침 7시 50분경 여운형은 엔도로부터 "일본은 패배하였소. 금명일 중에 이것이 공식으로 발표될 것이오. 이제부터는 우리의 생명이 당신에게 달려 있소"라는 말과 함께 구체적인 행정권 이양 교섭을 받았다. 여운형은 다음과 같은 5개항 보장 조건을 전제로 엔도의 요청을 수락하였다.

첫째, 전국적으로 정치범·경제범을 즉시 석방할 것. 둘째, 8·9·10월 3개월의 식량을 보장할 것. 셋째, 치안 유지와 건국을 위한 정치 활동에 간섭하지 않을 것. 넷째, 청년과 학생을 조직 훈련하는 데 대하여 간섭하지 말 것. 다섯째, 근로자와 농민을 건국 사업에 동원하는 데 대하여 간섭하지 말 것.[18]

건국준비위원회의 발족

송진우는 여운형과의 협력마저 거절했기 때문에 결국 여운형이 행정권 또는 치안유지권을 인수하게 되었다. 여운형은 8월 15일에도 사람을 보내 송진우의 참여를 요청하였고 자신이 직접 찾아가기도 했지만 송진

---

17) 브루스 커밍스, 김자동 옮김, 『한국전쟁의 기원』(일월서각, 1986), 109~110쪽. 서중석은 조선총독부의 송진우 접촉은 사실이나 "그것은 명백히 여운형의 경우와는 다른 '하급수준'의 것"이었으며, "송진우가 총독부의 정권 담당 의뢰 또는 치안 담당 의뢰를 거절하였다는 설은 한민당 측에서 자신들의 일제시기 행위를 은폐하고 건준과 여운형을 공격하기 위한 수단으로 집요하게 주장하였다"고 했다. 서중석, 『한국현대민족운동연구: 해방후 민족국가 건설운동과 통일전선』(역사비평사, 1991), 199쪽.

18) 지명관, 〈8·15의 날〉, 『한국을 움직인 현대사 61장면』(다섯수레, 1996), 36쪽.

우로부터 "경거망동을 삼가라. 중경 정부를 지지하여야 한다"는 말만 들었다.[19]

송진우가 집요하게 내세운 임정 봉대론에 대해 여운형은 "일제의 탄압 아래서 직접 싸워온 거대한 세력은 국외에 있는 것이 아니고 국내에 있는 3천만 민중"이라고 반박하였다. 여운형은 임정이 해외에 30년 간 머물러 있었기 때문에 이렇다 할 업적이 없고, 국내에 인민적 토대를 갖지 못했기 때문에 정부로 군림할 수 없으며, 임정은 많은 해외 독립단체가 만든 정부 가운데 하나일 뿐이라고 주장하였다.[20]

임정 봉대론은 이제 두고두고 해방정국의 갈등과 분열을 낳는 주요 원인이 되지만, 일단 행정권 또는 치안유지권을 인수한 여운형은 이를 실현할 조직 구성에 나서게 되었다. 8월 15일 밤 여운형은 자신이 이미 1년 전인 1944년 8월에 결성했던 건국동맹[21]을 모체로 해서 건국준비위원회(건준)를 발족시켰다. 건준 위원장은 여운형, 부위원장은 안재홍이 맡았다.

건준이란 명칭은 안재홍이 제안한 것이었는데, 건준의 강령은 ① 우리는 완전한 독립국가의 건설을 기한다 ② 우리는 전민족의 정치적·사회적 기본요구를 실현할 수 있는 민주정권의 수립을 기한다 ③ 우리는 일시적 과도기에 있어서 국내질서를 자주적으로 유지하며 대중생활의 확보를 기한다 등이었다.[22]

---

19) 서중석, 『한국현대민족운동연구: 해방 후 민족국가 건설운동과 통일전선』(역사비평사, 1991), 202쪽; 강만길, 『고쳐쓴 한국현대사』(창작과비평사, 1997년 초판 11쇄), 205쪽.

20) 구종서, 〈보수우익 세력의 형성과정〉, 한배호 편, 『한국현대정치론 I: 제1공화국의 국가형성, 정치과정, 정책』(나남, 1990), 89~90쪽.

21) 건국동맹은 1944년 8월 10일 여운형이 주동이 되어 조동우, 현우현, 김진우, 황운, 이석구 등이 조직한 비밀결사체로 전국에 걸쳐 약 7만 명의 맹원을 확보하였다. 건국동맹은 태평양전쟁 말기에 국내에서 조직된 유일한 건국 준비 조직으로서 국외의 독립운동 단체와도 연결되어 있었다. 김재명, 〈안재홍: 민족애 실천했던 온건파 지식인〉, 『한국현대사의 비극-중간파의 이상과 좌절』(선인, 2003), 244쪽.

22) 김재명, 위의 글, 244쪽; 여연구, 신준영 편집, 『나의 아버지 여운형』(김영사, 2001), 143쪽.

건준은 8월 15일과 16일 전국적으로 정치범 및 경제범을 석방하는 데 입회했다. 당시 석방된 죄수는 남한에서만 약 1만 6천 명이었다. 정치범만 국한시키면, 그 이틀 동안 1천100명이었으며, 45년 11월까지 7~8천 명 수준이었다.[23]

8월 16일 여운형은 서울 휘문중학 운동장에서 다음과 같은 내용의 연설을 하였다.

"이제 우리 민족은 새 역사의 제일보를 내딛게 되었습니다. 우리가 지난날의 아프고 쓰라린 것들을 이 자리에서 다 잊어버리고 이 땅에다 합리적이고 이상적인 낙원을 건설하여야 합니다. 이때는 개인의 영웅주의는 단연 없애 버리고 끝까지 집단적으로 일사불란한 단결로 나아갑시다. …… 우리들은 백기를 든 일본인의 심경을 잘 이해합시다. 물론 우리는 통쾌한 마음을 금할 수 없습니다. 그러나 그들에 대하여 우리들의 아량을 보입시다."[24]

여운형의 연설 가운데 가장 중요한 대목은 "개인의 영웅주의는 단연 없애 버리고 끝까지 집단적으로 일사불란한 단결로 나아갑시다"였지만, 사실 그건 결코 그렇게 되진 않으리라는 걸 역설적으로 예고한 것이나 다름없었다. 실제로 해방정국은 정반대의 방향으로 나아갔기 때문이다. 일사불란한 단결은 전혀 없었고 끝까지 파벌의 이해관계와 개인의 과도한 인정욕구와 조급한 영웅주의만이 판을 쳤던 것이다.

전국 조직으로 확대된 건준

같은 날 안재홍은 경성중앙방송국에 나가 방송 연설을 하였다. 안재

---

23) 송광성, 『미군점령 4년사: 우리나라의 자주·민주·통일과 미국』(한울, 1995), 84쪽; 서중석, 『한국현대민족운동연구: 해방후 민족국가 건설운동과 통일전선』(역사비평사, 1991), 200쪽.
24) 김송달, 〈마침내 기다리던 해방을 맞이하다〉, 『한국 근현대 100년사』(거름, 1998), 50~51쪽.

1945년 8·15 직후의 해방정국을 주도한 세력은 건준(조선건국준비위원회)이었다. 사진은 8월 16일, 서울에서 건준의 여운형 위원장에게 환호를 보내는 시민들의 모습.

홍은 건준의 결성 소식을 알리면서 질서 유지를 위한 경비대와 정규병의 편성, 식량 확보와 배급, 통화와 물가 안정, 미결의 정치범 석방 등의 문제를 언급하였다. 이와 더불어 안재홍은 일본에 있는 조선 동포가 일본인과 마찬가지로 수난의 생활을 하고 있는 것을 생각할 때 조선에 거주하는 일본인의 생명과 재산의 보호가 절대 필요하다고 역설하였다.[25]

8월 16일 오후 3시와 6시, 그리고 9시 세 번에 걸쳐 되풀이 녹음 방송된 안재홍의 이 연설은 해방 초기에 건준의 힘을 과대평가하게 만드는 영향력을 끼쳤지만, 그것도 하루뿐이었다. 조선총독부는 소련군이 38도선 이북만을 점령하고 그 이남은 미군이 점령할 것이 확실해지자, 단 하루 만에 행정권 이양을 거부하고 나섰다. 그리고 나서 "민심을 교란하고

25) 김재명, 〈안재홍: 민족애 실천했던 온건파 지식인〉, 『한국현대사의 비극─중간파의 이상과 좌절』(선인, 2003), 242쪽; 심지연, 『허헌 연구』(역사비평사, 1994), 91쪽.

치안을 해치는 일이 있으면 일본군은 단호한 조치를 취할 방침이다"라는 포고령을 내리고 일본 군인 3천 명을 동원해 특별경찰대를 조직하고 건준이 접수한 경찰서·방송국 등을 다시 빼앗아 버렸다. 미군 진주 후에도 한국인은 미군의 지시에 따라야 했기 때문에 안재홍은 뒷날 "해방은 16일 하루뿐이었다"고 개탄했다.[26]

그렇다고 해서 건준의 모든 기능이 다 죽은 건 아니었다. 민중의 감격과 환희는 여전했다. 건준의 조직 확대도 계속되었다. 건준은 8월 22일에는 총무, 조직, 선전, 재정, 식량, 문화, 치안, 교통, 건설, 기획, 후생, 조사 등 12부와 서기 1국으로 발전했으며, 8월 말까지 전국적으로 145개의 지부를 설치할 만큼 전국적 조직으로 확대되었다.[27]

건준은 8월 16일 건국치안대를 조직했는데, 여기엔 약 2천 명의 청년과 학생들이 동원되고 100여 명 이상이 지방치안대 조직을 위해 지방으로 파견되었다. 중앙건국치안대는 지방치안대와 학도대·자위대·노동대 등의 활동을 통제하였으며, 치안대 지부가 전국에 걸쳐 162개소에 설치돼, 8월 말에는 경찰 대체세력으로 자리를 잡았다.

치안대는 식민지 시대 일제의 주구 노릇을 했던 조선인 경찰들을 철저하게 추방시키는 역할을 수행했는데, 8월 15일부터 9월 8일 사이에 식민 경찰의 약 50%를 차지하고 있던 조선인 경찰관의 80% 정도가 쫓겨나거나 도망쳤다. 같은 시기에 일본인 경찰관의 약 90%가 그대로 직장에 머물고 있었다는 사실을 감안하면 조선인 경찰에 대한 민중의 분노를 미루어 짐작할 수 있을 것이다.[28]

---

26) 김재명, 〈안재홍: 민족애 실천했던 온건파 지식인〉, 『한국현대사의 비극-중간파의 이상과 좌절』(선인, 2003), 243쪽; 도진순, 『한국민족주의와 남북관계: 이승만·김구 시대의 정치사』(서울대학교출판부, 1997), 31쪽.
27) 김진국·정창현, 『www.한국현대사.com』(민연, 2000), 15쪽; 여연구, 신준영 편집, 『나의 아버지 여운형』(김영사, 2001), 144~145쪽.
28) 송광성, 『미군점령 4년사: 우리나라의 자주·민주·통일과 미국』(한울, 1995), 85쪽.

치안대는 질서 유지에 큰 기여를 하였다. 일본인들까지도 치안대가 찬양받을 수 있을 정도로 행동했노라고 인정했다. 『뉴욕타임스』 1945년 9월 12일자는 "8월 15일 이래 한인 35명이 일경에 의하여 살해된 반면, 알려진 한도 내에서는 한인에 의하여 살해된 일인이 단 한 명도 없었다"고 보도했다.[29]

송진우의 건준 불참 이유

송진우로 대변되는 우익이 빠진 건준은 두 세력으로 구성되었는데, 하나는 여운형파, 또 다른 하나는 장안파였다. 장안파는 국내파 공산당원들로서 45년 8월 16일 서울의 장안빌딩에서 회합을 갖고 출발하였기에 장안파라는 이름이 붙게 되었다. 8월 22일에 발표된 건준 지도자의 명단을 보면 여운형파가 11명, 장안파는 5 내지 11명 포함돼 있었다.[30]

8월 28일에 이르러 건준은 원래의 치안유지 기능을 넘어서 새로운 정부의 수립을 지향하게 되었지만, 건준과는 별도로 정당이 60여 개가 난무하는 등 혼란의 조짐을 보이고 있었다. 이즈음 유림을 대표한 김창숙은 영호남에서 상경한 동지들이 민중당이란 정당을 조직하여 당수로 추대하고 취임할 것을 재촉하자 다음과 같이 개탄했다.

"정당이 60여 개나 된다니, 도대체 웬 정당이 이렇게 많이 생겼소? 국가와 강토는 아직 수복되지 못하고 정식 정부 성립을 보지 못한 이때에 정당의 난투가 이처럼 치열하니 저 60여 개의 당이 만약 정권을 다툰다면 신흥 대한민국이 필경 저들의 손에서 다시 망하고 말 것이오. 지금 여러분이 나를 당수로 추대하나 나는 허영에 움직여서 당수의 자리에 앉아

---

29) 브루스 커밍스, 김자동 옮김, 『한국전쟁의 기원』(일월서각, 1986), 115쪽에서 재인용.
30) 브루스 커밍스, 김자동 옮김, 위의 책, 120쪽.

여러 정당과 싸움질을 하여 마침내 몸을 망치고 나라를 저버리는 사람이 되고 싶지는 않소."[31]

그런 '정당의 난투' 상황에서 우익이 빠진 건준은 아무래도 허전했다. 송진우가 참여했더라면 건준은 거의 완전무결한 좌우합작체가 될 수 있었기에 불필요한 좌우대립을 미연에 방지할 수 있었을 것이다. 그래서 당시 그리고 그 이후에도 많은 사람들이 송진우의 건준 불참을 아쉽게 생각하였다. 송진우의 건준 불참 이유는 무엇이었을까? 서중석이 제시한 여섯 가지 이유를 정리해 소개하면 이렇다.

첫째, 송진우 측은 친일세력이었으므로 총독부 관리의 권유대로 협조를 할 경우 반민족행위자로 낙인찍힐 수 있었다. 둘째, 일제 시기 때부터 벌였던 사회주의자들과의 갈등은 감정적 차원을 넘어선 체제적 성격의 대립이었다. 셋째, 협동전선운동 자체에 부정적인 시각을 갖고 있었다. 넷째, 미국과 중경 임시정부의 위력을 과신하였다. 다섯째, 동아일보·경성방직·보성전문학교·중앙학원 등의 관계 인사들을 망라하면 강한 힘을 발휘할 수 있으리라고 계산했다. 여섯째, 노동자·농민조직 등 대중조직이 없다는 점이 대중역량이 있는 세력에 합류하는 것을 꺼리게 만들었다.[32]

나중엔 송진우 측도 생각을 바꾸게 되지만, 송진우 측은 임시정부의 위력을 과신했었다. 중경 임시정부가 동포들에게 희망을 주기 위해 군대가 20만이라는 등 엄청난 과장을 한 걸 그대로 다 믿진 않았겠지만, 건준을 할 필요가 없다고 생각할 정도로 임시정부의 힘을 믿었을 것이다.[33]

송진우 측이 그런 생각을 하고 있을 때에 한반도를 둘러싼 외세(外勢)

31) 김삼웅, 『심산 김창숙 평전』(시대의창, 2006), 303쪽.
32) 서중석, 『한국현대민족운동연구: 해방후 민족국가 건설운동과 통일전선』(역사비평사, 1991), 203~207쪽.
33) 서중석, 〈안재홍과 송진우: 타협이냐 비타협이냐〉, 역사문제연구소 편, 『한국 현대사의 라이벌』(역사비평사, 1991), 77쪽.

의 그림자는 이미 짙게 드리워지고 있었다. 맥아더 사령부는 8월 21일 군용기로 미군의 조선 상륙을 예고하는 삐라를 살포한 데 이어, 8월 25일 엔 방송을 통해 조선의 북부는 소련군이, 남부는 미군이 주둔한다고 발표했다. 조선인들이 해방의 감격과 환희를 맞기 이전에 38선이라는 게 강대국들에 의해 그어지고 타협의 대상이 되고 있었던 것이다. 잠시 과거로 돌아가 38선 획정의 역사를 살펴보도록 하자.

30분 만에 그어진 38선

카이로 회담과 테헤란 회담

제2차 세계대전 중 한국의 독립 문제가 연합국 지도자들 사이에서 최초로 논의된 것은 1943년 3월 미국 대통령 프랭클린 루스벨트와 국무장관 콘덴 헐이 워싱턴에서 영국 외상 앤소니 이든과 가진 회합 때였다. 이때 루스벨트는 "한반도를 일정 기간 동안 미국, 중국 및 소련 등 3국의 '신탁통치(trusteeship)' 아래 두었다가 독립시킨다"는 의견을 처음으로 밝혔으며, 이든은 호의적 반응을 보였다.[34]

신탁통치안은 이미 제2차 세계대전 전부터 루스벨트가 미국의 이익을 지키기 위해 구상해 둔 것이었다. 식민지 상태에서 독립시켰을 경우, 좌익이 정권을 잡을 위험이 높은 지역에선 신탁통치를 실시함으로써 그

---

34) 김창훈, 『한국외교 어제와 오늘』(다락원, 2002), 18~19쪽; 히라야마 타츠미, 이성환 옮김, 『한반도 냉전의 기원』(중문, 1999), 49쪽.

기간 동안 친미(親美) 정권을 수립케 할 수 있는 여건을 조성해 놓겠다는 것이었다.[35]

그 후 한국 문제가 본격적으로 공식 논의된 건 1943년 11월 22일 카이로에서 열린 미국(루스벨트), 영국(처칠), 중국(장개석) 등 3국 수뇌회담에서였다. 11월 27일에 발표된 '카이로 선언'은 제3항에서 "한국인의 노예 상태에 유의, 한국을 해방하여 적당한 시기에(in due course) 독립시킬 것"을 결의했다. 이는 장개석이 23일 루스벨트와의 회담에서 한국의 조기 독립을 강력히 요청하여 이루어진 것이었는데, 루스벨트는 24일 처칠과의 회담에서 만주와 한국의 점령을 포함해서 중국이 큰 야심을 가지고 있는 것은 의심할 여지가 없다고 말했다.[36]

일제는 한반도 내에서 카이로 회담에 대한 보도를 엄격히 통제하면서 그 내용을 유언비어로 매도하였지만, 단파방송이나 망명정객과 접촉하였던 소수 사람들은 카이로 선언의 내용을 알게 되었다. 다만 '적당한 시기에'가 제대로 번역되지 않아 해방이 되면 즉시 독립할 것으로 기대하고 있었다.[37]

카이로 회담이 끝나자마자 루스벨트와 처칠은 이란의 수도 테헤란으로 장소를 옮겨 소련의 스탈린을 만났다. 11월 28일, 이번엔 중국의 장개석이 빠진 채 이루어진 미·영·소 3개국 정상회담에서 루스벨트는 "한국인이 완전한 독립을 얻기 전에 약 40년 간의 수습 기간(apprenticeship)을 필요로 한다"고 말했고, 스탈린은 이에 구두로 동의를 표하였다.[38]

---

35) 양동주, 〈해방후 좌익운동과 민주주의민족전선〉, 박현채 외, 『해방전후사의 인식 3』(한길사, 1987), 84쪽.
36) 히라야마 타츠미, 이성환 옮김, 『한반도 냉전의 기원』(중문, 1999), 56~57쪽; 김창훈, 『한국외교 어제와 오늘』(다락원, 2002), 19쪽. 회담 개막 4개월 전인 1943년 7월 26일 김구는 장개석을 만나 한국 독립을 강력 요청하였다. 정운현, 〈'카이로선언' 막후에 백범 있었다〉, 『대한매일』, 1999년 6월 22일, 6면.
37) 이완범, 〈한반도 신탁통치문제 1943~46〉, 박현채 외, 위의 책, 220쪽; 한국정신문화연구원 현대사연구소 편, 『격동기 지식인의 세가지 삶의 모습』(한국정신문화연구원 현대사연구소, 1999), 285~286쪽.
38) 김학준, 〈분단의 배경과 고정화 과정〉, 송건호 외, 『해방전후사의 인식 1』(한길사, 개정 제2판 1995), 72~73쪽.

얄타 회담

1945년 2월 8일부터 8일 간 흑해의 휴양지 얄타에서 열린 미국(루스벨트), 영국(처칠), 소련(스탈린) 등 3국 정상회담에선 소련의 대일 참전과 전후 처리 문제가 다뤄졌다. 이 회담에서 소련은 180일 이내에 일본과의 전쟁에 들어가겠다고 약속한 대가로 동북아에서 사할린 등 제정 러시아 시대의 구 영토와 만주에서의 여러 권익의 회복을 보장받았다.[39]

당시 미국은 일본의 전력을 과대평가하고 있었다. 그때 일본의 군사력은 일본 본토에 200만 명, 서남아시아와 태평양군도에 100만 명, 한국·만주·대만에 200만 명(한국 주둔군 36만 5천 명) 등 모두 500만 명이나 되었기 때문에 일본을 패배시키기엔 시간이 오래 걸릴 뿐만 아니라 미국의 피해가 클 것이라고 생각했던 것이다.[40] 그래서 소련의 참전을 원했을 것이다.

얄타 회담 기간 중 루스벨트는 스탈린과 나눈 비공식 대화에서 한국에 대한 신탁통치를 제의했다. 스탈린과 주고받은 대화를 보자.

> 스탈린: 한국인들이 그들 자신의 만족할 만한 정부를 세울 수 있다면 탁치가 필요하겠느냐.
> 루스벨트: 필리핀이 자치정부를 준비하는 데 약 50년이 소요되었다. 한국의 경우에는 그 기간이 20년 내지 30년일 수 있다.
> 스탈린: 그 기간이 짧을수록 좋다.[41]

카이로와 얄타의 차이를 한 가지 들자면, 세력이 약화된 중국의 장개

---

39) 김창훈, 『한국외교 어제와 오늘』(다락원, 2002), 19~20쪽.
40) 신복룡, 『한국정치사』(박영사, 1997), 404쪽.
41) 김학준, 〈해방과 분단〉, 이우진·김성주 공편, 『현대한국정치론』(사회비평사, 1996), 35쪽에서 재인용.

석이 얄타 회담엔 초대받지 못했다는 점일 것이다. 장개석은 한국을 잘 아는데다 무슨 '야심'에서 비롯됐건 한국의 독립을 옹호해 준 인물이었기에 그의 불참은 한국엔 불행이었다는 시각이 있긴 하지만,[42] 루스벨트는 카이로 회담 직후 사적 대화에서 장개석도 한국을 25년 간 후견하에 두는 것에 합의했다고 말했다.[43]

당시 미·영·소 3국 가운데 특히 미국은 한국에 대해 무지하고 무관심했다. 당시 미 국무장관이었던 에드워드 스테티니어스는 얄타 회담을 앞두고 부하 직원에게 한국이 도대체 어디에 박혀 있는 나라인지 아느냐고 물었다.[44] 게다가 미국은 한국을 깔보고 있었다.

신복룡은 "한국에 대한 미국의 원초적 무지와 무관심, 그리고 한국에 대한 제국적 오만"에 대해 비판적인 자세를 취하면서도, 미국이 한국을 그토록 비하한 데 대해선 한국인 자신이 상당한 책임을 져야 한다고 했다.

"이미 1920년대에 상해 임시정부에는 27개의 정당·사회단체가 난립하여 최악의 분파주의를 노정했고, 이러한 현상은 그 후에도 지속되어 해방 직전 미국 전략국(Office of Strategic Services: OSS)의 정보보고서는 임정의 분열상과 해방 이후 임정 요인들의 수권능력의 불신에 관한 설명으로 가득 차 있다."[45]

루스벨트에서 트루먼으로

1945년 4월 12일 루스벨트가 죽어 부통령이 된 지 불과 82일 만에 해리 트루먼이 대통령직을 승계하였다. 유럽에선 히틀러의 침공이 시작된

---

42) 이현희, 『우리나라 현대사의 인식방법: 도전과 선택』(삼광출판사, 1998), 98~103쪽; 신복룡, 『한국정치사』(박영사, 1997), 402쪽.
43) 히라야마 타츠미, 이성환 옮김, 『한반도 냉전의 기원』(중문, 1999), 58쪽.
44) 돈 오버도퍼, 이종길 옮김, 『두개의 한국』(길산, 2002), 27쪽.
45) 신복룡, 위의 책, 397~398쪽.

지 6년 만인 5월 8일 독일의 항복으로 제2차 세계대전이 공식적으로 종결되었다. 트루먼의 등장은 루스벨트가 신봉했던 국제주의의 종식을 전제로 한 미국 외교정책의 전면적 변화를 예고하는 것이었다.

무엇보다도 트루먼은 반소(反蘇) 감정이 매우 강해 이미 상원의원 시절에 "독일인들과 소련 사람들이 피가 다 빠질 때까지 싸웠으면 좋겠다"는 독설을 서슴지 않았던 인물이었다. 그는 국제주의적인 협상과 타협을 비도덕적인 것으로 간주하였으며 자유세계의 방위를 위해선 소련이라고 하는 '세계적인 깡패'에 대해 십자군적인 자세를 가져야 한다는 신념의 소유자였다.[46]

트루먼의 대소 강경정책은 약 2년 후에 구체적으로 선을 보이게 되지만, 트루먼의 대통령 취임을 계기로 미국의 외교정책은 소련의 팽창주의를 봉쇄하는 쪽으로 서서히 전환하게 되었다.

1945년 7월 22일 독일 베를린 교외의 포츠담에서 열린 미국(트루먼), 영국(처칠), 소련(스탈린) 등 3국 정상회담은 일본에 대한 무조건 항복 요구와 소련의 참전 문제를 논의했다. 다음날에 발표된 '포츠담 선언'은 "한국이 적당한 시기에 독립되어야 한다"는 '카이로 선언'의 내용을 재확인했다. 그러나 미국은 한국 문제에 대한 토의 자체를 거부함으로써 종전 후 신탁통치 문제에 대한 혼란을 초래하였다.[47]

1945년 8월 6일 미국은 일본의 히로시마에, 그리고 8일에는 나가사키에 원자폭탄을 투하하였다. 순식간에 16만 명(조선인 4만 명)의 인명을 앗아간 가공할 파괴였다. 나가사키 원폭 투하로부터 열두 시간이 지난 8

---

46) 이우진, 〈미국의 한국 점령정책〉, 이우진·김성주 공편, 『현대한국정치론』(사회비평사, 1996), 68쪽; 이우진, 〈미국의 대한반도 정책(1945~1948), 한국정신문화연구원 현대사연구소 편, 『한국현대사의 재인식 1: 해방정국과 미소군정』(오름, 1998), 28쪽.

47) 7월 15일 포츠담에 도착한 트루먼은 16일 저녁 뉴멕시코 사막에서의 원자폭탄 실험 성공 소식을 접했으며, 이를 18일 처칠에게, 그리고 24일에 스탈린에게 비공식적으로 알렸다. 이완범, 『삼팔선 획정의 진실』(지식산업사, 2001), 98~107쪽; 이완범, 〈한반도 신탁통치문제 1943~46〉, 박현채 외, 『해방전후사의 인식 3』(한길사, 1987), 222쪽; 김창훈, 『한국외교 어제와 오늘』(다락원, 2002), 20~21쪽.

8·15 직전 소련군은 한반도로 밀려 내려오고 있었지만 미군은 이때 한반도로부터 1천km나 떨어진 곳에 진주해 있었다. 두 미군 장교는 30분 만에 위도 38선을 경계로 미국과 소련이 한반도의 점령지를 나눠 갖는 안을 작성해 올린다. 1945년 8월 11일 새벽, 한반도의 운명을 결정한 이 지도는 미국 국립기록보존소에 남아 있다.

월 8일 자정 소련은 일본에 대해 선전포고했다. 이날은 스탈린이 얄타 회담에서 약속한 180일째가 되는 날이었다.[48]

미국이 한반도 정책에 대해 고민하기 시작한 것은 소련의 대일(對日) 선전포고 이후였다. 소련의 한반도 점령은 향후 군사적으로 일본과 동아시아 전체에 매우 중요한 영향력을 미치게 될 것이라는 걸 뒤늦게 깨달은 것이다.[49]

8월 10일 일본은 포츠담 선언을 수락할 용의가 있다고 미국에 통고하였다. 그날 오후 늦게 국무성, 전쟁성, 해군성 등 전쟁 관련 부서의 조정 기구인 '3성 조정위원회'는 일본군의 항복 조건들이 담긴 항복문서 '일반명령 제1호'의 문안 작성 임무를 주무부서인 전쟁성 작전국 전략정책단에 긴급 명령했다. 이 명령을 받은 전략정책단은 '일반명령 제1호' 가운데 한반도와 극동지역(주로 소련군이 일본군의 항복을 접수할 지역)에 관계된 부분의 초안 작성 임무를 전략정책단 정책과 과장인 찰스 본스틸 대령과 딘 러스크 대령에게 맡겼다.[50]

한반도의 상황은 급박하게 돌아가고 있었다. 소련군은 이미 8월 9일

48) 김학준, 『북한 50년사: 우리가 떠안아야 할 반쪽의 우리 역사』(동아출판사, 1995), 65쪽.
49) 돈 오버도퍼, 이종길 옮김, 『두개의 한국』(길산, 2002), 27~28쪽.
50) 브루스 커밍스, 김자동 옮김, 『한국전쟁의 기원』(일월서각, 1986), 168~169쪽; 브루스 커밍스·존 할리데이, 양동주 옮김, 『한국전쟁의 전개과정』(태암, 1989), 18쪽; 하리마오, 〈아! 38선〉, 『38선도 6·25한국전쟁도 미국의 작품이었다!』(새로운사람들, 1998), 29~30쪽. 딘 러스크는 훗날 케네디, 존슨 행정부의 국무부 장관이 되었으며, 찰스 본스틸은 훗날 주한미군 사령관이 되었다.

부터 작전을 개시하여 중국의 서북부, 만주, 남사할린, 쿠릴 열도 등으로 일제히 공격을 시작했고, 일부 병력은 한반도 최북단 동북지역으로의 상륙작전을 준비 중에 있었다. 반면 미군 병력은 한반도로부터 1천 킬로미터 남쪽인 오키나와에 진주해 있었다.[51]

그런 이유 때문이었겠지만, 두 젊은 대령에게 주어진 시간은 단 30분이었으며, 이들은 30분 만에 지도를 보고 위도 38선을 분할선으로 잡은 보고서를 작성했다. 이들은 이 분할안을 링컨 소장에게 올렸고, 이는 합참과 3성조정위원회, 그리고 국무장관 · 전쟁성장관 · 해군장관을 거쳐 최종적으로 대통령에게 보고되었다. 바로 이것이 최종적 '일반명령 제1호'로 확정되어 맥아더에게 전달되었다.[52]

일본 분단의 대용품이 된 한국

미국은 8월 14일에 38도선 획정안을 소련 측에 전달했다. 미국은 한반도와 국경을 접하고 있으면서 군사적 우위를 점하고 있던 소련이 과연 한반도 분할점령안을 수락할 것인지에 대해 우려했지만, 소련은 의외로 바로 그 다음날 미국의 제안을 수락한다는 전보를 보내 왔다. 38도선은 미국과 소련 모두에게 놀라움을 안겨 주었다. 미국은 소련이 이 분할안을 선선히 응낙한 데 대해서 놀랐고, 소련은 위도가 그토록 후하게 남쪽으로 내려간 데 대해 놀랐다는 것이다.[53]

이 같은 38선 획정설을 가리켜 '졸속 결정설' 또는 '군사적 편의설'

51) 하리마오, 〈아! 38선〉, 『38선도 6 · 25한국전쟁도 미국의 작품이었다!』(새로운사람들, 1998), 30~31쪽.
52) 브루스 커밍스, 김자동 옮김, 『한국전쟁의 기원』(일월서각, 1986), 168~169쪽; 브루스 커밍스 · 존 할리데이, 양동주 옮김, 『한국전쟁의 전개과정』(태암, 1989), 18쪽; 하리마오, 위의 글, 30~31쪽.
53) 신복룡, 〈미국은 당초 4대국 분할을 획책했다〉, 『한국사 새로 보기』(풀빛, 2001), 226~227쪽; 고정휴, 〈8 · 15 전후 국제정세와 정치세력의 동향〉, 강만길 외, 『통일지향 우리 민족해방운동사』(역사비평사, 2000), 265~266쪽.

이라고 하는데, 이에 반해 38선이 이미 1945년 7월 25일 포츠담에서 결정되었다는 '포츠담 확정설' 또는 '정치적 의도설'도 제기되었다. 그런가 하면 '정치 · 군사 배합설'도 제기되는 등 복잡다단한 모습을 보여주고 있다.[54]

그러나 그 어느 쪽이건 한국은 미소 두 강대국의 장난감 비슷하게 그들 마음대로 갖고 노는 비참한 운명의 구렁텅이로 떨어지게 되었다는 건 분명한 사실이다. 정작 분단되어야 할 나라는 전범 국가인 일본이었건만, 미국의 대 소련 정책의 일환으로 한국이 분단되는 기막힌 일이 벌어지게 되었던 것이다. 일부 학자들이 지적한 바와 같이, "38도선에서의 미 · 소 양국군의 한반도 분단 점령은 일본의 분단 점령의 대용품이 되고 말았다."[55]

미국 예일대 역사학과 교수 리처드 휠란은 "이 시기 미국 정부는 '차라리 한국이라는 나라가 존재하지 않았다면 이런 고민도 없었을 텐데'라고 생각했다"고 말했다. 정말 그랬는지는 모르겠지만, 미국의 관심이 일본에 집중되었다는 건 분명했다. 미국은 일본에서 군정을 실시하기 위한 준비 작업으로 약 2천 명의 민정관을 양성했지만 한국에 대해선 아무런 준비도 하지 않은 채 모든 걸 야전군 사령관에게만 맡겼다.[56]

미국에게 한국은 전범 국가인 일본을 지키기 위한 도구였을 뿐이다. 40년 전의 역사가 다시 반복되고 있었다. 1905년 7월 29일 미국 대통령 시어도어 루스벨트는 태프트를 일본으로 보내 일본 수상 카쓰라와 이른바 '카쓰라-태프트 밀약'을 맺음으로써 일본의 조선 지배를 인정해 주는 대신 일본은 미국의 필리핀 지배를 인정했다. 강대국들끼리의 나눠먹

---

54) 이완범, 『삼팔선 획정의 진실』(지식산업사, 2001), 17~20쪽; 김현식, 『색깔논쟁: 한국사회 색깔론의 생산 구조와 탈주』(새로운사람들, 2003), 119~120쪽; 신복룡, 『한국사 새로 보기: 아무도 의심하지 않았던 역사의 진실』(풀빛, 2001), 225~226쪽.
55) 김창훈, 『한국외교 어제와 오늘』(다락원, 2002), 21쪽에서 재인용.
56) 돈 오버도퍼, 이종길 옮김, 『두개의 한국』(길산, 2002), 28쪽.

기였다. 40년이 지난 이제 미국은 전후 새로운 질서를 창출하기 위한 방위선 구축 차원에서 다시 한반도를 놓고 소련과 흥정을 벌이기로 한 건지도 모를 일이었다. 약육강식의 국제질서 속에서 한반도가 처한 기구한 지정학적 운명이었을까?

소련군의 평양 진주

"행복은 당신들의 수중에 있다"

1945년 8월 8일에 대일(對日) 선전포고를 한 소련은 9일부터 총 150만의 병력과 대량의 무기를 투입하여 군사작전을 전개하였으며, 1주일 후에는 이미 작전지역의 일부인 북한에 군대를 진주시켰다. 소련의 참전 기간은 불과 6일이었다.

서방측에서 참전 기간을 거론하면서 "소련은 다 끝난 전쟁에 참전했다"고 보는 시각에 대해 소련은 강한 거부감을 표시하면서 자신들도 충분한 피의 대가를 치렀다고 주장했다. 한국에서의 전사자는 적은 숫자였지만, 만주 등지의 전투에서 제25군(사령관 I. M. 치스차코프)에서만 총 4천 717명의 인명피해(사망 1천500명)가 났다는 것이다.[57]

---

57) 이완범, 『삼팔선 획정의 진실』(지식산업사, 2001), 282~284쪽; 안정애, 〈붉은 군대는 조선에서 우리의 질서를 강요하지 않을 것이다……〉, 이재범 외, 『한반도의 외국군 주둔사』(중심, 2001), 300쪽.

1945년 8월 20일 무렵, 원산항에 상륙해 주민들로부터 환영을 받는 소련군들.

제25군은 작전을 개시한 8월 9일부터 청진, 원산, 웅기, 나진 등을 점령해 나갔으며, 8월 24일 평양에 입성하였다. 소련은 8월 28일까지 총병력 12만 5천 명을 북한 전역에 배치시켰으며, 각 도·시·군에 점령군 지역사령부 설치를 끝냈다. 8월 25일 소련군 사령관 치스차코프는 포고문을 발표했다.

"조선 인민들에게! 조선 인민들이여! 붉은군대와 연합국 군대들은 조선에서 일본 약탈자들을 구축했다. 조선은 자유국이 되었다. 그러나 이것은 오직 신조선 역사의 첫 페이지가 될 뿐이다. 화려한 과수원은 사람의 땀과 노력의 결과이다. …… 조선 사람들이여! 기억하라! 행복은 당신들의 수중에 있다. 당신들은 자유와 독립을 찾았다. 이제는 모든 것이 죄다 당신들에게 달렸다."[58]

---

58) 김삼웅, 〈1945년 소련군 사령관 치스차코프 포고문〉, 『사료로 보는 20세기 한국사』(가람기획, 1997), 178~180쪽에서 재인용.

이 화려한 수사(修辭)엔 다분히 과장과 계략이 있었겠지만, 그에 못지 않은 실천도 뒤따랐다. 소련군은 각 지역에서 일본인 행정관리를 쫓아내고 인민위원회에게 행정 및 치안유지를 맡겼으며, 시·군·읍·면 단위 인민위원회를 통합하기 위하여 도(道) 단위 인민위원회 지부를 결성하려는 조선인 지도자를 지지하였다.

그 결과, 8월 26일 온건한 민족주의자요, 기독교적 교육자인 조만식이 주도한 평안남도 건준 지부와 현준혁이 이끄는 조선공산당에서 각각 16명의 위원을 선정하여 인민정치위원회를 구성하였다. 조만식은 위원장이 되고, 오윤선과 현준혁이 부위원장에 선출되었다. 8월 30일 함경남도 인민정치위원회는 조선건국준비위원회와 조선공산당에서 각각 11명의 위원이 참여하여 결성되었다. 이와 비슷한 방법으로 다른 도에서도 인민정치위원회가 9월 말까지 다 결성되었다.[59]

소련군에 대한 경계심과 경멸

소련군은 8월 26일부터 38도선을 공식적으로 봉쇄하면서 남과 북을 잇는 경의선, 전화통신, 사람과 물자의 왕래 등 모든 걸 다 끊었다. 물론 소련군은 비공식적으론 이후 한동안 북한 사람들의 남한으로의 이동만큼은 모른 척 내버려 두었다.

8월 하순의 어느 날, 소련군 극동군 총사령관 바실레프스키에게 스탈린으로부터 북한을 소련의 뜻에 맞게 이끌어 갈 조선인 지도자를 추천해 보고하라는 긴급 지시가 내려왔다. 바실레프스키는 극동군 산하 88특별여단 소속의 대위 김일성을 추천하였으며, 9월 초순 스탈린은 김일성을 면접하고서 '합격' 판정을 내렸다.[60]

---

59) 송광성, 〈조선을 분단〉, 『미군점령 4년사』(한울, 1993), 269쪽.

북한에서의 소련군의 활동과 행태는 남한에서도 큰 관심의 대상이었다. 남한으로 이동해 온 사람들에 의해 소련군의 약탈행위가 널리 유포되었다. 김학준은 북한 점령을 맡은 제25군은 "중앙아시아의 감옥에서 풀어내 징집한 죄수 출신 사병들이 많았고, 그래서 어떤 통계를 보면 약 30%가 머리를 빡빡 깎인 채 끌려온 사병들이었다"고 말했다.

"보급품도 시원치 않았다. 그래서 군용 열차를 타고 온 그들이 평양역에 내렸을 때 그들의 모습은 거지처럼 보였다. 군복은 낡았고 군화는 해어졌으며, 땀과 때에 절어 있었다. 그들은 거의 모두 훌렙이란 소련의 검은 빵을 들고 내렸다. 그것은 그들의 식량이면서 베개였다. 땅바닥에 앉을 때에도 그것을 깔개로 썼으며, 그렇게 쓴 것을 식사 때가 되면 식빵으로 먹었다. 해방군이 온다고 환영 나갔던 평양 시민들은 소련군의 남루하고 무식한 분위기에 너무 놀랐다. 그래도 흉악무도한 나치 군대와 야만적인 일본 군대를 무찌르기 위해 너무 고생했구나 하고 동정심을 아끼지 않았다."[61]

그러나 그 동정심은 곧 경계심과 경멸로 바뀌었다. 양명문은 소련군이 "우리들의 신경으로는 당해낼 수 없을 만큼 추잡하고 우악스러웠다"고 주장했다.[62] 월남민이 경험한 소련군에 대한 인상 중엔 소박하고 친절하고 다정스러웠다는 반대의 증언들도 있기는 하지만,[63] 남북한을 막론하고 소련군이든 미군이든 외국군인 이상 그들의 부정적인 특성이 널리 유포되었으리라는 건 미루어 짐작하기 어렵지 않다.

60) 김학준, 『북한 50년사: 우리가 떠안아야 할 반쪽의 우리 역사』(동아출판사, 1995), 85~86쪽.
61) 김학준, 위의 책, 69쪽.
62) 양명문, 〈소련군의 만행〉, 『전환기의 내막』(조선일보사, 1982), 53~54쪽; 한수영, 〈한국의 보수주의자: 선우휘〉, 『역사비평』, 제57호(2001년 겨울), 70쪽에서 재인용.
63) 김귀옥, 『월남민의 생활경험과 정체성: 밑으로부터의 월남민 연구』(서울대출판부, 1999), 194~196쪽; 한수영, 위의 글, 83쪽; 김병걸, 『실패한 인생 실패한 문학: 김병걸 자서전』(창작과비평사, 1994), 107쪽.

소련군의 강간과 약탈

소련군은 북한 민중의 공포심과 증오심까지 유발했다. 당시 교사였던 함삼식의 증언이다.

"만나자마자 악수하자고 청해 놓고 손목에 시계라도 차고 있으면 '다와이'라고 말했어요. 소련 말로 '내놓으라'는 뜻이죠. 당시에 그렇게 빼앗은 걸로 팔뚝에 시계 몇 개씩 차고 다니는 놈들이 많았어요. 만년필 꽂고 다니는 것도 눈에 띄면 뺏어갔어요. 그러니 까닭 없이 자기 물건 빼앗기는데 좋아할 사람이 누가 있겠습니까? 게다가 따발총을 어깨에 멘 채 위압감까지 주니 점점 좋았던 인상이 사라지게 되죠."[64]

김학준은 "거지떼 모양의 소련 점령군 일부는 강도와 강간의 길에 나섰다. 아무것이든 빼앗았다"며, "그들은 특히 시계를 좋아해, 평양 거리에는 팔에 시계를 네댓 개씩 차고 다니는 소련 병사들이 수두룩했다"고 했다.

"일본 여자들의 경우에는 대낮에도 당했다. 그래서 상당수의 일본 여자들은 아예 머리카락을 완전히 깎고 얼굴에 숯검댕이를 바른 채 남장을 해야 했다. 마침내는 야밤에 조선 여자들도 당하기 시작했다. 그래서 평양 주민들은 집 대문에 대야를 걸어 놓고 근처에 소련 병정들이 나타났다 하면 대야를 두들겨 이웃들에게 알려 주면서 공동 대처했다. 소련 점령군 사령부는 병사들의 행패를 모르는 척했다. 그뿐 아니라, 이제는 병사 개인의 차원에서가 아니라 점령군 조직의 차원에서 북한으로부터 경제적으로 착취하기 시작했다. 2차 대전의 손실을 메운다는 취지에서 북한에서 공장을 비롯해 산업 시설물들을 마구 뜯어 갔다."[65]

---

64) 함삼식, 〈인사 한번 해보렴, 내가 김구 선생이야〉, 문제안 외, 『8·15의 기억: 해방공간의 풍경, 40인의 역사체험』(한길사, 2005), 92쪽.
65) 김학준, 『북한 50년사: 우리가 떠안아야 할 반쪽의 우리 역사』(동아출판사, 1995), 79~80쪽.

브루스 커밍스도 "북한에 진주한 소련군은 일인과 한인들에게 강간과 약탈을 포함한 파괴행위를 저질렀는데 그것은 아주 광범했으며 적과 그들의 한국인 동맹자들에 대한 보복의 범위를 벗어났던 듯하다"고 했다.

"소련 점령하의 첫 수주 간 평양 시장을 지낸 바 있는 한근조에 따르면 소련은 인민위원회에서 비축한 식량의 3분의 2를 징발해 갔다는 것이다. 그러나 한근조는 또한 많은 한인들이 일본인 식민자들과 한인 '자본가들'의 약탈에 가담했다고 하여 약탈이 민족적이라기보다는 계급적 성격을 지녔음을 시사했다. 강간과 약탈은 남쪽으로 피난 온 일인들에 의하여 과장되었다. 그들은 스스로가 식민지의 공업, 광산, 심지어는 경제 자체를 파괴(화폐의 남발을 통하여)하고자 한 장본인들로서 남을 비난할 처지에 있지 않았던 자들이었다. 그러나 소련 점령군의 행위가 초기 수주 간은 제멋대로였으며 북에서의 소련의 노력을 상당히 손상했음은 분명하다."[66]

46년 1월에 이르러 소련은 헌병을 들여와 군인들에 대한 엄격한 통제를 가하였으며, 한인 여성을 강간하는 자들은 즉시 사살하도록 했다. 그 후 사태가 안정되었다. 그런데 커밍스는 소련이 공장을 뜯어서 반출해 간 것에 대해선 미국 측 보고서를 거론하면서 과장되었다고 주장했다. 몇 안 되는 경우를 제외하고는 소련군이 그런 행동을 한 증거가 없으며, 오히려 소련 기술자들이 파괴된 공장들을 재건하는 데 최선을 다해 46년 중반에 이르러서는 생산이 45년 수준을 능가하게 되었다는 것이다.[67]

북한에선 소련군과의 갈등만이 문제되었을 뿐 좌우 대립은 없거나 매우 약했다. 그게 가능하지도 않았다. 우익은 남한으로 탈출했다. 좌우 갈등은 남한에서만 가능했거니와 번성했다. 남한은 북한에서 벌어졌어야

66) 브루스 커밍스, 김자동 옮김, 『한국전쟁의 기원』(일월서각, 1986), 482쪽.
67) 브루스 커밍스, 김자동 옮김, 위의 책, 482~483쪽.

할 갈등과 대립의 짐까지 떠맡은 셈이었다. 돌이켜보건대, 바로 이게 문제였다. 남한은 감당하기 어려운 수준의 '과잉 갈등'으로 인해 '통일 한국'의 비전은 꿈도 꾸지 못한 채 갈팡질팡하고 있었다.

조선인민공화국 선포

박헌영의 조선공산당 재건

1945년 8월 16일 서울 종로 네거리 등에는 "근로대중의 위대한 지도자 박헌영 선생은 어서 나와 우리를 지도해 달라!"며 박헌영의 등장을 촉구하는 벽보들이 나붙기 시작했다. 도대체 박헌영이 누구이기에 그런 벽보가 나붙었던 걸까?

1919년부터 공산당의 열성적 조직원으로서 "한국 공산주의의 가장 위대한 영도자"로 불렸던[68] 박헌영은 1942년 12월 일본 경찰이 검거망을 좁혀 오자 광주로 피신해 김성삼이라는 가명으로 기와공장에 인부로 취직해 일하고 있었다. 해방이 되자 박헌영은 8월 17일 서울로 돌아와, 20일 명륜동에서 '조선공산당 재건준비위원회'를 열고 '8월 테제'를 발표하였다. 이는 해방된 조선의 현 단계를 부르주아 민주주의 혁명 단계로

---

68) 브루스 커밍스, 김자동 옮김, 『한국전쟁의 기원』(일월서각, 1986), 125쪽.

박헌영(왼쪽)과 여운형.

파악하고 이 단계를 거쳐 사회주의 혁명 단계로 넘어가야 한다는 것이었
다.[69]

　박헌영의 '8월 테제'는 단순한 이론 문건이 아니었다. 그건 공산당의
헤게모니 쟁취를 위한 정략적 문건이기도 했다. '8월 테제'는 장안파 공
산주의자들을 "사이비 혁명가", "가장 '혁명적' 언사를 농(弄)하는 극좌
적 경향", "반당(反黨) 행위의 일종" 등과 같은 표현으로 매도하였다.[70]

　박헌영은 장안파에서는 홍남표·노동우·최원택, 여운형파에서는 이
강국과 최용달 등을 자기 진영으로 끌어냈으며, 건준에서 다수의 장안파
를 제거하고 자신의 영향력을 강화하였다. 장안파는 박헌영의 공세에 속
수무책으로 무너져 결국 8월 24일 해체되고 말았다.

69) 김학준, 『북한 50년사: 우리가 떠안아야 할 반쪽의 우리 역사』(동아출판사, 1995), 83쪽.
70) 김홍우, 〈이데올로기와 한국정치〉, 한국정치학회 편, 『한국의 정치: 쟁점과 과제』(법문사, 1993), 367쪽.

현실적인 힘의 관계에서 무너지긴 했지만, 장안파는 '극좌모험주의'
에 빠진 것은 자신들이 아니라 바로 박헌영의 재건파라고 반격하였다.
재건파 공산주의자들은 미·소 양군의 한반도 분할 점령이라는 새로운
사실을 충분히 인식하지 못하고, 민족 부르주아지를 혁명 세력으로부터
배제시킴으로써 스스로의 고립을 자초하였다는 것이다.[71]

박헌영은 9월 3일 조선공산당을 재건하고 책임비서가 되었다. 박헌영
의 이런 공세는 건준에도 심대한 영향을 미치게 되었다. 박헌영은 여운
형을 만났는데, 여운형의 딸 여연구는 그 만남에 대해 이렇게 말했다.

"그는 아버지에게 건준의 간부들 속에 민족주의자가 너무 많기 때문
에 우경화될 위험이 있으니 개조해야 한다고 주장했다. 아버지는 그 문
제는 나 혼자 결심할 일이 못 되니 토론해 보아야 한다고 말했다. 건준
부위원장이던 안재홍은 아버지의 말을 듣자 '나는 해방 전에 공산당을
하는 사람들이 파벌싸움을 하는 것을 신물이 나도록 목격한 사람이오.
몽양도 박헌영을 가까이 하지 마시오'라고 했다. 그러나 아버지는 '해방
된 이 마당에서 과거를 가지고 시비를 가릴 것이 있는가, 정치는 그릇이
크고 사람은 도량이 넓어야 하니, 건국에 투신하겠다는 사람이라면 누구
나 함께 손잡고 나가자'고 했다. 결국 박헌영파들이 건준에 많이 들어오
게 되었다."[72]

건준의 좌경화

건준에서 박헌영파의 영향력 강화는 안재홍을 매우 불편하게 만들었
고, 급기야 안재홍은 9월 초 건준과의 결별을 선언하였다. 중경 임시정

---

71) 김홍우, 〈이데올로기와 한국정치〉, 한국정치학회 편, 『한국의 정치: 쟁점과 과제』(법문사, 1993), 388쪽;
   브루스 커밍스, 김자동 옮김, 『한국전쟁의 기원』(일월서각, 1986), 125쪽.
72) 여연구, 신준영 편집, 『나의 아버지 여운형』(김영사, 2001), 175~176쪽.

제1장 36년 묵은 한(恨)의 분출 · 1945년___**59**

부에 대한 시각차이도 안재홍이 건준을 떠난 중요한 이유였다. 방법의 차이는 있을망정 안재홍도 송진우처럼 '임정 봉대론'을 내세웠던 것이다. 안재홍은 '임정 절대 지지'를 표명한 뒤 자신의 지지자들과 함께 9월 4일 건준을 탈퇴하였다.[73)]

뒤이어 많은 민족주의자들이 건준에서 떨어져 나감으로써 건준은 좌경화되고 말았다. 여운형의 측근들이 여운형에게 "건준의 핵심은 다 떼버리고 박헌영의 공산당 계열이 주동이 되었은즉, 건준을 어디로 끌고 가자는 것인가"라고 따지자 여운형은 이렇게 답했다.

"박헌영 개인이 옳지 않은 행동을 한다고 공산당을 외면할 수 없지 않은가. 공산당원들이야 응당 북조선 공산당의 노선을 따르겠지. 나는 이 하나를 믿고 그들과 손을 잡을 거야."[74)]

9월 4일 건준 전체회의가 열려 부위원장에 좌파 변호사 허헌을 세우는 등 집행위원 개편이 있었다. 개편 이틀 후인 9월 6일 오후 9시 건준은 경기여고 강당에서 약 1천여 명이 참석한 가운데 '조선인민공화국임시조직법'을 통과시킨 다음 조선인민공화국(인공) 수립을 선포했다. 다음날 건준은 '발전적 해소'라는 미명 아래 사라졌으며, 또 그 다음날엔 인공의 내각이 발표되었다.

인공 내각에는 주석 이승만, 부주석 여운형, 국무총리 허헌, 내무부장 김구, 외무부장 김규식, 재정부장 조만식, 군사부장 김원봉, 사법부장 김병로, 문교부장 김성수, 경제부장 하필원, 체신부장 신익희 등 국내외, 좌우를 망라한 인사들이 선임되었다.

그러나 인공 선포는 미 점령군의 진주라는 급박한 상황에 대비하기

<hr>

73) 안재홍은 건준과의 결별 후, 이미 9월 1일 자신을 위원장으로 추대하면서 결성된 조선국민당의 조직 확대를 꾀한 결과 9월 24일 자신을 위원장으로 한 국민당을 조직하였다. 국민당은 조선국민당, 사회민주당, 민중공화당, 자유당, 근우동맹, 협찬동지회 등 6개 정당·사회단체가 합쳐 만든 것이었다. 김재명, 〈안재홍: 민족애 실천했던 온건과 지식인〉, 『한국현대사의 비극―중간파의 이상과 좌절』(선인, 2003), 247~249쪽.
74) 여연구, 신준영 편집, 『나의 아버지 여운형』(김영사, 2001), 175~176쪽에서 재인용.

위해 졸속으로 이루어진 것이어서 각 부를 담당할 중앙인민위원의 임명도 국외에 있거나 국내에 있을 경우라도 사전 동의 없이 이루어진 경우가 많았다.[75]

이승만을 인공의 주석으로 삼은 것에 대해선 지금까지도 설이 분분하다. 이승만이 그간 무슨 활동을 해왔는지 국외 소식에 대해 좌익이 무지한 탓이었다는 시각과 미군정을 의식한 것임과 동시에 중경 임시정부를 견제하기 위한 것이었다는 시각도 있다. 그 어느 쪽이건 한 가지 분명한 건 "이승만이 인민공화국의 주석이 되었다는 것은 그에게 커다란 정치적 후광이 될 수 있었다는 점"이었다.[76]

'공산당의 좌명 헤게모니 의식'

급조된 인공의 내각 구성과는 달리, 인공 지도부는 명백히 좌파 쪽으로 기울어진 것이었다.

55명 중 42명이 좌익이나 공산주의와 관련이 있는 사람들이었던 반면, 민족주의자나 우익은 13명에 지나지 않았다. 커밍스는 인공이 "해방의 들뜬 분위기와 혁명적 정열의 산물이기도 했다"는 점을 지적하면서도 그러한 인적 구성이 "지난 20년 간의 항일투쟁에 있어서 공산주의자와 민족주의자의 기여도를 불공평하게 왜곡했다고는 볼 수 없다"는 평가를 내렸다.[77]

그러나 인공에 대해선 좌파들의 비판도 만만치 않았다. 9월 6일의 대회가 경솔하고 무분별하게, 지나치게 서둘러서 소집되었으며, 대중을 동

75) 허은, 〈8·15 직후 민족국가 건설운동〉, 강만길 외, 『통일지향 우리 민족해방운동사』(역사비평사, 2000), 307~309쪽.
76) 서중석, 『한국현대민족운동연구: 해방후 민족국가 건설운동과 통일전선』(역사비평사, 1991), 221쪽.
77) 브루스 커밍스, 김자동 옮김, 『한국전쟁의 기원』(일월서각, 1986), 125~127쪽.

원시키지 못해 전위적 영도자와 대중을 분리시켰으며, 강령도 혁명적 관점을 나타내지 못했다는 비판이 쏟아졌다.[78]

정당 만들기를 거부했던 김창숙은 인공 조직 소식을 전해 듣고 "아! 슬프다. 나라를 새로 일으켜 정식 정부를 세움이 이 얼마나 중대한 일이건대, 저 여(여운형), 박(박헌영) 등 몇 사람이 하룻밤 사이 창졸간에 비밀히 모여서 상의하고 상호 추천하여 그 부서를 정하고 무지한 시민으로 1천 명도 못되는 자를 끌어다 놓고 이르기를, 이는 '조선인민공화국의 정식 정부'라고 선포했다 하니, 그들은 정권을 잡으려고 국민을 기만하고 있구나, 일이 이에 이르니 그 죄는 죽어도 남음이 있을 것이다"라고 개탄하였다.[79]

여운형의 동생 여운홍은 건준의 인공으로의 개편 과정에 대해 "이것은 순전히 소아병적인 극렬 공산당원들이 꾸며낸 하나의 연극이었"으며, 여운형에게는 "정치생활 중 가장 큰 실책"이 되었다고 비판했다.[80]

인공의 급조는 "여운형의 조급한 판단과 재건파 공산당의 좌경 헤게모니 의식이 결합되어 나타난 것"으로서,[81] 해방정국을 급격한 좌우 대결 구도로 몰고 가게 하는 데에 큰 영향을 미쳤다.

인공의 출범은 여운형이 완전히 소외된 가운데 박헌영과 허헌에 의해 저질러진 일이라는 주장도 있다. 여운형은 인공 내각 명단에 자신이 부주석으로 오른 것에 대해서도 기뻐하기는커녕 박헌영과 허헌의 돌이킬 수 없는 경거망동을 한탄했다는 것이다.[82]

78) 브루스 커밍스, 김자동 옮김, 『한국전쟁의 기원』(일월서각, 1986), 132~133쪽. 9월 6일의 대회는 밤 9시부터 7일 새벽 1시까지 네 시간에 걸쳐 밤을 새워 이루어졌다.
79) 김삼웅, 『심산 김창숙 평전』(시대의창, 2006), 327쪽.
80) 김학준, 『고하 송진우 평전: 민족민주의 언론인 · 정치가의 생애』(동아일보사, 1990), 315쪽; 김삼웅, 『한국현대사 뒷애기』(가람기획, 1995), 110~111쪽.
81) 서중석, 『한국현대민족운동연구: 해방후 민족국가 건설운동과 통일전선』(역사비평사, 1991), 216쪽.
82) 이영근, 〈통일일보 회장 고 이영근 회고록: 이승만, 박헌영을 제압하다〉, 『월간조선』, 1990년 9월, 432~433쪽.

이정식은 "병상에 누워 있던 여운형은 인공 조각 발표에 있어서 조공에 이용당했지만 그는 자신의 명의로 발표된 인공을 옹호하지 않으면 안되는 처지에 놓여 있었으니 심경이 착잡했을 것이다"라며, "여운형은 그의 연합세력 중 중요한 부분을 차지한 조공을 공개적으로 배척하지 않는 한 인공을 배척할 수는 없었다. 그럼으로써 그는 미군정과도 대립하고 중경에서 돌아온 임시정부 측과도 대립하는 처지에 놓여 버렸다"고 했다.[83]

이정식은 해방 후 남한에서 좌우대립이 격화된 주요 원인은 "조선공산당의 미숙성과 급진성"이었다며, "좌익이나 우익 모두 상대방을 인정하지 않고 독선적인 태도를 보였다는 점도 문제였지만 좌익이 우익보다 월등하게 우세했던 당시의 상황을 고려해 볼 때 조공의 체질이 더 큰 문제였다"고 했다.[84] 이정식은 조선공산당의 미숙성과 급진성을 외국의 혁명 공식을 번역해 도입하는 데 급급했던 서생적(書生的) 혁명가 체질에서 찾았는데,[85] 이것이야말로 사회에서 현실적 연륜을 쌓을 기회를 원천봉쇄했던 일제 식민체제가 만들어낸 비극이었는지도 모를 일이었다.

그 내막이야 어찌되었건, 밖으론 인공이 여운형의 주도하에 만들어진 것으로 알려졌던 만큼 여운형은 우익진영의 타도 대상이 되었다. 인공의 급조로 좌우 진영의 사이는 더욱 멀어졌다.

83) 이정식, 『대한민국의 기원』(일조각, 2006), 125~126쪽.
84) 이정식, 위의 책, 113쪽.
85) 이정식, 위의 책, 114~115쪽.

한국인을 적(敵)으로 간주한 미군

미군의 '친(親)일본, 반(反)조선' 자세

태평양 방면 미 육군 총사령관 더글라스 맥아더가 일본 점령의 첫발을 디딘 것은 8월 30일이었다. 9월 2일 요코하마 해상의 미주리 함 함상에서 일본은 항복 문서에 조인했다. 그리고 미 제24군단을 실은 21척의 배로 이루어진 미 7함대가 인천 앞바다에 도착한 건 9월 4일이었다. 입항하기 전 일본군이 인천 앞바다에 설치해 둔 기뢰 제거 작업에 들어가는 동안 미군 군정요원들은 군정에 대비하기 위한 '벼락공부'를 하고 있었다.[86]

9월 7일 인천항에선 미군 상륙의 소문을 듣고 몰려든 군중으로 인해 작은 혼란이 발생했다. 미군의 인천 상륙을 환영하기 위해 부둣가에 나와 있던 군중이 일본 경찰의 저지 명령을 무시했다는 이유로 일본 경찰

---

86) 조용중, 『미군정하의 한국정치현장』(나남, 1990), 36~37쪽.

미군의 미주리 함 위에서 맥아더가 지켜보는 가운데 태평양전쟁의 종전을 알리는 항복 문서에 서명하고 있는 일본 대표.

이 발포하는 어이없는 사건이 발생했다. 이 발포로 인해 2명이 사망하고 9명이 부상을 당했다. 이 사건에 대해 나중에 미군은 오히려 일본 측을 두둔하였다.[87]

　미군의 '친(親)일본, 반(反)조선' 자세는 이미 9월 6일 준장 찰스 해리스가 이끄는 37명의 미군 선발대가 비행기로 김포공항에 도착해 조선호텔에 투숙했을 때부터 예고된 것이었다. 미군 선발대는 일본 관리와 장교들을 만나 "곤드레만드레가 된 채 흥청거린" 연회를 가졌다.[88]

　그러나 미군 선발대는 그렇게 흥청거리며 놀면서도 한국인들의 접견

87) 김삼웅, 『한국현대사 뒷애기』(가람기획, 1995), 106쪽; 진덕규, 『한국 현대정치사 사설』(지식산업사, 2000), 10~12쪽.
88) 브루스 커밍스, 김자동 옮김, 『한국전쟁의 기원』(일월서각, 1986), 188쪽.

요청은 모두 거부하였다. 미군 선발대를 영접하기 위해 김포비행장에 나갔던 조선총독부의 고참 국장이었던 재무국장 미즈타는 '무조건 항복', '잔인한 미군', '능욕' 같은 것을 상상했지만, 미군으로부터 '악수', '착석 권유'와 같은 정중한 대우를 받으면서 미군이 자신들을 점령하러 온 것이 아니라 '비즈니스'를 하러 왔다는 점을 간파했다. 미군이 조선인에 대해 경멸의 빛을 보일 때엔 같은 지배자로서 동질감마저 느꼈던 것이다.[89]

살벌한 맥아더 포고령

반면 조선인 선발대는 거부당했다. 9월 8일 새벽, 한국 점령군인 제24군단 사령관 육군 중장 존 하지(John R. Hodge)는 늘 하던 버릇대로 맥아더처럼 색안경을 끼고 파이프를 입에 물고 선장인 바베이 제독과 함께 갑판에 앉아 있었다. 바베이의 망원경에 태극기와 성조기를 단 작은 배 한 척이 들어왔다. 그 배엔 조선의 인민공화국이 파견한, 영어를 할 줄 아는 여운형의 동생 여운홍, 여운형의 비서 조한용, 그리고 미국 브라운 대학 출신인 백상규 등 3명이 타고 있었다.

세 사람이 기함에 올랐을 때 하지는 자기 방으로 돌아갔다. 백상규가 유창한 영어로 자신이 브라운 대학을 장학생으로 졸업했다는 걸 포함하여 자기 일행이 온 목적을 설명했다. 명문 브라운대의 장학생? 미군에겐 그게 가장 놀라운 사실이었다. 미군 장교 가운데 브라운 대학 출신이 있어 확인 작업에 들어갔다. 학교의 건물 모양에서부터 교수 이름에 이르기까지 몇 차례 질문이 오고갔다. 장교는 "적어도 한때 브라운대 학생이

---

89) 정병욱, 〈해방 직후 일본인 잔류자들: 식민지배의 연속과 단절〉, 『역사비평』, 제64호(2003년 가을), 135~136쪽.

었던 것만은 분명한 사실"이라는 보증을 섰다. 그러나 그것뿐이었다. 하지가 그들의 면담을 거절했기 때문이다.[90]

조선을 미국의 적으로 간주하는 미군의 기본 자세는 9월 7일에 발표된 맥아더의 포고령 제1호와 2호, 그리고 3호를 통해 구체화되었다. 포고령 1호는 미군이 해방군이 아니라 점령군의 지위로 한반도에 들어가게 될 것이며 영어를 공용어로 사용한다고 했으며, 포고령 2호는 미국에 반대하는 사람은 용서 없이 사형이나 그밖의 형벌에 처한다고 했다.

그렇게 살벌한 포고령을 때려 놓은 미군은 9월 8일 오전 8시 30분 일본군이 보내 준 안내선의 도착으로 인천항에 입항하기 시작했고 입항은 오후 1시에 완료되었다. 미군은 상륙 즉시 경인지구에 대해 오후 8시부터 다음날 새벽 5시까지 통행금지를 실시한다는 포고령을 발표하였다.[91]

'건준' 및 '인민공화국'을 지지하는 『조선인민보』의 창간호(9월 8일) 1면에는 영어로 '연합군 환영'이라는 톱기사가 커다란 사진과 함께 실렸고, 왼편에는 역시 '연합군을 환영함'이라는 시가 실렸지만,[92] 미군은 그런 환영을 외면하였다.

점령군 사령관 존 하지

9월 9일 미군은 서울로 진주해 38선 이남 지역에 대한 군정을 선포했다. 그리고 이날 오후 4시 30분 조선총독부 정문에 걸린 일장기가 내려지고 대신 그 자리엔 성조기가 게양되었다. 일본 육군대장 출신으로 총리대신을 역임했던 조선총독 아베 노부유기는 할복자살을 시도했지만

---

90) 조용중, 『미군정하의 한국정치현장』(나남, 1990), 41~43쪽; 그레고리 핸더슨, 박행웅·이종삼 옮김, 『소용돌이의 한국정치』(한울아카데미, 2000), 205~206쪽.

91) 통행금지 시간은 9월 22일부터는 22시부터 04시로 변경되었지만, 통행금지는 1895년에 사라진 이래로 50년 만에 부활한 것이었다.

92) 송건호, 〈미군정하의 언론〉, 송건호 외, 『한국언론 바로보기』(다섯수레, 2000), 122~123쪽.

미수로 끝나 여러 사람의 부축을 받으며 항복 조인식장에 나와 항복 조인 문서에 서명하였다.

점령군 사령관 하지는 어떤 인물이었던가? 하지는 1893년 미국 일리노이 주의 시골 도시 콜콘다에서 태어나 1917년 일리노이 대학 건축학과를 졸업하고 그해 5월 고등사관양성소에 입학해 군인이 된 인물이었다. 하지는 일본과 싸운 태평양전쟁에선 유능하고 공격적인 야전군 사령관으로서 이름을 날려 "군인 중의 군인"이라느니, "태평양의 패튼"이라느니 하는 평판을 얻었다.

그런 평판이 시사하듯이 하지는 '무뚝뚝하고 직선적 접근 방식'을 선호했으며, 극도로 보수적이었고 정치적 감각도 없었다. 게다가 제24군단은 일본 점령을 위해 훈련받았기 때문에 한국에 대해 아는 것도 없었고 상부로부터 아무런 정책 지침도 받지 못했다.[93]

아니 정책 지침을 전혀 받지 않은 건 아니었다. 그러나 그 내용이 놀라운 것이었다. 당시 마닐라의 미군 태평양사령부에 근무했고, 뒤에는 국무부 차관까지 지낸 알렉시즈 존슨은 하지와의 대화를 회고하면서 "한국에 대해 하지가 받은 지시는 대(對) 일본 정책의 일환이었다는 말을 듣고 나는 충격을 받았다"고 썼다.[94]

그레고리 핸더슨은 "하지는 단지 수송시간이 없다는 이유로 약 2천만 명의 인구를 가진 나라의 정치권력을 행사하는 자리에 선택된 사상 초유의 사람일 것"이라고 평했지만,[95] 문제는 그 이상으로 심각했다.

하지는 그야말로 청교도적인 자세로 열심히 일하고 소박하게 살았다.

93) 정용욱, 『미군정 자료연구』(선인, 2003), 119쪽; 윌리엄 스툭, 김형인 외 옮김, 『한국전쟁의 국제사』(푸른역사, 2001), 48쪽; 이우진, 〈미국의 한국 점령정책〉, 이우진·김성주 공편, 『현대한국정치론』(사회비평사, 1996), 73쪽.
94) 조용중, 『미군정하의 한국정치현장』(나남, 1990), 22쪽에서 재인용.
95) 그레고리 핸더슨, 박행웅·이종삼 옮김, 『소용돌이의 한국정치』(한울아카데미, 2000), 202쪽.

1945년 9월 9일, 조선총독부에서 조선에 대한 통치를 미국에게 이양하는 문서에 서명하고 있는 아베 총독.

그는 한동안 반도호텔에 묵다가 궁전 같은 총독관저(지금의 청와대)를 차지하고 살았지만 서너 명의 참모들을 함께 데려와 살았다. 허세를 부리지 않고 소박하다는 점에선 칭찬할 만한 일이었지만, 매사에 너무 엄격해 신경질적인 수준이었다. 예컨대, 군정요원들이 이용하는 조선호텔의 식당은 새벽 6시 반부터 열었고 그만큼 일찍 끝냈으며 룸서비스는 없었다. 이유는 단 하나, 청교도적인 생활습관을 갖고 있는 하지의 취향 때문이었다. 하지가 주최하는 파티는 '장례식 파티' 같다는 말이 나올 정도였다.[96]

---

96) 조용중, 『미군정하의 한국정치현장』(나남, 1990), 51~53쪽; 브루스 커밍스, 김동노 외 옮김, 『브루스 커밍스의 한국현대사』(창작과비평사, 2001), 300쪽. 그러나 다른 의견도 있다. "도쿄에서의 맥아더의 제왕연(帝王然)한 생활을 본뜬 것인지는 확실치 않지만, 하지가 구 일본인 총독의 관저를 숙소로 정하고 1947년

제1장 36년 묵은 한(恨)의 분출 · 1945년___**69**

그러나 그건 지극히 사소한 문제였다. 가장 큰 문제는 그의 임무 가운데 하나가 "남한에서 공산주의자들을 분쇄하는 일"이었는데,[97] "하지는 공산주의처럼 보이는 것은 무엇이든 혐오하는 미국인 특유의 본능을 지녔"다는 점이었다.[98] **(참고 – 자세히 읽기: '준비부족론' 논쟁)**

미군의 한국인 모욕

미군정은 기본적으로 군사조직 우위의 통치구조였으며, 국무성 출신 문관들의 위상과 역할은 매우 취약하였고 하지 및 맥아더의 직접적 통제 하에 놓여 있었다. 이는 미군정의 한국 통치가 극우·군사적 사고의 지배를 받게 되리라는 걸 시사하는 것이었다.[99]

미군정의 그런 사고방식은 항복식이 끝나자 하지가 총독부의 모든 기능이 그대로 존속될 것이라고 선포하는 것에서부터 나타나기 시작했다. 이는 조선인들이 여전히 일본 당국에 복종할 의무가 있다는 걸 의미하는 것이었다. 하지는 "주민의 경솔하고 무분별한 행동은 의미 없이 인민을 잃고 아름다운 국토가 황폐되어 재건이 지연될 것"이라고 경고했다. 하지는 조선인들의 인내를 요청하면서 이런 말까지 했다.

"앞으로 몇 달 동안의 당신들의 행동을 통하여, 세계의 민주국가들과 그들의 대표자인 나에게 당신들의 민족으로서의 도량과 능력, 독립국의

봄 지방시찰 때, 일본 귀빈 전용인 진주 장식을 한 특별열차를 사용함으로써 한국인들은 '구왕(舊王) 대신 신왕(新王)이 임하였다'는 인식을 갖게 되었다." 안정애, 〈주한미군: 대한민국을 만들고, 지키고, 유지시킨 대한민국 역사 그 자체〉, 이재범 외, 『한반도의 외국군 주둔사』(중심, 2001), 332쪽.

97) 하지가 자신의 친구에게 보낸 날짜 미상의 편지; 김학준, 〈해방공간의 주역: 미 점령군 사령관 하지〉, 『동아일보』, 1995년 9월 5일, 7면에서 재인용.

98) 조용중, 『미군정하의 한국정치현장』(나남, 1990), 51~53쪽; 브루스 커밍스, 김동노 외 옮김, 『브루스 커밍스의 한국현대사』(창작과비평사, 2001), 300쪽.

99) 박찬표, 『한국의 국가형성과 민주주의: 미군정기 자유민주주의의 초기 제도화』(고려대학교출판부, 1997), 54~55쪽.

일원으로서 영광스러운 자리를 차지할 준비가 되었음을 보여줄 수 있을 것이다."[100]

브루스 커밍스가 잘 지적했듯이, "한인들은 일본인들로부터 이러한 온정주의를 구역질이 나도록 들어" 왔었기 때문에,[101] 하지의 발언은 한인들에게 실로 모욕적인 것이었다.

이에 『서울타임스』 1945년 9월 10일자는 사설에서 조선인들이 일본 총독 아베의 통치를 계속 받느니 차라리 미개한 어느 보르네오 섬 추장의 통치를 받는 편이 낫겠다면서 미군의 도착을 환영해야 할 자들은 일본인들이라고 말했다. 미국의 관영 소식통마저 하지의 그런 태도가 "한인과 대항하여 일본과 미국이 동맹을 맺는 효과를 가진 것 같았다"고 말했다.[102]

『뉴욕타임스』 1945년 9월 11일자 사설은 "우리는 일본의 식민 쓰레기에는 '무르고' 우리가 해방시키기로 한 백성들에게는 억압적으로 대해야 한단 말인가?"라고 물었다. 그러나 바로 그게 미국인들의 태도이자 진심이었다. 미국의 국가 이익에 일본은 한국보다는 훨씬 중요한 나라였으며, 이는 이후의 정책에서도 그대로 드러났다. 커밍스는 미 국무성이 "하지의 일본 관리 유임 정책에 강력히 반발했다"고 말하지만,[103] 그런 반발에 큰 무게가 실려 있는 건 아니었다.

미군의 옷을 갈아입은 일제 통치

물론 변화가 전혀 없진 않았다. 9월 12일자로 아베가 해임되었고, 그날 미 육군 소장 아키발드 아놀드가 군정장관, 헌병 사령관 육군 준장 로

---

100) 김삼웅, 『한국현대사 뒷얘기』(가람기획, 1995), 105쪽; 브루스 커밍스, 김자동 옮김, 『한국전쟁의 기원』(일월서각, 1986), 189쪽.
101) 브루스 커밍스, 김자동 옮김, 위의 책, 189쪽.
102) 브루스 커밍스, 김자동 옮김, 위의 책, 189쪽.
103) 브루스 커밍스, 김자동 옮김, 위의 책, 190쪽.

렌섬이 경찰 책임자, 육군 소장 키량프가 서울시장에 임명되었다. 그러나 그들은 여전히 일본 관료에 의존했다.

미군정은 이미 남한에 건설된 인민공화국을 인정하지 않았으며, 중경의 임시정부도 인정하지 않았다. 뿐만 아니라 미군정은 전국 각지에서 자발적으로 조직된 인민위원회와 치안대 등의 각종 자치기구들을 강제로 해체시키기 시작했으며, 일제의 통치기구를 그대로 이용해 남한 통치에 돌입했다.

상층부만 좀 바뀌었을 뿐 '일제관료 및 총독기구의 활용'은 점령군 사령부의 기본 방침이었다. 이는 이미 1944년 초 미 국무성에서 결정된 것이었으며, 그것은 9월 2일 체결된 일본과 미국 사이의 항복조약 제5항에서 구체적으로 나타났다. 이 조항은 9월 7일의 맥아더 포고 제1호 제2조와 9월 9일 체결된 '조선총독의 항복서'에서도 재확인되었다.[104]

점령군의 행정요원은 대부분 행정을 해본 경험이 없는 하급 장교였다. 군정청의 국장급으로 보직된 장교의 계급이 대위, 소령 정도였으며, 실무책임자인 과장급은 중위였다. 게다가 이들은 정규 사관학교나 대학 졸업자가 드물었고 전시에 급조된 장교들이었다.[105] 군사조직과 별개로 행정업무를 전담하는 미 군정청은 46년 1월 4일에서야 설치되었다.

점령군은 모든 행정에 있어서 일본인들에게 절대적으로 의존했다. 일본인들은 10월까지 약 350권의 비망록을 영어로 작성하여 미 군정청에 제출하였으며, 한인 관리들을 임명할 때에도 추천권을 행사하였다. 하지가 신문 기자들에게 "사실 일본인들이 가장 신뢰할 만한 나의 정보원이다"라고 실토했듯이, 미군은 일본군에 이은 새로운 지배자의 자세로 한

104) 이헌종, 〈해방이후 친일파 처리문제에 관한 연구〉, 김삼웅·이헌종·정운현, 『친일파 - 그 인간과 논리』(학민사, 1990), 43쪽.
105) 김용욱, 〈미군정과 중간노선의 위상과 역할〉, 한배호 편, 『한국현대정치론 I: 제1공화국의 국가형성, 정치과정, 정책』(나남, 1990), 121~122쪽.

국인들을 대했던 것이다.[106] 이는 미군의 옷을 갈아입은 일제 통치와 다를 바 없었다.

당시 일본인들이 미군에게 준 한국에 관한 정보의 주요 내용은 ① 한국인의 민도는 극히 낮고 야만적인 상태에 놓여 있다(불결하고 도둑이 많다), ② 2대 정치세력은 사회주의자와 민족주의자들인데 사회주의자들은 소련의 지령을 받고 있다, ③ 한국을 통치하려면 총독부 관료체제의 도움이 필요하다 등이었다.[107]

미군정하 한국을 취재했던 미국인 기자 마크 게인은 "우리는 해방군이 아니었다. 우리는 점령하기 위해서 한국인이 항복 조건에 복종하는가 않는가를 감시하기 위해서 왔다. 상륙 제1일부터 우리는 한국인의 적(敵)으로 행동했다"고 썼다.[108]

미군의 인종차별주의

미군이 한국인을 적으로 간주한 이면엔 강한 인종차별주의와 더불어 조선에 대한 멸시도 도사리고 있었다. 개화기 때부터 조선에 진출했던 미국인 선교사들이 미국에 전한 조선 관련 정보는 대부분 조선에 대한 멸시로 가득 차 있었다는 주장도 있다. 그들에게 조선인은 게으른 천성을 갖고 있는 '구제 불능'의 민족이었다는 것이다.[109]

한국에 진주하기에 앞서 한 미군 교관은 미군들에게 "한국은 미국에 비하여 900년이 뒤떨어진 야만국"이라고 일러 주었다. 하지는 "한국인은 일본인처럼 고양이와 같은 민족"이라고 했고, 미군 병사들은 거의 대

---

106) 브루스 커밍스, 김자동 옮김, 『한국전쟁의 기원』(일월서각, 1986), 191, 207쪽; 송광성, 『미군점령 4년사: 우리나라의 자주·민주·통일과 미국』(한울, 1995), 95쪽.
107) 진덕규, 〈해방직후 좌·우세력의 성격〉, 안청시 편, 『현대한국정치론』(법문사, 개정판 1988), 109쪽.
108) 최상룡, 〈분할점령과 신탁통치: 해방한국의 두가지 외압〉, 안청시 편, 위의 책, 120쪽에서 재인용.
109) 이길상, 〈제국주의 문화침략과 한국교육의 대미종속화〉, 『역사비평』, 제18호(1992년 가을), 110~113쪽.

부분 한국인을 구크(gook)라는 경멸적인 단어로 지칭하였다.[110]

당시 통역관으로 활동했던 전숙희의 증언이다.

"일을 마친 후 미군 소위와 함께 군정청 복도를 걸어가고 있었어요. 그때 복도 저쪽에서 하우스보이 하나가 먹을 걸 얻어서 봉지에 들고 오고 있었죠. 그런데 갑자기 이 미국놈이 권총을 뽑더니 아이를 향해 '탕' 쏘더라구요. 아이의 손이 떨어져 나갔어요. 피를 흘리면서 그 자리에 쓰러졌지. 자기가 보기에 도둑질을 한다고 생각했는지 나한테 물어보지도 않고 쏜 거예요. 기가 막혀서 할 말을 잊었어요. 나는 뛰어가 아이를 붙들고 소위한테 욕을 퍼부었어요. …… 아무튼 이런 식의 일들이 비일비재하게 일어났어요."[111]

서울 주재 소련 총영사관의 부영사 샤브신의 아내인 샤브쉬나는 이런 기록을 남겼다.

"미국인 여자들에게 널리 퍼져 있는 오락거리 중의 하나가 인력거꾼들의 경주였다. 저항감 없이 보기 어려운 광경이었다. 인력거꾼들은 절박한 운명에 처한 사람들이었다. …… 그 절박한 운명의 도장이 그들의 극도로 지친 얼굴에 찍혀 있었다. …… 5~6명의 인력거꾼들이 한 줄로 나란히 서 있다. 출발, 인력거 안에서 웃음소리가 터져 나오고 승객들의 고함이 들려온다. 한번은 미국 장교들과 대화하는 도중에 우리가 그런 종류의 오락에 분노를 표명하자 그는 우리를 이해하지 못하는 듯한 표정을 지었다. '그런데 사실 그들은 바로 그런 식으로 돈을 받잖아요. 과연 일 없이 가만히 서서 굶주리는 것이 더 나을까요?'"[112]

110) 브루스 커밍스, 김자동 옮김, 『한국전쟁의 기원』(일월서각, 1986), 484쪽; 신복룡, 『한국정치사』(박영사, 1997), 400쪽; 박명림, 『한국전쟁의 발발과 기원 II: 기원과 원인』(나남, 1996), 541쪽.
111) 전숙희, 〈낙랑클럽이 한국을 알렸어요〉, 문제안 외, 『8·15의 기억: 해방공간의 풍경, 40인의 역사체험』(한길사, 2005), 109~110쪽.
112) 파냐 이사악꼬브나 샤브쉬나, 김명호 역, 『1945년 남한에서: 어느 러시아 지성이 쓴 역사현장기록』(한울, 1996), 261쪽.

경멸하는 수준을 넘어서 한국인들에 대한 터무니없는 생각을 갖고 있는 미군들도 많았다. 예컨대, 나중엔 한국인들을 좋아하고 존경하게 되었다곤 하지만, 하지는 45년 10월 3일 자신의 막료들에게 이렇게 말했다.

"왜놈들을 다루는 것은 쉬운 문제다. 한인들은 일본인들에게 강탈당하고 매맞았다고 떠들어 대지만 증거가 거의 없다. …… 이들보다 더한 '멍텅구리들'은 없을 것이다. 그들의 역사를 돌이켜 볼 때 한인들은 기회만 있으면 강간하고, 강탈하고, 살인을 했다. 그들은 사람을 때리는 것을 좋아한다."[113]

미군들 사이에서는 한국인들에게 "대체로 지능적 정치 행동을 할 능력이 없다"라는 사고가 널리 퍼져 있었다. 미군과 미군 관리들은 한국인들을 대하는 데 있어 거만했으며, 가급적 한국인들을 멀리하려고 애를 썼다.[114]

DDT의 무차별 살포

그런 인종차별주의는 전부는 아닐망정 상당 부분은 점령군의 공식적인 정책에서 비롯된 것이었다. 그레고리 핸더슨은 미 점령군이 맡은 최초의 업무는 일본군의 신속한 무장해제였으며, 그 이후 주한미군이 중점을 둔 것은 7만 2천 명 병사들의 건강을 주의하고 귀찮은 일을 일으키지 않는다는 것이었다고 했다.

"한국인과 친분을 가지는 것을 엄격하게 금지한 명령 때문에 심지어 책임 있는 자리의 미국인들이 상황을 확인하든가, 미국의 정치 목적을

113) 브루스 커밍스, 김자동 옮김, 『한국전쟁의 기원』(일월서각, 1986), 278쪽에서 재인용.
114) 브루스 커밍스, 김자동 옮김, 위의 책, 278쪽; 파냐 이사악꼬브나 샤브쉬나, 김명호 역, 『1945년 남한에서: 어느 러시아 지성이 쓴 역사현장기록』(한울, 1996), 253~254쪽.

돕든가, 또한 미군에 대한 신뢰를 구축하는 데 필요한 범위의 접촉이나 우정을 만드는 것도 금지되었다. 그 결과 '우정'은 미군 정보부대(CIC)에 정보를 제공하는 것과 결부되었으며, 한국인들과의 인간관계는 친절한 가정부의 범위로 최소화되었다. 병사들의 전속지로 한국은 '막다른 곳'이었으며, 도쿄의 맥아더 사령부는 가장 질이 떨어지는 군인들을 보충병으로 한국에 보냈다. 그것도 몇 번이나 독촉을 해야만 마지못해 보내 주었다."[115]

한국인과 사귀지 말라는 명령의 표면적인 이유는 한국 음식을 먹게 되면 장염을 앓게 될 염려가 있다는 것이었다.[116]

일본에 주둔하고 있던 미군이 가장 두려워하는 말은 "근무 성적이 불량하면 한국에 보낸다"는 것이었다.[117] 미군 내에서 한국 주둔은 전혀 인기 없는 임무였다. 하지는 한국에 도착하자마자 미군을 대상으로 한 연설에서 이렇게 말했다.

"일본 주둔 미군들이 두려워하는 것이 세 가지가 있다. 첫째는 설사(다이어-리아), 두 번째는 임질(고오너-리아), 그리고 마지막은 한국(코-리아)이다."[118]

미군의 한국에 대한 멸시와 두려움, 그리고 건강에 대한 집착은 DDT의 무차별 살포로 나타났다. 고은이 쓴 〈DDT〉라는 시(詩)의 한 대목이다.

"하지 사령관의 군정청에서는 / 거기 드나드는 조선 사람에게도 / 군정청 밖에 / 거리의 조선 사람에게도 / DDT를 마구 뿌려댔습니다 / 그 독한 밀가루를 뒤집어쓰고 / 조선 사람은 얼빠져 히죽히죽 웃기도 했습니다 /

---

115) 그레고리 핸더슨, 박행웅·이종삼 옮김, 『소용돌이의 한국정치』(한울아카데미, 2000), 204쪽.
116) 로버트 올리버, 황정일 옮김, 『이승만: 신화에 가린 인물』(건국대학교출판부, 2002), 246쪽.
117) 로버트 올리버, 황정일 옮김, 위의 책, 246쪽.
118) 돈 오버도퍼, 이종길 옮김, 『두개의 한국』(길산, 2002), 29쪽에서 재인용.

아니 끓어오르는 수치로 치떨리기도 했습니다."[119]

DDT를 제외하곤, 일본에 주둔한 미군들과는 달리 한국 주둔 미군들에겐 물자가 제대로 공급되지 않았다. 미군들은 한국을 "보급선의 끝"이라고 말했다. 그래서 약탈행위가 많이 발생했다. 전체 미군의 약 3분의 1이 문맹이었다거나 미군 중 2천 명은 원래부터 직업적인 불량배였다는 사실도 약탈의 한 이유로 거론되었다.[120]

그런 문제는 미국 점령정책의 기본 자세와도 무관한 것이 아니었다. 미국은 한국을 "핵심적 가치가 없는 주변부 열등국가"로서 평가하면서 "소련 세력의 팽창을 저지하기 위한 전진기지"로서 취급하였던 것이다.[121]

미국의 한국에 대한 이런 자세는 이후 한반도의 운명을 결정짓는 기본 노선이 되었다. 한국인들이 단결하여 그런 노선에 도전하고자 했다면 한국의 운명을 바꿀 수도 있었겠지만, 한국의 지도자들은 오히려 분열과 권력투쟁에 매진하는 등 정반대의 방향으로 나아가기에만 바빴다.

---

119) 고은, 『만인보 20』(창비, 2004), 326쪽.
120) 조순경 · 이숙진, 『냉전체제와 생산의 정치: 미군정기의 노동정책과 노동운동』(이화여자대학교출판부, 1995), 151쪽; 김동구, 『미군정기의 교육』(문음사, 1995), 115쪽; 오연호, 『식민지의 아들에게: 발로 찾은 '반미교과서'』(백산서당, 1990), 99쪽.
121) 이완범, 〈한반도 분단의 외부적 요인과 내부적 요인: 미국과 국내정치세력간의 역학관계, 1945~1948〉, 유영익 편, 『수정주의와 한국현대사』(연세대학교출판부, 1998), 122쪽. 이어 이완범은 이렇게 말한다. "이에 비하여 소련은 적어도 형식적으로는 군정을 수립하지 않았으며 한국인들을 배후에서 조정하는 '간접통치' 스타일의 고도의 정치술을 구사하였다. 한국인의 의사를 더욱 많이 반영하는 것처럼 보이는 소련의 전략이 오히려 더욱 간교하면서도 효과적인 규정력이었다고 할 수 있다."(124쪽)

'준비 부족론' 논쟁

하지는 처음부터 끝까지 본국 정부의 훈령에 충실하게 움직였기 때문에 하지의 개인적 특성이나 정세 인식이 미군정의 남한 정책에 크게 영향을 주었다는 해석엔 문제가 있다는 주장도 있다.[122]

그런가 하면 하지 개인의 능력보다는 그가 수행해야 했던 일 자체가 '거의 수행 불가능한 임무'였다는 시각도 있다.[123] 훗날 하지도 "미군정 최고 책임자로서 나의 직책은 내가 지금까지 맡았던 직책들 가운데 최악의 임무였다. 만약 내가 정부의 명령을 받지 않는 민간인 신분이었다면 연봉 100만 달러를 준다 해도 결코 그 직책을 다시 맡지 않을 것이다"라고 회고했다.[124]

그런데 문제는 그렇게 단순하지 않고 여기에 이데올로기적인 해석이 스며든다는 데에 있는 것 같다. 즉, 미국은 해방자이자 민주주의의 전파자로서 순수한 의도를 갖고 있었지만, 준비가 부족했다는 식의 '미국결백론(American innocence theory)'이나 '단순실수론(fumbling theory)'으로 빠질 수 있다는 것이다.[125]

그래서 하지의 자질이나 미국의 준비 부족을 문제 삼는 이른바 '준비 부족론'은 "한국 현대사의 질곡들에 대한 미국의 책임 정도를 의도적이고 계획적인 범죄가 아니라 단순한 '과실에 의한' 범죄의 수준으로 축소하는 효과를 지니고 있다"는 비판도 제기되고 있다.[126]

122) 미국 펜실베이니아 대학 정치학과 교수 이정식의 주장; 김학준, 『해방공간의 주역들』(동아일보사, 1996), 71쪽에서 재인용.
123) 차상철의 주장; 조순경·이숙진, 『냉전체제와 생산의 정치: 미군정기의 노동정책과 노동운동』(이화여자대학교출판부, 1995), 45~49쪽에서 재인용.
124) 정용욱, 『존 하지와 미군 점령통치 3년』(중심, 2003), 247~248쪽에서 재인용.
125) 안진, 〈미국과 한국의 정치변동: 분단국가 형성과 정권변화에 미친 미국의 영향〉, 한국사회학회·한국정치학회 편, 『한국의 국가와 시민사회』(한울, 1992), 297쪽.

그러나 과연 무엇이 준비되지 않았는가를 명확히 할 필요가 있을 것이다. 38선 획정의 문제인지, 그걸 전제로 하거나 그것과는 비교적 무관하게 군정 실시의 문제인지, 그걸 구분해서 말하는 게 좋지 않겠느냐는 것이다.[127] 그런 점에서 '준비 부족론' 논쟁은 그런 차원과 더불어 '거시'와 '미시'라고 하는 시각의 차이를 구분하지 않고 이루어진 한계를 안고 있다고 말할 수 있겠다.

하지에 대한 명령 체계는 워싱턴, 도쿄, 서울 사이를 오고가야 하는 등 혼란스러웠는데, 이를 더욱 악화시킨 것이 국무성과 국방성이 한국 문제를 보는 시각이 서로 달랐다는 점일 것이다. 하지는 국방성 소속이었으며 국무성은 하지에게 고문관을 배속시키는 것으로 간접적인 영향력을 행사했다. 당시 국무성의 관심은 유럽에 쏠려 있었고 남한은 정책 결정 보류 상태에 놓여 있었다. 하지는 형식적으론 맥아더 사령부 휘하에 있었지만, 맥아더의 관심은 일본에 집중돼 있었기 때문에 하지는 자유로운 재량권을 누릴 수 있었다. 그래서 하지는 맥아더를 통하지 않고 미국 대통령에게 개인적으로 보고서를 보내기도 했다.[128]

하지가 재량권을 누린 건 맥아더의 하지에 대한 존중심 때문은 아니었다. 맥아더는 일본에서 군주(君主) 행세를 하면서 그 재미에 푹 빠져 있었기 때문에 한국 문제는 안중에도 없었다는 주장도 있다.[129]

126) 이길상의 주장; 조순경·이숙진, 『냉전체제와 생산의 정치: 미군정기의 노동정책과 노동운동』(이화여자대학교출판부, 1995), 40쪽에서 재인용.
127) 조순경·이숙진, 위의 책, 41쪽.
128) 로버트 T. 올리버, 박일영 옮김, 『대한민국 건국의 비화: 이승만과 한미관계』(계명사, 1990), 122~123쪽.
129) 조용중, 『미군정하의 한국정치현장』(나남, 1990), 23쪽.

"인공을 타도하라": 한국민주당 창당

"인공을 타도하라"

해방정국에서 나타난 우익세력 최초의 정당은 8월 18일에 결성된 원세훈의 고려민주당이었다. 김병로와 백관수도 정당 결성 준비를 하자, 원세훈은 고려민주당을 해체하고 이들과 합작하여 8월 28일 조선민족당을 결성하였다. 백남훈, 허정, 장덕수, 김도연, 윤보선 등 해외 유학파 인텔리들이 중심이 되어 9월 4일 한국국민당을 발기하자, 우익진영은 이들을 모두 한국민주당으로 통합하는 방안을 모색하게 되었다.[130]

9월 4일 우익진영의 대표자 82명은 서울 종로국민학교에 모여 한국민주당(한민당) 준비위원회 발기총회를 개최했다. 한민당 준비위원회는 9월 8일 성명을 내고 "국제적으로 대한민국 임시정부 외에 정권을 참칭

---

130) 구종서, 〈보수우익 세력의 형성과정〉, 한배호 편, 『한국현대정치론 I: 제1공화국의 국가형성, 정치과정, 정책』(나남, 1990), 91쪽.

하는 일체의 단체 및 그 행동을 단호히 배격한다"고 선언했다.[131]

"인공을 타도하라"는 구체적인 목표를 내건 이 선언문은 건준과 인공을 "일본 제국주의의 주구(走狗)들", "반역적인 극소수" 등으로 매도하면서 이제는 한민당의 '정의의 칼'이 "악마를 분쇄하는 위대하고 숭고한 사업을 확고하게 수행하여 정의를 적나라하게 노출시킬 것"이라고 주장했다. 이들이 지적한 건준과 인공의 죄상 중에는 "농민들에게 토지가 그들의 것이라고, 노동자들에게 공장이 그들의 것이라고, 점원들에게 가게가 그들의 것이라고 일러준 것"도 포함되어 있었다.[132]

한민당은 초창기부터 그 어떤 목표나 계획을 제시하지 않은 채 인민공화국 및 이에 관련된 집단들을 반대하는 일에만 집착했다.[133] 훗날 조병옥이 회고하였듯이, "한국민주당의 첫 사업은 해방 직후 재빠르게 결성한 건국준비위원회와 같은 해 9월 6일에 좌익분자를 중심으로 조직된 소위 조선인민공화국을 제거하는 데 있었다."[134]

목숨을 건 당쟁(黨爭)에 나선 한민당

9월 10일 한민당을 대표한 조병옥, 윤보선 등은 미 군정장관 등을 만나 인공은 "일본과 협력한 한인집단"에 의해 조직되었으며, 여운형은 "한인들에게 잘 알려진 부일협력 정치인"이라고 주장하였다. 바로 그날 하지의 개인 통역관이 된 한민당 지지자 이묘묵도 명월관에서 미군정 관리들에게 여운형과 안재홍이 잘 알려진 "친일파"이며, 인공은 "공산주의적 경향"이 있다고 주장했다. 이묘묵의 이러한 발언은 미군정의 상당한

131) 김진국 · 정창현, 『www.한국현대사.com』(민연, 2000), 31쪽에서 재인용.
132) 브루스 커밍스, 김자동 옮김, 『한국전쟁의 기원』(일월서각, 1986), 140~141쪽.
133) 브루스 커밍스, 김자동 옮김, 위의 책, 140쪽.
134) 김학준, 『고하 송진우 평전: 민족민주주의 언론인 · 정치가의 생애』(동아일보사, 1990), 321쪽에서 재인용.

신임을 받았다.[135]

이에 대해 커밍스는 "한민당은 생명을 내건 싸움을 하고 있었던 것"이라며, "대중적 지지를 못 받고 인공의 조직 능력을 못 갖춘 그들은 당쟁이라는 전통적 음모에 의존할 수밖에 없었던 것이다"라고 했다.

"무지했던 미국인들은 한민당 지도자 중 많은 사람이 여운형, 허헌 및 안재홍 같은 불굴의 항일투사를 매도하기에 앞서 일본인의 전쟁 노력을 지지하는 반미연설을 막 끝내고 숨을 돌이킬 시간도 없었던 것을 알 길이 없었다. 그러나 문제의 근원은 미국의 무지가 아니었다. 한민당은 미국의 정치기상도를 정확하게 측정하였으며 그들이 듣고 싶어하고 믿고 싶어하는 말을 들려주었던 것이다."[136]

하지의 정치고문 메릴 베닝호프[137]는 미 국무성에 보낸 9월 15일자 보고서에서 남한을 '점화하기만 하면 즉각 폭발할 화약통'으로 묘사하면서 한민당을 염두에 두고 다음과 같이 말했다.

"정치정세에 있어서 유일하게 고무적인 요소는 서울의 보다 나이 들고 교육을 받은 사람 중에 보수분자 수백 명이 있다는 사실이다. 비록 그 중 많은 사람들이 일본을 위하여 봉사하긴 했으나 그러한 오점은 결국 없어질 것이다. 이 사람들은 '임시정부'의 귀환을 지지하고 있으며 비록 다수는 아니지만 아마도 최대의 단일집단일 것이다."[138]

---

135) 브루스 커밍스, 김자동 옮김, 『한국전쟁의 기원』(일월서각, 1986), 193~194쪽; 진덕규, 『한국 현대정치사 사설』(지식산업사, 2000), 26쪽; 조순경·이숙진, 『냉전체제와 생산의 정치: 미군정기의 노동정책과 노동운동』(이화여자대학교출판부, 1995), 58~59쪽.
136) 브루스 커밍스, 김자동 옮김, 위의 책, 194쪽.
137) 일본에서 수십년간 선교사 생활을 한 반공(反共)·친(親)한민당 인사였다.
138) 브루스 커밍스, 김자동 옮김, 위의 책, 197쪽; 이완범, 〈한반도 분단의 외부적 요인과 내부적 요인: 미국과 국내정치세력간의 역학관계, 1945~1948〉, 유영익 편, 『수정주의와 한국현대사』(연세대학교출판부, 1998), 127쪽에서 재인용.

'친일파 숙청'을 두려워한 한민당

1945년 9월 16일, 이미 미군정에 큰 영향력을 행사해 온 한국민주당 (한민당)이 천도교 강당에서 1천600여 명의 발기인들이 참석한 가운데 창당대회를 열었다.[139] 한민당은 창당 선언을 통해 중경의 임시정부를 '정식 정부'로 맞이할 것을 다짐했다. 그 이유에 대해 김재명은 "뽀족이 내세울 만한 항일 경력의 인물이 없는 한민당으로서는 좌익이 기세를 올리고 '친일파 숙청'이 거론되는 상황에서 정치적으로 살아남기 위해서는 자신의 존재와 임시정부를 연결시킬 필요를 느끼는 것이 자연스런 요구였다"고 했다.[140]

한민당도 인공처럼 당사자의 허락도 없이 임정 간부와 항일 독립운동가들을 영수로 추대하였다. 이승만, 서재필, 김구, 이시영, 문창범, 권동진, 오세창 등이 그들이다. 5인은 아직 해외에 있었고 국내에 있던 권동진과 오세창은 영수직을 수락하지 않았다.[141]

한민당은 9월 21일 중앙부서를 확정하였는데, 당수제 또는 최고위원제를 채택하지 않고 총무제를 채택했다. 1도(道) 1총무의 원칙에 따라 함경도의 원세훈, 전북의 백관수, 경북의 서상일, 경기의 김도연, 경남의 허정, 충남의 조병옥, 황해의 백남훈, 평안도의 김동원 등 8명의 총무를 뽑았다. 송진우는 수석 총무, 김병로는 중앙감찰위원장, 이인은 당무부

---

139) 창당대회가 열리던 대회장 밖에서는 농민들이 곡괭이와 삽을 든 채 "땅마지기나 가진 것들이 대대로 착취하더니 오늘 또 당을 만든다고 하니 말도 안된다"고 분개하였다고 한다. 연시중, 『한국 정당정치 실록 1: 항일 독립운동부터 김일성의 집권까지』(지와 사랑, 2001), 208쪽. 송광성에 따르면, "미 점령군의 공식적 기록은 9월 16일의 한민당 창당도 미국의 요구로 이루어졌다고 암시했다. 실제로 한민당 창당대회는 미 헌병의 보호 아래 열렸으며, 하지 장군은 당 지도자들에게 조직활동에 쓰라고 9대의 세단을 내주었다." 송광성, 『미군점령 4년사: 우리나라의 자주·민주·통일과 미국』(한울, 1995), 112쪽.
140) 김재명, 〈조완구: 분단에 좌절한 원론적 민족주의자〉, 『한국현대사의 비극—중간파의 이상과 좌절』(선인, 2003), 201~203쪽.
141) 김학준, 『고하 송진우 평전: 민족민주주의 언론인·정치가의 생애』(동아일보사, 1990), 319쪽.

장, 장덕수는 외무부장, 김약수는 조직부장을 맡았다.[142]

한민당은 '1도 1총무제'를 채택하기는 했지만, 농촌에 대중적 기반을 전혀 갖지 못했다. 한민당은 지주계급 중심인지라 농민들로부터 인기를 얻을 수 없는 태생적 한계 때문에 노력을 중앙에만 집중시켰다. 그래서 한민당은 대중과 유리됐고 대중을 두려워하는 명사들의 정당으로 머무르게 되었다.[143]

한민당의 중심 세력은 일제하의 지주, 자본가, 친일 관료 및 언론인, 해외 유학파 등이었다. 한민당 지도부 70명을 조사한 결과에 따르면, 대부분 전문학교 이상 고등교육을 이수하였고, 일본 유학 출신이 46.8% 미국 유학 출신이 27.1%였다. 또 교수·변호사·의사·언론인·작가 등 자유업 종사자가 75%, 대부분 중농 이상 지주인 농업 종사자가 27%, 지역별로는 서울·경기·충청이 51.2%, 호남이 18.4%였다.[144]

한민당=동아일보

서중석은 지금까지의 연구에서는 대부분이 한민당을 부정적인 세력으로만 보고 있지만, 객관적으로 고찰해 볼 필요가 있다고 주장했다. 그는 한민당엔 건준·인공에 대립되는 보수·친일세력이 집결하였지만, 그 내부에는 어느 정도 진보적인 양심세력과 자주독립국가 건설에 적극적인 민족주의자들도 있었다고 말했다.

"한민당은 해방 직후의 사회상황을 반영해서 여러 세력이 다양하게

---

142) 김학준, 『고하 송진우 평전: 민족민주주의 언론인·정치가의 생애』(동아일보사, 1990), 319쪽.

143) 구종서, 〈보수우익 세력의 형성과정〉, 한배호 편, 『한국현대정치론 I: 제1공화국의 국가형성, 정치과정, 정책』(나남, 1990), 93쪽.

144) 진덕규, 〈이승만의 단정론과 한민당〉, 동아일보사, 『현대사를 어떻게 볼 것인가 1』(동아일보사, 1987), 164쪽; 연시중, 『한국 정당정치 실록 1: 항일 독립운동부터 김일성의 집권까지』(지와 사랑, 2001), 208쪽.

84___한국 현대사 산책·1940년대편 ①

참여하였다. 한민당에는 민족주의 세력과 사회주의 세력도 참여하고 있었다. 그러나 대체로 볼 때 한민당은 8·15 이전의 민족개량주의를 계승하였으며, 일제 시기에 지주·부르주아지로 상층계급에 속했던 일종의 지배 엘리트가 주류를 이루고 있었다. 이 때문에 한민당의 등장은 식민지적 경제·사회구조의 재현이라는 성격을 지니고 있다는 점을 부인하기 어려웠고, 식민지적 경제·사

한국민주당을 주도하는 인사 중의 한 명이었던 송진우.

회구조의 잔존을 피부로 느끼게 하였다."[145]

한민당에 참여한 사람들은 대부분 언론계, 특히 동아일보와 깊은 관련을 맺고 있는 사람들이었다. 물론 이는 동아일보의 사주인 김성수와 사장인 송진우가 한민당의 주도자들이었기 때문이다. 한민당의 수석 총무를 맡은 송진우는 동아일보 사장을 겸하였기 때문에, 한민당의 사무실이 동아일보 사장실로 되어 있어 동아일보사는 마치 한민당의 당사처럼 쓰였다. 한민당의 지방조직도 동아일보 지국장들이 거의 다 했다.[146]

한민당엔 동아일보 사람들 이외에도 다른 많은 언론계 출신들이 가담하였기 때문에 "한국민주당은 당시 최신 정보라 할 수 있는 국내의 정세에 어느 정당들보다 정통할 수가 있었"으며,[147] 여론을 형성하거나 조작하는 데에도 유리하였다. 한민당의 이런 역량은 나중에 신탁통치를 둘러

---

145) 서중석, 『한국현대민족운동연구: 해방후 민족국가 건설운동과 통일전선』(역사비평사, 1991), 265~266쪽.
146) 동아일보사, 『현대사를 어떻게 볼 것인가 1』(동아일보사, 1987), 267~268쪽; 조선일보사, 『조선일보 칠십년사 제1권』(조선일보사, 1990), 445쪽.
147) 연시중, 『한국 정당정치 실록 1: 항일 독립운동부터 김일성의 집권까지』(지와 사랑, 2001), 222쪽.

싼 파동에서 한껏 발휘된다.

한민당에도 어느 정도 진보적인 양심세력과 자주독립국가 건설에 적극적인 민족주의자들도 있었다는 사실은, 다시금 '조선공산당의 미숙성과 급진성'이 좌우 타협을 불가능하게 만든 주요 원인이라는 가설을 일깨운다. 그 어떤 명분을 내세우건 상대편을 제거하고자 하면 제거당할 위협에 놓인 쪽은 생존을 위한 총력전에 나설 수밖에 없게 돼 있다. 바로 이런 성격의 투쟁이 해방정국을 지배하게 된다.

'통역 정치'와 정치에 대한 굶주림

한민당의 군정 행정고문 독식

앞서 지적했듯이, 인민공화국의 설립과 그 내각 구성은 너무 서두른 나머지 아무리 좋게 말해도 '졸속'이라는 비판을 면키 어려웠다. 이러한 비판에 대해 여운형은 10월 1일 기자단과의 회견에서 "당초에 연합군이 진주만 하면 즉각 국권을 받아들일 수 있도록 준비한 것이 즉 조선인민공화국의 내각이었다"고 말했다. 즉, 급히 인공을 수립해 미 점령 당국으로부터 자연스럽게 행정권을 이양받고자 했다는 것이다.[148]

그러나 여운형의 꿈은 이미 현실로부터 한참 멀어지고 있었다. 미군이 진주한 후 여운형은 건국준비위원회의 명의로 미군 사령관 하지에게 한국의 통일준비 수립을 도와달라는 내용을 담은 메시지를 보냈지만, 하

---

148) 허은, 〈8·15 직후 민족국가 건설운동〉, 강만길 외, 『통일지향 우리 민족해방운동사』(역사비평사, 2000), 307~309쪽.

지는 여운형이 보낸 대표를 만나 주지도 않았고 편지를 읽어 보지도 않았다. 여운형은 하지에게 '환영할 수 없는 인물'로 낙인찍혀 있었던 것이다.[149]

하지는 10월 5일까지 여운형을 만나려 하지 않았으며, 만나자마자 던진 질문도 "당신은 일본인들과 어떤 관계가 있소?", "일본인들로부터 돈을 얼마나 받았소?" 따위의 것이었다. 친일파는 물론 일본인들까지 껴안았던 하지가 그런 질문을 던진다는 것도 우스운 일이었지만, 중요한 건 그가 이미 한민당의 선전에 사로잡혀 있다는 사실이었다.[150]

게다가 여운형은 구색 맞추기용으로 자신에게 할당된 행정고문 자리까지 거부함으로써 점령군 사령부의 보복까지 초래했다. 여운형이 하지를 만나게 된 건 바로 그 행정고문 건 때문이었는데, 사연인즉슨 이렇다.

10월 5일 점령군 사령부는 한민당 인사들 중심으로 11명의 군정장관 행정고문을 임명했다. 김성수(고문회의 의장), 김용무, 김동원, 송진우, 이용설, 전용순, 오영수, 강병순, 윤기익, 조만식, 여운형 등이었다. 조만식은 잘못된 정보에 의해 들어간 것이며, 여운형은 이러한 조치가 "한국의 주인이 누구이고 손님이 누구인가 하는 사실을 전도시키는" 것이라고 비판하면서 거절했다. 여운형은 처음엔 하지가 요청하자 참여할 뜻도 있었지만, 첫 회의장에 나가 나머지 9명 전원이 한민당 출신이거나 관련 인사들임을 알고선 즉시 사퇴하고 나가 버렸다.[151]

'통역 정치'의 폐해

미군이 새로운 지배자로 등장한 해방정국에서 가장 강력한 생존 무기

---

149) 여연구, 신준영 편집, 『나의 아버지 여운형』(김영사, 2001), 158~159쪽.
150) 브루스 커밍스, 김자동 옮김, 『한국전쟁의 기원』(일월서각, 1986), 194쪽.
151) 브루스 커밍스, 김자동 옮김, 위의 책, 200쪽.

는 단연코 영어였다. 영어를 할 수 있는 통역관들이 막강한 권력을 휘두르기 시작했다. 일제 시대 때 해외유학을 했거나 국내에서 고등교육을 받은 사람이 영어를 잘하는 건 당연한 일이었다. 그런데 그런 사람들은 대지주 집안 출신으로 해방 전엔 친일파, 해방 후엔 친미파 노선을 걷는 사람들이었다. 정당으로 보자면 바로 한민당이 그런 사람들로 구성된 정당이었는데, 한민당은 사실상 해방정국을 지배한 이른바 '통역 정치'의 주역으로 부상했다.[152]

하지의 보좌관이자 군정 인사문제조정위원인 조지 윌리엄스는 한국어를 할 줄 아는 극소수의 미국인 가운데 한 명으로서 한민당의 득세에 큰 영향을 미쳤다. 윌리엄스는 일제 시대에 조선에서 전도사업을 한 선교사의 아들로 한민당 간부들과 친했다. 하지의 통역관인 이묘묵을 비롯해 군정청에 근무한 400여 명의 통역관들도 거의 대부분 한민당 세력이거나 한민당을 지지하는 사람들이었다.[153]

평안도 출신으로 미국 시라큐스 대학을 졸업한 이묘묵은 미군 진주 소식을 듣고 9월 5일 『코리아타임스』를 창간해 사장이 되었는데, 하지의 통역관이자 고문의 직책을 갖고 군정의 실세로 활약하였다. 1개 분대의 미군 병력이 그의 집을 호위하는 등 그는 미군의 특별 경호까지 받았다.[154]

이완범은 "사실 어떻게 보면 진주 후 3~4개월, 즉 1945년 말까지가 이후 시기의 구도를 좌우한 가장 중요한 시기였다고 할 수 있다"며, "그런데 이 시기에 하지를 둘러싼 통역과 정치고문이 모두 극단적인 반공주의자이며 외세 의존적 인물이었다는 사실이 그 이후의 정치구도를 왜곡

---

152) 이동현, 『한국신탁통치연구』(평민사, 1990), 136~137쪽.
153) 안진, 〈분단고착세력의 권력장악과 미군정〉, 『역사비평』, 제6호(1989년 가을), 62~63쪽.
154) 조순경 · 이숙진, 『냉전체제와 생산의 정치: 미군정기의 노동정책과 노동운동』(이화여자대학교출판부, 1995), 77쪽.

초대 미 군정장관이었던 아놀드 소장

시키는 요인이 되었다. 사실 해방 당시는 보수주의자들만이 정국을 대변할 그런 상황은 아니었던 것이다"라고 말했다.[155]

미군정의 인공 부인

미군정의 '통역 정치'는 무엇보다도 상층부와 전체 민심과의 괴리를 낳게 하고 그걸 악화시키는 문제점을 드러냈다. 미군정이 인공을 대하는 태도도 바로 그런 문제와 무관치 않았다. '통역 정치'의 가장 큰 수혜자라 할 한민당 인사들은 기회가 있을 때마다 미군정에 인공에 대한 부정적인 견해를 주입시켰다. 한민당의 송진우와 장덕수는 미군정이 인공을 부인해 줄 것을 건의했다. 군정에 근무하는 한국인 부처장들도 회의를 열고 하지와 아놀드에게 인공을 비롯한 공산 계열의 활동을 불법화시키도록 건의하였다.[156]

이런 건의를 받아들인 미 군정장관 아놀드는 10월 9일 인공을 부인하는 성명을 작성한 뒤 이것을 10월 10일자 각 일간지 1면에 게재하도록

---

155) 이완범, 〈한반도 분단의 외부적 요인과 내부적 요인: 미국과 국내정치세력간의 역학관계, 1945~1948〉, 유영익 편, 『수정주의와 한국현대사』(연세대학교출판부, 1998), 127쪽. '통역 정치'의 폐해는 46년에 구성된 좌우합작위원회에서도 공식적으로 거론될 정도로 심각한 것이었다. 46년 11월 좌우합작위원회는 미군정에서 통역의 발호는 통역 정치의 결과를 초래하여 많은 문제를 낳고 이를 시정하여 줄 것을 요구하는 공동결의안을 하지에게 제출하였다. 물론 미군정은 그 결의안을 무시하였지만 말이다. 송남헌, 〈민족통일 독립운동의 선도자〉, 우사연구회 엮음, 『몸으로 쓴 통일독립운동사: 우사 김규식 생애와 사상 ③』(한울, 2000), 85~86쪽.
156) 김수자, 〈미군정기 통치기구와 관료임용정책: 중앙행정기구 개편과 행정관료의 사회적 배경을 중심으로〉, 한국근현대사연구회 편, 『한국근현대사연구』, 1996년 제5집, 268쪽; 구종서, 〈보수우익 세력의 형성과정〉, 한배호 편, 『한국현대정치론 I: 제1공화국의 국가형성, 정치과정, 정책』(나남, 1990), 99쪽.

명령했다.

"어리석고 경박한 많은 발언이 미숙한 편집자가 편집하는 신문지상에 실리게 될 것으로 예상된다. 남한에는 오직 하나의 정부밖에 존재하지 않는다. 그것은 맥아더 원수의 포고, 하지 중장의 일반 명령, 군정부의 민정명령에 근거하여 창설된 정부이다."[157]

이어 아놀드는 "이른바 인민공화국이라는 것은 꼭두각시들의 연극이요 일종의 사기극"이라고 규정하면서, 인공 지도자들은 어리석고 타락한 사람들로서 "자신들이 한국의 합법적 정부로서의 역할을 맡을 수 있다고 스스로 생각할 정도로 바보스럽다"고 조롱하였다.[158]

미군정의 목표는 '인공 분쇄'

아놀드의 발표는 대다수 한국인들을 분노케 했다. 미군 정보기구는 점령군에 대한 한국인들의 일반적인 감정을 몇 개의 벽보를 번역하여 보고했다.

"그(아놀드)가 포고문에 사용한 단어들은 우리가 본 것 중 가장 나쁘고 저급한 언어였으며, 심지어 일제의 법령보다도 더욱 나빴다. 당신은 군정장관 아놀드의 …… 모욕적인 포고문을 아는가? 우리는 작은 적 일본을 몰아내고, 그 대신 거대한 적 미국을 받아들인 셈이다. 그(아놀드)는 3천만 인민을 욕보였으며 '사기꾼', '배우' 그리고 '꼭두각시 인형'이란 말로 일본 제국주의에 대항해 싸운 우리의 선구자들을 모욕했다."[159]

아놀드의 발언은 조선인들에게 너무도 모욕적인 것이었기에 한민당

---

157) 김민남·김유원·박지동·유일상·임동욱·정대수, 『새로 쓰는 한국언론사』(아침, 1993), 282쪽; 송광성, 『미군점령 4년사: 우리나라의 자주·민주·통일과 미국』(한울, 1995), 124쪽.

158) 브루스 커밍스, 김자동 옮김, 『한국전쟁의 기원』(일월서각, 1986), 202쪽; 조선일보사, 『조선일보 칠십년사 제1권』(조선일보사, 1990), 426쪽에서 재인용.

159) 송광성, 위의 책, 124~125쪽.

의 김병로도 유감을 표명하였다. 거의 모든 언론인들도 아놀드의 성명을 비난했으며, 『매일신보』는 그 게재를 거부하고 〈아놀드 장관에게 충고함〉이라는 반박문을 게재했다.

그러자 하지의 보좌관인 조지 윌리암스는 10월 13일에 가진 기자회견에서 서울의 기자들은 "더럽고, 배워먹지 못한, 무책임한 무리"이며, 서울의 신문들 중 하나를 제외하고는 모조리 "무책임하고 극단적으로 과격한 인쇄물"이라고 비난했다. 또한 그는 『매일신보』는 공산주의자들이 지배하는 노동자위원회가 운영한다고 주장하면서 보수주의자들을 보고 "분발하여 다른 면도 보도하는 신문을 만들라"고 요구했다. 그렇게 말해 놓고선 한 달 후인 11월 10일 점령군 사령부는 『매일신보』에 정간 명령을 내렸다.[160]

그러나 군정 고문회의는 아놀드 성명에 지지를 표명하였다. 인공은 『반역자들과 애국자들』이란 제목의 소책자를 내 미국인들은 "외세의 그늘에서 다시금 대중을 억압하려는" 친일 한인들의 조언을 받고 있기 때문에 인공을 승인하지 않으려는 것이라고 주장했다. 이 소책자는 김성수를 비롯하여 한민당 인사들이 일제 치하에서 행한 반미(反美) 연설들을 소개하였는데, 이 연설들에 따르면 미국은 '흡혈귀'(장덕수)이며 '인류의 적'(양주삼)이었다. 이제 그렇게 미국을 매도했던 인사들을 적극 껴안게 된 미 점령군 사령부는 이 소책자의 발행을 금지하였다.[161]

미국에겐 이미 남한 점령의 목표가 정해져 있었기 때문에 인공에 대한 점령군 사령부의 생각을 바꾸는 건 사실상 불가능한 일이었다. 하지는 인공을 "러시아인들이 북조선에 세운 공산주의 인민위원회의 남쪽 지부"라고 불렀으며, 또 "솔직히 말해서 우리 임무 중의 하나는 이 공산주

---

160) 브루스 커밍스, 김자동 옮김, 『한국전쟁의 기원』(일월서각, 1986), 256쪽; 송광성, 『미군점령 4년사: 우리나라의 자주 · 민주 · 통일과 미국』(한울, 1995), 124~125쪽.
161) 브루스 커밍스, 김자동 옮김, 위의 책, 202~203쪽.

___ 현대사 산책 · 1940년대편 ①

의 정부(인공)를 분쇄하는 것이었다"고 말했다.[162]

정치에 대한 굶주림

미군정의 목표가 '인공 분쇄'였기에 미군정이 9월 17일 '정당은 오라' 성명을 통해 일종의 정당신고제를 실시한 것도 순수하게 보긴 어려운 것이었다.[163] 하지가 이 성명을 통해 국내 정치단체 대표와 정례회견을 하겠다고 발표한 것과 정당 대표들에게 군정청의 각 국장과 지방행정관의 대리급 인물을 추천하도록 한 것은 정당의 대량 생산을 낳게 만들었다.

서중석은 "이로써 1개월 내에 40~50개의 정당·단체가 생겼고, 기회주의자, 불순분자, 야심가들이 날뛰었다"며, "그리고 그 동안 머리를 들지 못하던 민족반역자와 친일파가 차츰 온갖 가면을 쓰고 정치적 배후에 숨어들었으며, 간판만의 유령정당이 다수 등장하였다"고 했다.

"이것은 …… 인민공화국을 하나의 정당·단체로 낮추는 평준화 효과가 있음과 동시에, 좌익이 갖고 있는 민족해방운동에서의 역할과 관련된 정통성을 감쇄시키고 모호하게 할 수 있었다. 따라서 하지 장군의 '정당은 오라'는 조치는 모순되는 지방에서의 정당활동에 대한 규제, 지방인민위원회 및 치안대 등에 대한 탄압, 10월 10일 아놀드 군정장관의 인민공화국 부인 성명 등과 연관지어 파악하여야 할 것이다."[164]

실제로 '정당은 오라' 성명은 좌파세력에게 불리하고 우파세력에게 유리하게 작용하였다. 좌파세력이 점한 기존 우위를 무력화시키겠다는

---

162) 송광성, 『미군점령 4년사: 우리나라의 자주·민주·통일과 미국』(한울, 1995), 87, 124쪽.
163) 이 성명의 중요성에 최초로 주목한 사람은 최장집이었다. 박명림, 『한국전쟁의 발발과 기원 II: 기원과 원인』(나남, 1996), 91쪽.
164) 서중석, 『한국현대민족운동연구: 해방후 민족국가 건설운동과 통일전선』(역사비평사, 1991), 258~259쪽.

일종의 희석화 작전이었던 셈이다. 하지는 정당의 형성을 조장함으로써 "개나 소나 다 정당 만든다"는 식의 불신과 혐오를 유발케 하는 효과도 거두었던 것이다.[165]

1945년 11월 1일 현재 미 군정청에 등록된 정당과 정치단체의 수는 무려 205개에 이르렀다. 이는 미국인으로 하여금 수많은 냉소적 논평을 낳게 했다.

하지는, 한국인은 지구상의 어느 족속보다 더 정치적으로 예민한 종족이며 "한국 사람들만큼 정치를 좋아하는 사람들은 처음 보았다"고 말했다. 하지는 맥아더에게 보낸 45년 12월 16일자 보고서에선 "한인들은 이제까지 내가 본 사람들 가운데 가장 정치적인 심성을 가진 사람들이다. 움직임 하나, 말 한마디, 행동 하나도 정치적으로 풀이되고 정치적으로 평가된다"고 썼다.[166]

한 미국인 군정 관리는 "한국인들은 식사하려고 두세 명만 모이면 정당을 만들었다"고 꼬집었다. 두 사람이 모이면 3개의 정당을 만든다는 말도 나왔다. 두 사람이 각각 하나의 정당을 만들고 두 사람이 합쳐 또 하나의 정당을 만드는 식으로 말이다.[167]

그건 우스갯소리만은 아닌, 당시의 현실이었다. 일제 치하 36년은 한국인들의 정치에 대한 굶주림을 극한에 이르게 하였다. 미군정은 그 굶주림의 표현이 절제되지 않은 채 터져 나오게끔 조장하여 놓고, 그 결과에 냉소와 조소를 보냈던 건지도 모른다.

그러나 정작 비극은 정당의 수가 많은 게 아니었다. 오랜 세월 초강력

165) 윌리엄 스툭, 김형인 외 옮김, 『한국전쟁의 국제사』(푸른역사, 2001), 50쪽; 박찬표, 『한국의 국가형성과 민주주의: 미군정기 자유민주주의의 초기 제도화』(고려대학교출판부, 1997), 135쪽.
166) 정용욱, 『존 하지와 미군 점령통치 3년』(중심, 2003), 253쪽; 김창훈, 『한국외교 어제와 오늘』(다락원, 2002), 26쪽; 김학준, 〈해방공간의 주역: 미 점령군 사령관 하지〉, 『동아일보』, 1995년 9월 5일, 7면.
167) 윌리엄 스툭, 김형인 외 옮김, 위의 책, 50쪽; 도진순, 『한국민족주의와 남북관계: 이승만 · 김구 시대의 정치사』(서울대학교출판부, 1997), 25쪽.

중앙집권체제하에서 억눌린 탓에, 그것도 한 세대 이상에 걸친 식민체제하에서 신음해 온 탓에, 한국인들에겐 자율과 타협의 기회는커녕 훈련을 한 경험이 전무했다는 게 비극의 씨앗이었다. 파벌과 분열은 한국 정치의 일상적인 것이 되었으며, 그로 인한 환멸은 정치를 탐욕과 이권의 수단으로 전락시켰다. 그런 전통은 먼 훗날까지도 살아남아 한국 정치를 규정하는 최대 요인이 되었다.

'능률적인 폭정의 도구': 일본화된 경찰

조병옥과 장택상의 경찰 장악

미군정에서 한국인들이 맡은 주요 직책들도 한민당 지도층에게 돌아
갔다. 한민당 인사들에게 돌아간 주요 직책들을 열거하자면, 경무국장
조병옥, 수도경찰청장 장택상, 대법원장 김용무, 검찰총장 이인, 농림부
장 윤보선, 문교부장 유억겸, 군정청 인사처장 정일형 등이었다. 이들 중
경찰과 사법체제를 맡은 "조병옥, 장택상, 김용무 및 이인은 1948년까지
그 직책에 있으면서 남한의 좌익 탄압에 있어 결정적 인물이 되었다."[168]

미군정은 10월 21일 경무국 창설식을 거행했다. 조병옥의 경무국장
(나중에 경무부장으로 개칭) 발령은 46년 1월 4일, 장택상의 수도경찰청장
발령은 46년 1월 13일이었지만, 이들은 이미 45년 10월부터 그 자리에
내정돼 경찰의 실세로 활동하였다. 조병옥은 윌리암스가 송진우에게 추

---

168) 브루스 커밍스, 김자동 옮김, 『한국전쟁의 기원』(일월서각, 1986), 209~210쪽.

천을 부탁해 선택되었다는 설도 있고 윌리암스가 조병옥에게 직접 요청했다는 설도 있으나, 한 가지 분명한 건 두 사람이 공주 영명학교에서 같이 공부한 코흘리개 친구라는 사실이었다.[169]

'능률적인 폭정의 도구'

미군 사관(史官)들은 "재한(在韓) 일본 경찰이 지니고 있는 기능과 권력의 범위는 현대 세계의 국가들에서는 거의 유례를 찾기 힘들 정도였다"라고 서술했으며, 맥아더 사령부의 한국에 대한 첫 보고서는 한국 경찰에 대해 "철저하게 일본화되었으며 폭정의 도구로 능률적으로 사용되었다"고 썼다.[170]

그러나 미군정은 그 점을 잘 알고 있었으면서도, 아니 그렇기 때문에 더욱 '일본화된 경찰'에 매력을 느꼈다. '능률적인 폭정의 도구'라는 점에 주목했을 것이다.

미군이 한국에 처음 도착했을 때엔 한인 경찰은 80 내지 90%가 직장을 이탈해 있었다. 물론 민중의 보복을 염려한 탓이었다. 실제로 8월 16일에서 23일 사이에 경찰관에 대한 폭행 및 협박 사건은 모두 177건이 발생했는데, 이 가운데 조선인 경찰관에 대한 보복행위가 111건이었다.[171]

그러나 미군정은 그들을 필요로 했다. 조정래의 『태백산맥』엔 이런 이야기가 나온다.

"순천을 점령한 미군이 제일 먼저 시작한 일은 일정 시대 경찰 근무자

169) 조순경 · 이숙진, 『냉전체제와 생산의 정치: 미군정기의 노동정책과 노동운동』(이화여자대학교출판부, 1995), 73쪽; 서중석, 『한국현대민족운동연구: 해방후 민족국가 건설운동과 통일전선』(역사비평사, 1991), 266쪽.
170) 브루스 커밍스, 김자동 옮김, 『한국전쟁의 기원』(일월서각, 1986), 216~217쪽에서 재인용.
171) 브루스 커밍스, 김자동 옮김, 위의 책, 217쪽; 조갑제, 『고문과 조작의 기술자들: 고문에 의한 인간파멸과 정의 실증적 연구』(한길사, 1987), 14쪽.

들을 찾아내는 것이었다. 자신들이 저지른 죄를 미리 알아 어딘가로 도망을 간 그들을 찾아내려고 미군들은 소란을 피워댔다. 삐라를 뿌리고, 다른 지방으로 피한 사람을 지프차로 실어오고, 산속에 숨어 있는 사람을 찾으려고 미군들이 산으로 들어가고 하는 소란들이 그들을 처벌하기 위해서가 아니라 다시 채용하기 위해서라는 사실을 알게 된 사람들은 그런 미군의 처사에 반발하는 한편 심한 불신을 갖게 되었다."[172]

그러나 미군은 그런 불신 따위는 아랑곳하지 않았다. 미군에겐 그들 이상 더 좋은 파트너를 찾기는 어려웠을 것이다. 좌익을 반대하고 분쇄하는 일에 있어선, 그들은 자기들의 안전을 지키기 위한 차원에서라도 목숨 걸고 나설 것이 분명했기 때문이다.

'민주주의에 대한 심각한 위협'

그리하여 미군정은 예전의 경찰 체제를 다시 유지하게 되었다. 당시 경찰 간부 1천157명 중 949명이 일제 경찰 출신이었는데, 특히 경찰 고위직은 거의 대부분 친일 경찰들이 차지했다. 1946년 후반 일제 시기의 경찰 8천여 명 중 5천여 명이 미군정 경찰로 활동했으며, 경찰 간부의 80% 이상이 일제 경찰 출신이었다.[173]

그런 경찰이 '극적으로 중앙집권화' 된 것도 큰 문제였다. 패전국 일본에선 국립경찰이 "대중적 지역통제를 받지 않았으므로 전제적 억압의 도구로 너무나 쉽게 사용되었다는 정당한 판단을 기초로 하여" 미군의 점령 기간 중 폐지되었지만, 한국에선 일제 치하의 방식 그대로 존속된

---

172) 조정래, 〈이념 이전의 인간〉, 『태백산맥 1』(해냄, 1995), 226~228쪽.
173) 또 1947년 1월 현재 수도경찰청 산하 경찰의 경우 경감 이상 급은 일제 경찰 경력자가 100%였다. 해방된 지 15년이 지난 1960년에도 일제 경찰 출신이 총경의 70%, 경감의 40%를 차지하고 있었다. 임대식, 〈반민법과 4·19, 5·16 이후 특별법 왜 좌절되었나〉, 『역사비평』, 제32호(1996년 봄), 33~34쪽; 연시중, 『한국 정당정치 실록 1: 항일 독립운동부터 김일성의 집권까지』(지와 사랑, 2001), 146쪽.

것이다. 도 경찰국장은 도지사가 아니라 서울에 있는 경무부장이 직접 통솔했으므로 전국의 모든 경찰은 미군정의 일사불란한 지휘 체계하에 놓이게 되었다.[174]

극적인 중앙집권성과 더불어 경찰력도 과거보다 더 강화되었다. 해방 전 조선 전체의 경찰은 2만 명(일본인 1만 2천 명)이었지만, 미군정 치하에서 남한 경찰력은 2만에서 2만 5천 명으로 늘어 사실상 배가(倍加)되었던 것이다.[175]

이와 관련, 커밍스는 "해방기의 비극과 미국 책임의 깊이는 무엇보다도 점령 기간 중의 한국 국립경찰의 역사에서 가장 뚜렷이 나타난다"고 말했고, 미군정 관리였던 맥도날드는 "이렇게 조직된 경찰은 아직 태어나지 않은 남조선 민주주의에 대한 심각한 위협이었다"고 논평했다.[176]

'수사 = 고문'

친일 경력과 함께 초강력 중앙집권체제로 강화된 경찰이 민주주의에 가한 가장 심각한 위협은 법을 지키지 않는다는 것이었다. 이와 관련, 하지의 정치고문인 데이비드 마크는 "남조선 경찰은 법적이거나 초법적인 목적을 위해서 그 나라의 거의 모든 시민들에 대해 자신들의 존재를 과시할 수 있는 위치에 있었다"고 우회적으로 표현하였지만,[177] 직설적으로 이야기해서 경찰의 가장 큰 문제는 일제 치하에서처럼 '수사=고문'의 관행에 빠져 있었다는 점이었다.

---

174) 브루스 커밍스, 김자동 옮김, 『한국전쟁의 기원』(일월서각, 1986), 219~221쪽; 송광성, 『미군점령 4년사: 우리나라의 자주 · 민주 · 통일과 미국』(한울, 1995), 101쪽.
175) 브루스 커밍스, 김자동 옮김, 위의 책, 219~221쪽.
176) 브루스 커밍스, 김자동 옮김, 위의 책, 216쪽; 송광성, 위의 책, 101쪽.
177) 송광성, 위의 책, 102쪽.

그레고리 핸더슨은 "입에 차마 올리기조차 민망한 옛날의 고문 수법들이 아직도 온존하고 있었다. 아랫배 신장 부분을 주먹으로 후려치는 것, 물고문, 전기쇼크('전화기 고문'으로 잘 알려져 있다), 엄지손가락을 묶어 매달기(통칭 '비행기'), 고춧가루 물 먹이기 등이 자행되었고 그 수법도 점점 발전되었다"고 했다.[178]

미국 기자 마크 게인은 "나는 경찰들이 끝이 날카롭고 나무가 달린 인두를 발톱 밑에 쑤셔 넣고, 정강이뼈가 금이 가도록 때리는 모습을 보았다. 또한 많은 사람들을 물고문하는 것을 보았다"고 증언했다.

"혐의자 입에다 튜브를 집어넣고 그가 의식을 잃을 때까지 물을 퍼부었다. 경관들이 한 남자의 어깨를 금속성 막대기로 갈기고는 어깨 날개뼈 아래에 금속성 갈구리로 그 남자를 거는 것을 보았다. 미국인 장교는 나의 항의에 동의한다고 말했지만 그가 할 수 있는 일이란 아무것도 없었다. 그는 '세부적인 행정사무'에 대해 조선인 경찰에 간섭하지 말라는 명령을 받고 있었다. 나는 전임 경찰서장이 폭동이 발생했을 때 너무 온건하게 대처했다는 사실 때문에 미군정에 의해 해고되었다는 사실을 알게 되었다."[179]

그리하여 '일본화된 경찰'은 미군정 시기뿐만 아니라 향후 수십년 간 질서를 유지하는 데에는 능률적이었지만 인권탄압의 도구로 이용되는 운명에 처하게 되었다.

---

178) 그레고리 핸더슨, 박행웅 · 이종삼 옮김, 『소용돌이의 한국정치』(한울아카데미, 2000), 228쪽.
179) 강정구, 『분단과 전쟁의 한국현대사』(역사비평사, 1996), 58쪽에서 재인용.

가짜 김일성의 등장?

조선공산당 북조선분국의 설치

9월 19일, 하바로프스크의 소련군 88여단에 속해 있던 김일성 등 조선인 항일유격대원들이 원산항을 통해 귀국했다. 이들은 사흘 후인 22일 평양에 도착했다. 북조선 주둔 소련 점령군 사령부는 혁명 정당을 세우기 위한 '교통정리'를 위해 서울에 재건돼 있는 조선공산당의 책임비서 박헌영을 개성 근처에 있는 38도선 경비사령부로 은밀히 오도록 했다. 박헌영과 김일성의 만남은 10월 8일에 이루어졌다.

김일성은 "서울은 제국주의가 점령하고 있는 반면 평양은 해방되어 있으니 조선공산당의 중앙은 평양에 두는 것이 마땅하다"고 주장했다. 이에 대해 박헌영은 "한반도의 중앙은 서울이므로 조선공산당의 중앙은 서울에 두는 것이 옳다"고 반박했다. 소련군 민정사령관 로마넨코가 김일성의 편을 들었지만, 결국 서울의 중앙공산당을 중앙으로 인정하되 평양에는 조선공산당 북조선분국을 두는 것으로 타협이 이루어졌다. 그 결

과, 10월 10일 평양에서는 조선공산당 서북 5도 책임자 및 열성자 대회
가 열렸고, 이어 13일엔 조선공산당 북조선분국이 세워졌다.[180]

33세 청년 김일성의 등장

1945년 10월 14일 평양에서 7만여 명의 군중이 참여한 가운데 '조선
해방축하집회'가 열렸다. 이 자리에서 처음으로 김일성이 소개됐다. 소개
자는 환영대회 위원장 조만식이었다. 김일성은 연설의 말미에서 1935년
7월 중국공산당이 국공합작을 위해 내세웠던 구호를 방불케 하는 주장
을 폈다.

"돈 있는 자는 돈으로 지식 있는 자는 지식으로 노력을 가진 자는 노
력으로 참으로 나라를 사랑하고 민주를 사랑하는 전 민족이 완전히 대동
단결하여 민주주의 자주독립국가를 건설하자."[181]

그러나 세상의 관심을 끈 건 김일성의 그러한 대중주의 노선이라기보
다는 그의 젊음이었다. 당시 김일성의 나이는 33세였지만 실제 모습은
더욱 젊어 보였고, 그래서 이게 문제가 되었다. 그래서 훗날 반공적인 성
격을 가진 글에는 김일성에 대해 이런 종류의 묘사가 이루어지곤 했다.

"김일성의 젊음과 그의 중국인 웨이터 같은 머리 모양, 그의 단조롭고
평범한 오리 같은 목소리가 그 모임에 참석한 사람들에게 불신과 실망과
불만과 분노를 자아냈다."[182]

---

180) 북한은 오늘날까지 조선로동당 창당 기념일을 조선공산당 서북 5도 책임자 및 열성자 대회가 열렸던 10
월 10일로 잡고 있다. 북한에서는 김일성, 김정일 탄생일 다음 가는 큰 명절이자 9월 9일의 정부수립일보
다 의미가 큰 기념일로 여기고 있다. 김학준, 『북한 50년사: 우리가 떠안아야 할 반쪽의 우리 역사』(동아
출판사, 1995), 92쪽; 서동만, 〈'조선공산당북조선분국' 10월 10일 창설 주장에 대하여〉, 『역사비평』, 제
30호(1995년 가을), 295쪽.
181) 이종석, 〈박헌영과 김일성: 한국공산주의운동의 두 지도자의 길〉, 역사문제연구소 편, 『한국 현대사의 라
이벌』(역사비평사, 1991), 177쪽에서 재인용.
182) 브루스 커밍스, 김자동 옮김, 『한국전쟁의 기원』(일월서각, 1986), 496쪽에서 재인용.

해방 전 민간인들 사이에 떠돌던 김일성 신화에 대해 최정호는 이렇게 말했다.

"일제 시대에도 우리들 식민지 아이들이 알고 있던 독립운동의 '영웅'이 있었다면 오직 한 사람, '긴이치세이(金一成 · 김일성)' 또는 '긴니치세이(金日成 · 김일성)' 장군이었다. 우리들은 국민학교 4~5학년쯤 되었을 때 누군가가 공책에 필사해서 친한 친구끼리 돌려본 최초의 포르노그라피 『천국의 꿈』을 읽고 가슴이 빠개질 듯이 흥분했던 것처럼, 누군가가 어디에서 얻어들은 전설적 영웅 김일성 장군의 얘기를 친한 친구끼리 부풀려 가며 귀엣말로 주고받으면서 숨막히는 감동을 나눠 갖곤 했다."[183]

그런데 10월 14일 엄청난 충격을 받았다는 것이다.

"전설의 영웅 김일성 장군이 구름 속에서 모습을 드러내듯 '데뷔' 했을 때, 그를 본 사람들의 충격은 엄청나게 컸다. 남한에서는 그 현장의 상황은 알 수도 없고, 다만 보도된 기사와 사진을 통해서, 만주 벌판에서 축지법을 써 가면서 일본 관동군을 무찔렀다는 전설의 김일성 장군이 이제 겨우 서른세 살의 젊은이란 사실에 놀라 버렸다. 백발의 노장이 나타날 줄 알았는데 홍안의 청년이 나타났으니 놀랄 수밖에……."[184]

과연 김일성은 가짜였나?

그래서 결국 나돈 게 이른바 '김일성 가짜설'이었다. 이후 김일성의 항일투쟁 경력이 북한에서 선전의 도구로 활용되면서 과장되긴 했지만, 김일성은 가짜는 아니었다.

---

183) 최정호, 〈김일성과 1946년의 북한 '단독' 인민정권〉, 『우리가 살아온 20세기 1』(미래M&B, 1999), 239~240쪽.
184) 최정호, 위의 글, 240쪽.

1943년 무렵, 소련군 88여단에서 대대장으로 근무할 때의 김일성(오른쪽에서 두 번째).

김일성은 22세 되던 1934년부터 1940년까지 약 6년 동안 만주에서 유격전을 벌였고, 41년에 소련 연해주로 가서 그곳에서 조선의 해방을 맞았다. 그의 무장투쟁은 1937년부터 1940년 사이에 절정을 이루었으며, 1937년 6월에 있었던 보천보 전투가 최고의 유격전이었다. 보통 약 100명 정도를 거느리고 무장투쟁을 했다. 그런 유격전으로 김일성의 이름이 퍼지게 되었고 그의 항일투쟁은 때때로 조선의 국내 신문에 소개되기도 했다.[185]

훗날 김일성의 독립운동 사실을 처음으로 밝힌 서대숙은 "김일성의 항일 무장투쟁은 사실 그대로 기술해도 자랑할 만한 것"이라고 지적하면서 이렇게 말했다.

"북한에서 김일성의 투쟁 경력을 침소봉대(針小棒大)하고, 김일성의

---

185) 서대숙, 『현대 북한의 지도자 김일성과 김정일』(을유문화사, 2000), 43~45쪽.

무장투쟁이 조선독립운동의 전부인 양 왜곡하는 것은 도리어 그의 업적을 훼손하는 일이다. 그는 독립운동을 억압했던 친일파들이나, 독립운동의 주의·주장을 막론하고 중도에 변절한 자들과는 비교할 수 없는 애국애족운동을 한 것으로 충분히 빛나기 때문이다."[186]

김일성의 진위 문제는 "한국 사회가 처해 있는 냉전적 상황이 빚은 어처구니없는 해프닝"으로서 "다시는 되풀이되어서는 안 될 소극(笑劇)일 뿐"이었지만,[187] 해방정국에서 '김일성 가짜설'은 월남민들의 입을 타고 급속히 번져 나가면서 남한의 반공(反共)을 강화하는 동시에 남북간 대화와 타협을 어렵게 만든 정서적 요인이 되었다.

그러나 그것 못지않게 심각한 문제는 이 '소극'을 통해 드러난 사실이었다. 그건 바로 오랜 세월 수난을 겪은 한국인들이 그 어떤 초인적인 영웅을 갈구해 온 심리 상태였다. 훗날의 역사가 입증하지만, 이런 심리 상태는 이성보다는 감성에 휩쓸리는 선동 정치의 토양이 되었다.

---

186) 서대숙, 『현대 북한의 지도자 김일성과 김정일』(을유문화사, 2000), 51쪽.
187) 신복룡, 〈김일성의 진위 논쟁〉, 『한국사 새로 보기』(풀빛, 2001), 243~244쪽.

"뭉치면 살고 흩어지면 죽는다": 이승만의 귀국

하지의 이승만 환대

1945년 10월 4일 뉴욕, 그간 미국을 주된 활동무대로 삼아 외교 중심의 독립운동을 해온 이승만이 귀국길에 올랐다. 이승만은 하와이와 괌을 거쳐 12일 도쿄에 도착한 뒤 그곳에서 며칠 머물며 맥아더와 하지를 만난 다음, 미군 군용기를 이용하여 10월 16일 오후 5시 김포공항에 도착했다. 이승만의 귀국 경위는 매우 복잡해 아직까지도 학자들 사이에 의견 통일이 돼 있지 않지만, 널리 통용되고 있는 견해는, 미 국무성은 이승만의 귀국을 반대했지만 하지가 그의 귀국을 원했다는 것이다.[188]

그러나 하지는 자신의 참모들에게까지 이승만을 만난 걸 숨겼을 뿐만 아니라 "이승만의 서울 도착에 깜짝 놀랐다"라고 거짓말을 하기까지 했다.[189] 하지는 이승만에게 자신이 묵고 있던 반도호텔 근처에 있는 조선

---

188) 브루스 커밍스, 김자동 옮김, 『한국전쟁의 기원』(일월서각, 1986), 247쪽.

호텔 특실 세 개와 순종이 탔던 승용차를 주어 쓰게 했다. 이승만은 귀국 다음날인 17일 오전 10시 하지의 안내로 군정청 제1회의실에서 기자회견을 가졌는데, 하지의 대접은 극진했다. 그날의 모습을 한 기자는 이렇게 묘사했다.

"10시 정각이 되자 회의실 옆문이 열리며 하얀 장갑을 낀 미군 헌병 2명이 들어와 부동자세를 취하고 서 있었습니다. 곧이어 하지 장군의 모습이 보였는데 그는 기자들의 예상을 뒤엎고 허리를 굽실거리며 옆걸음질로 들어오면서 'Please this way(이쪽으로 오시지요)' 라고 세 번인가 되풀이해서 안내말을 하면서 백발이 성성한 이 박사를 인도해요. 미군 MP(헌병)들이 이 박사에게 거수경례를 하는 속에서 회의실에 들어온 이 박사가 곧 붉은 가죽에 앉았는데도 하지는 앉지도 않고 거의 부동자세로 서 있습디다. 그러니까 이 박사가 하지 중장을 쳐다보면서 'General, Please sit down(장군 앉으시지요)' 하고 말하니까 그제서야 이 박사와 나란히 앉습디다."[190]

이승만은 그날 저녁 8시 30분 서울 중앙방송국의 전파를 통해 첫 방송을 했는데, 당시 그의 연설 요지는 "나를 따르시오, 뭉치면 살고 흩어지면 죽습니다"였다.[191]

며칠 뒤인 10월 20일엔 경성시민 주최의 연합군환영회가 개최되었다. 5만 명의 시민이 참석한 가운데 미 군정청(중앙청) 건물 앞에서 열린 이 환영회에서도 하지는 이승만에게 다음과 같은 찬사를 보냈다.

"이 자유와 해방을 위하여 일생 바쳐 해외에서 싸운 분이 지금 우리 앞에 계신다. 이 성대한 환영회도 위대한 조선의 지도자를 맞이하기에는

189) 정병준, 『우남 이승만 연구: 한국 근대국가의 형성과 우파의 길』(역사비평사, 2005), 442쪽.
190) 정해구, 〈분단과 이승만: 1945~1948〉, 『역사비평』, 제32호(1996년 봄), 253쪽에서 재인용.
191) 유병은, 『방송야사』(KBS 문화사업단, 1998), 148~149쪽; 정진석, 『한국현대언론사론』(전예원, 1985), 252쪽.

부족하다. 그분은 압박자에게 쫓기어 조국을 떠났었지만 그분의 세력은 크다. 그분은 개인의 야심이라고는 전혀 없다. 그분이 여기 살아서 와 계신다."[192]

하지는 미 국무성에서 박대를 받은 이승만을 왜 그렇게 환대했던 걸까? 우선 맥아더가 미소(美蘇) 협조를 기조로 하는 국무부의 동북아 구상에 강한 불만을 갖고 있었다는 점에 주목할 필요가 있겠다. 이승만은 10월 13일에서 15일까지 3일 간 도쿄에서 맥아더와 서울에서 날아온 하지 등과 3자 회합을 했다. 여기서 한국의 정세에 대처하기 위한 카드의 하나로 이승만을 활용하는 방안이 논의되었을 것이다.[193]

이승만의 인기와 정치자금

사실 해방 공간에서 활동한 정치지도자들 가운데 좌익과 우익을 통틀어 이승만의 인기를 따라올 인사는 없었다. 이승만이 임시정부의 초대 대통령을 역임한 것에서부터 새로운 선망의 대상으로 떠오른 강대국이라 할 미국에서 획득한 학력과 인맥에 이르기까지 그는 높은 명성을 누리기에 충분했다. 게다가 미국 정부의 지지와 후원을 받아 이승만이 귀국한 것으로 알고 있던 국민에게 하지의 이런 극진한 대접은 이승만의 힘을 더욱 돋보이게 만들었을 것이다.[194]

그래서 각 정당과 단체들에서는 이승만을 옹립하려고 경쟁을 했다. 한국민주당은 이승만이 귀국하자 그의 귀국을 알리는 전단을 만들어 시

---

192) 정해구, 〈분단과 이승만: 1945~1948〉, 『역사비평』, 제32호(1996년 봄), 253~254쪽.
193) 도진순, 『한국민족주의와 남북관계: 이승만·김구 시대의 정치사』(서울대학교출판부, 1997), 43쪽; 정해구, 위의 글, 255쪽.
194) 그러나 이승만은 해방 직전 한국 내에서 잊혀진 인물이었으며, 해방 직후 급격하게 민족지도자로 추대되었다는 주장도 있다. 정병준, 『우남 이승만 연구: 한국 근대국가의 형성과 우파의 길』(역사비평사, 2005), 455~456쪽.

내에 배포했으며, 좌익진영도 기관지였던 『해방일보』를 통해 "일생을 통해 조국을 위하여 투쟁해 온 노혁명가 귀국하다"라고 크게 보도하였다.[195]

이승만의 귀국 이전에 이미 이승만을 주석으로 추대했던 인공은 "위대한 지도자에게 충심의 감사와 만강의 환영을 바친다"는 담화까지 발표했다. 이에 화답하듯 이승만은 10월 21일 "나는 공산당에 대해 호감을 가진 사람이다. 그 주의에 대해서도 찬성하므로 우리나라의 경제대책을 세울 때 공산주의를 채용할 점이 많이 있다"고 말했다.[196]

그러나 이승만은 바로 그날 자신과 극친한 미국의 로버트 올리버에게 보낸 편지에서 "우스꽝스러운 것은 공산당이 나를 수반으로 하는 정부를 조직했다는 것입니다. 나는 그들에게 모스크바는 나를 반공주의자라고 통박(痛迫)하고 있는데 공산주의자가 되라니 큰 영광이라고 했지요"라고 썼다.[197]

한민당은 이승만이 경제력을 가진 친척이 전혀 없다는 점에 유의하여 그에게 숙소로 돈암장을 제공했는데, 이 돈암장은 돈암동에 있는 대동고무상사 장진섭의 집으로 그는 한국민주당의 재무부 부원이었다. 그는 이승만에게 매월 15만 원씩의 정치자금을 제공하는 등 적극적인 후원을 아끼지 않았으며, 한국민주당의 총재로 취임해 줄 것을 요청했다.[198]

이승만은 15만 원으로는 모자라 나중엔 친일 거부인 태창방직의 백낙승으로부터 직접 매달 50만 원씩 받았으며, 당시 대표적인 친일 사업가였던 박흥식으로부터 200만 원의 정치자금을 받기도 했다.[199](45년 12월

---

195) 연시중, 『한국 정당정치 실록 1: 항일 독립운동부터 김일성의 집권까지』(지와 사랑, 2001), 135, 236~237쪽.
196) 강만길, 『20세기 우리역사』(창작과비평사, 1999), 205쪽에서 재인용.
197) 이정식, 『대한민국의 기원』(일조각, 2006), 127쪽에서 재인용.
198) 연시중, 위의 책, 236~237쪽.
199) 서중석, 『한국현대민족운동연구 2: 1948~1950 민주주의·민족주의 그리고 반공주의』(역사비평사, 1996), 85쪽.

가격으로 쌀 한 가마니에 750원) 이에 대해 하지는 후에 이렇게 말했다.

"이승만은 한국에 돌아온 후 얼마 안 있어 일부 재산 많은 부유층의 영향을 받는 몸이 되었다. 그런데 그들은 일제 밑에서 돈을 벌었기 때문에 친일파라는 비난을 받을 수 있는 인물이었다."[200]

브루스 커밍스는 이렇게 말했다.

"이승만이 그들의 기부금을 받는 대가로 장차 민족주의 정권이나 공산 정권이 들어설 경우, 일제에 협력했다는 죄로 재산을 잃게 될지도 모를 그런 계층의 사람들을 보호해 주지 않을 수 없었던 것이다. 이승만은 그후 얼마 지나지 않아 부유한 계층의 집단인 한민당과 그들의 산하에 있던 경찰까지도 자기 수하에 두게 되었다. 이승만이 한 일은 1927년 장개석이 상해의 은행가 집안과 정략결혼한 것과 비슷한 성질의 것이었다."[201]

그러나 정도의 차이는 있을망정, 이 당시의 다른 정치지도자들에게도 정치자금은 절대적으로 필요한 것이었다. 그 누구건 지도자급 되는 정치인치고 정치자금 없이 정치를 한 사람은 없었다. 정치지도자는 우선 자신을 지지하는 '식객'을 위해서도 정치자금이 필요했다. 얼마 후엔 청년 조직을 가동시키기 위해서도 돈이 필요했고, 그밖에도 돈이 들어가야 할 곳은 많았다. 바로 이 정치자금의 문제가 해방정국에서도 정치지도자들의 노선과 행태에 영향을 미치는 강력한 요인 중의 하나였다.

독립촉성중앙협의회의 조직

미군정은 군정의 자문행정기구를 수립하기 위한 사전조치로 각 정치 세력의 통합을 원했다. 이승만이 공산당에 대해 호감을 표명한 거나 자

---

200) 김삼웅, 『한국현대사 뒷얘기』(가람기획, 1995), 117쪽에서 재인용.
201) 김삼웅, 위의 책, 117쪽에서 재인용.

신을 끌어들이고자 하는 어느 정당에 대해서도 뚜렷한 언질을 주지 않은 채 각 정당의 통일을 강조한 것도 바로 미군정의 그런 뜻을 염두에 두었기 때문일 것이다. 물론 이승만은 미군정의 그런 뜻을 자신의 세력기반을 구축하는 용도로 이용하고자 했겠지만, 양측의 뜻이 맞아 구성된 것이 바로 독립촉성중앙협의회였다.[202]

1945년 10월 23일 한국민주당, 국민당, 조선공산당, 건국동맹 등 각 정당 단체 200여 명이 모여 독립촉성중앙협의회를 조직했는데, 이는 구성 단체들의 면면에서 드러나듯 좌파와 우파를 막론한 초당파적 모임이었다. 회장엔 이승만이 추대되었다. 이승만은 회장에 선출된 직후, "우리의 염원은 하나뿐이니 힘도 하나, 소리도 하나로 뭉치자"고 호소했다.[203]

그러나 평화공존은 오래가지 못했다. 무엇보다도 임시정부와 인민공화국 문제가 가장 큰 쟁점이었다. "임시정부를 추대하느냐, 인민공화국을 국외의 인사로 보강하느냐, 양자택일을 하자"(공산당의 이현상), "임시정부를 국가의 최고기관으로 해야 한다"(한국국민당의 원세훈), "임시정부와 인민공화국은 대립된 것이 아니다. 국내외 혁명가들이 결합하자"(건국동맹의 이걸소) 등의 주장 가운데 접점을 찾기는 어려웠다.[204]

다만 임시정부와 독립촉성중앙협의회와의 동조 노력에 대해선 한국민주당과 국민당 및 이영의 장안파 공산당까지 의견의 일치를 보아 25일 공동성명서를 발표하였다. 그러나 박헌영의 공산당은 끝내 인민공화국에 대한 지지를 들고 나와 임시정부냐 인민공화국이냐 하는 양대 진영 간 대립은 다시 격화되었다.[205]

202) 정해구, 〈분단과 이승만: 1945~1948〉, 『역사비평』, 제32호(1996년 봄), 256쪽; 도진순, 『한국민족주의와 남북관계: 이승만·김구 시대의 정치사』(서울대학교출판부, 1997), 48쪽; 연시중, 『한국 정당정치 실록 1: 항일 독립운동부터 김일성의 집권까지』(지와사랑, 2001), 236~237쪽.
203) 연시중, 위의 책, 134쪽.
204) 연시중, 위의 책, 134~135쪽.
205) 연시중, 위의 책, 134~135쪽. 다른 주장도 있다. 그래도 타협을 이뤄내기 위해 우선 임정이나 인공 지지 문제를 표면에 드러내지 말고 모든 세력을 망라하여 건국작업에 임하자는 의견이 제시되었고, 이에 이승만도

이승만의 공산당 공격

11월 2일에 열린 제2차 독립촉성중앙협의회 회의에는 4대 정당 대표자들과 50여 군소 정당 단체들의 대표자들이 참가했는데, 이 회의에서도 좌익과 우익이 정파간에 임시정부냐, 인민공화국이냐 하는 문제로 왈가왈부하며 공방전이 벌어졌다.

이날 이승만이 기초한 분단 반대, 신탁통치 반대, 조선에 대한 점령국 대우 반대 등을 내용으로 하는 '4대 연합국에 보내는 선언서'를 채택하려는 순간, 박헌영은 "친일파 제거에 의한 민족통일 원칙"을 포함할 것을 주장하고 나섰다. 공산당은 친일파 문제와 더불어 이승만의 친(親)우파 노선에 반발하고 나섰던 것이다.[206]

이승만은 "싸우지 말고 합심해서 하나로 뭉치자"고 거듭 호소했지만, 박헌영은 이를 반박하며 "무조건 하나로 뭉치자는 것은 무원칙론이다. 그런 통합은 친일파 민족반역자들까지 들어간 것이니 친일파 민족반역자들은 제거되어야 한다"고 주장했다. 박헌영은 나아가 이승만이 뭉치자고 강조하면 오히려 좌파진영의 항일투사들을 배격하는 것이라고 공격하고 나섰다.[207]

11월 6일 좌익계의 전국청년대표자대회는 "만약 이 박사가 인민공화국 주석을 거부한다면 지도자로 지지할 수 없을 뿐만 아니라 민족통일전선 분열의 최고 책임자로 규정한다"는 결의문을 발표했다.[208] 이승만은

동의했는데, 이승만이 갑자기 태도를 바꿔 25일 성명서에 임정 지원을 삽입했기 때문에 여운형과 박헌영 등이 회의 도중에 퇴장해 버렸고 이후 관계가 악화되었다는 것이다. 이영근, 〈통일일보 회장 고 이영근 회고록: 이승만, 박헌영을 제압하다〉, 『월간조선』, 1990년 9월, 448쪽.

206) 강만길, 『20세기 우리역사』(창작과비평사, 1999), 205쪽; 정해구, 〈분단과 이승만: 1945~1948〉, 『역사비평』, 제32호(1996년 봄), 259쪽.
207) 연시중, 『한국 정당정치 실록 1: 항일 독립운동부터 김일성의 집권까지』(지와 사랑, 2001), 134~135쪽.
208) 강만길, 위의 책, 205~206쪽.

다음날 방송을 통해 인민공화국과 좌익 전반에 대해 비난을 퍼부었다. 이는 이승만의 공산당과의 결별을 의미하는 것이었다.

이승만의 공산당 비판 강도는 더욱 높아졌다. 이승만이 공산당에 호감을 갖고 있다고 발언한 10월 21일로부터 꼭 한 달째 되는 시점인 11월 21일, 이승만은 〈공산당에 관한 나의 관념〉이란 방송 연설을 통해 공산당에 대해 독설을 퍼부었다. 이승만은 공산분자들은 "일인 재정을 얻어 각 지방에 소요를 일으키며 외국인을 배척하는 선전과 임시정부를 반대하는 운동으로 인심을 이산시키며" 결국에 가서는 "중국과 파란국(폴란드)같이 민족간의 내란을 일으켜 피를 흘리고 투쟁하기에 이르게 만들 것"이라고 비난했다.[209]

12월 5일 조선공산당은 '독촉'과 결별을 선언하고 완전히 갈라섰지만, 이후에도 이승만의 공산당 비판은 계속되었다. 이승만은 12월 17일 〈공산당에 대한 나의 입장〉이란 방송을 통해 공산분자들은 "국경을 없이 하여 나라와 동족을 팔아먹고" 소련을 자기들의 조국이라 부르는 '새로운 매국노'라고 규정한 후 "한국은 지금 우리 형편으로는 공산당을 원치 않는다는 것을 세계 각국에 대하여 선언합니다"라고 말했다.[210]

정해구는 이승만의 공산당 비난 발언은 이후 반공주의 정서의 원형을 제공하고 있다는 점에서 주목할 만하다며 그 수사학적 특성에 대해 이렇게 말했다.

"그는 '소요', '파괴', '피', '내란' 등 파괴와 유혈을 연상시키는 감정적 언사와 '동족을 파는', '로국(소련)을 저의 조국이라 부르는' 등 원초적 민족감정을 자극하는 언사들을 통해 공산주의자들을 매도하고 있었다."[211]

---

209) 정해구, 〈분단과 이승만: 1945~1948〉, 『역사비평』, 제32호(1996년 봄), 259쪽에서 재인용.
210) 정해구, 위의 글, 259쪽에서 재인용; 김삼웅, 『한국현대사 뒷얘기』(가람기획, 1995), 118쪽에서 재인용.
211) 정해구, 위의 글, 259쪽.

공산주의자들도 이승만의 언어와 다를 바 없는 감정적이고 과격한 언어를 구사하였다. 이런 언어의 충돌은 상승효과를 일으켜 언어를 넘어선 현실이 되어 해방정국에 격렬한 투쟁의 피바람을 불러오게 된다.

전평의 결성과 조선인민당 창당

자주관리운동과 전평의 결성

　미군정에 접수된 주요 사업체는 총 3천500여 개로 남한 전체 사업체의 28.1%, 종업원 기준으로는 39.5%, 전체 생산액의 35%를 차지하는 것이었다. 미군정은 각 사업체에서 벌어진 노동자의 자주관리운동을 부정하고 관리인들을 파견하였는데, 거의 대부분이 친일·친미적 인사들이었다. 이들은 머지않아 불하될 공장을 차지하기 위해 노동자의 자주관리운동을 결사적으로 저지하는 한편, 미군을 속이거나 매수하여 공장 건물, 시설, 현품 등을 암매하기도 하였다.[212]

　자주관리운동은 현실적으로 당면한 경제적 요구와 더불어 민족주의운동 차원에서 전개된 것이었는데, 절정에 이른 시점인 45년 11월 4일까

---

212) 윤대원, 『일하는 사람들을 위한 한국현대사』(거름, 1990), 35쪽; 한국민중사연구회 편, 『한국민중사 II』(풀빛, 1986), 248~249쪽.

지 728개의 공장 관리위원회가 구성되었으며 8만여 명의 노동자가 참가하였다.[213)

자주관리운동의 역량을 기반으로 45년 11월 6일 중앙극장에서 조선노동조합전국평의회(전평)가 결성됐다. 전평은 노동자의 최저임금 보장, 하루 여덟 시간 노동, 남녀 동일노동의 동일임금, 단체계약권 확립, 노동보험제, 해고 · 실업 반대, 파업시위의 절대자유, 농민운동에 대한 지지, 인민공화국에 대한 지지, 세계 노동계급 단결 만세 등 20개조의 행동강령을 내걸었다.[214)

그러나 전평의 결성은 순조롭지 않았다. 전평을 공산당의 대표적인 외곽단체로 간주한 우익 청년단체들의 공격 목표가 되었기 때문이다. 우익 청년단체들은 전평의 결성식이 열리던 중앙극장을 습격해서 총격전까지 벌이는 등 대회장을 아수라장으로 만들었다.[215)

그러나 그런 폭력적 방해에도 불구하고 전평은 급속하게 세를 불려나갔다. "이 년의 팔자는 독립이 되나 자유가 오나 안 오나 요 모양"이라는 한 여성 노동자의 한탄이 시사하듯이,[216) 노동자들은 점차 계급적 자각을 하게 되었기 때문이다.

전평의 산하에는 금속, 섬유, 토건, 철도, 전기, 출판, 식료, 광산, 목재, 조선, 어업, 일반 봉급자, 교통, 운수노조 등 16개 산업별 노조가 참여했고, 서울과 군산 · 인천 · 대전 · 광주 · 마산 · 목포 등 전국 11개 도시에 지방평의회를 조직했다. 결성된 지 불과 3개월 만인 46년 2월 말 현재 전평 산하 조합원의 총수는 57만 4천여 명에 이르렀으며, 235개의

213) 조순경 · 이숙진, 『냉전체제와 생산의 정치: 미군정기의 노동정책과 노동운동』(이화여자대학교출판부, 1995), 101쪽.
214) 연시중, 『한국 정당정치 실록 1: 항일 독립운동부터 김일성의 집권까지』(지와 사랑, 2001), 118쪽.
215) 연시중, 위의 책, 116~117쪽.
216) 『우리문학』 1946년 2월호에 발표된 이동규의 소설 〈소춘〉에 나오는 여공 순이의 말: 이우용, 『해방공간의 민족문학사론』(태학사, 1991), 224쪽에서 재인용.

지부와 1천676개의 분회를 두었다.[217]

미군정의 자주관리운동 금지령

전평의 결성 이후, 자주관리운동이 경제투쟁의 차원을 넘어 이념적·
정치적 의미를 갖게 되자, 미군정은 45년 12월 6일 법령 제33호를 통해
자주관리운동을 금지하였다. 신형기에 따르면,

"자주관리운동은 노동자들의 계급적 각성과 조직화를 가속화시키는
결정적 추진력으로 작용하였을 뿐 아니라, 바로 노동자들 자신이 공장을
관리해야 한다는 생각을 표명하고 실천함으로써 크게는 새 국가건설의
정치적 방향까지를 제시한 의미를 갖는다. 미군정이 자주관리운동을 '불
법행위'로 단정한 이유가 실로 여기에 있었으니, 이는 곧 체제 선택으로
이어지는 문제였던 것이다."[218]

실제로 훗날 트루먼의 개인 특사로 아시아 지역을 순방한 포레는 트
루먼에게 보낸 서한에서 한국을 미국의 성공이 달려 있는 이데올로기의
전쟁터라고 규정하면서 이렇게 말했다.

"한국은 세계에서 공산주의가 싹틀 수 있는 최적의 조건을 갖춘 지역
이다. 만일 일본인들이 소유한 사업체를 '인민위원회(공산당)'가 소유하
게 된다면 그들은 어떠한 투쟁을 할 필요도 없이 이를 획득하게 될 것이
다. 따라서 민주주의(자본주의) 정부가 구성되기 전까지는 한국에 있는
일본의 해외 재산에 대한 미국의 소유권이나 청구권을 결코 포기해서는
안 된다."[219]

217) 연시중, 『한국 정당정치 실록 1: 항일 독립운동부터 김일성의 집권까지』(지와 사랑, 2001), 117쪽.
218) 신형기, 『해방기 소설연구』(태학사, 1992), 47쪽.
219) 1946년 6월 22일자 서한; 조순경·이숙진, 『냉전체제와 생산의 정치: 미군정기의 노동정책과 노동운동』
(이화여자대학교출판부, 1995), 106쪽에서 재인용.

미군정의 강경 대응으로 자주관리운동이 후퇴하자 전평은 1946년 초반부터는 "쌀을 몰래 감추고 있는 악덕 자본가, 지주 간상배와"의 투쟁을 중심으로 하는 '쌀 획득 투쟁'으로 방향을 전환하게 되었다.[220]

여운형의 조선인민당 창당

한편 여운형은 인공의 좌경화로 민족통일전선운동의 진전을 기대하기 어렵게 되자 그 매개체 역할을 자임하는 정당을 결성하게 되었다. 건국동맹이 모체가 되고 몇 개의 군소단체가 합류하여 11월 12일에 발족한 조선인민당이 바로 그것이다. 여운형은 창당대회에서 이렇게 말했다.

"해방된 오늘, 지주와 자본가만으로 나라를 세우겠다고 생각하는 사람이 있다면 어디 손을 들어 보시오. 지식인, 사무원, 소시민만으로 나라를 세우자고 하는 사람이 있다면 역시 손을 들어 보시오. 농민, 노동자만으로 나라를 세우겠다고 우기는 사람이 있으면 어디 한번 손을 들어 보시오. 손을 드는 사람이 하나도 없군요. 그렇습니다. 일제 통치기간 우리 민족에게 씻을 수 없는 반역적 죄악을 저지른 극소수 반동들을 제외하고 우리는 다같이 손을 잡고 건국사업에 매진해야 합니다."[221]

인민당 창당엔 미군정이 어느 정도 작용을 하였거니와, 인민당은 당기에 태극을 넣어 보수층으로부터 호감을 사려고 애를 썼다. 그러나 인민당엔 공산주의자들도 많이 참여하였고 그 가운데엔 박헌영계의 '프락치'들이 많아 훗날 분란을 일으키게 되었다.[222]

220) 이우용, 『해방공간의 민족문학사론』(태학사, 1991), 271쪽에서 재인용.
221) 서중석, 『한국현대민족운동연구: 해방후 민족국가 건설운동과 통일전선』(역사비평사, 1991), 248~251쪽; 여연구, 신준영 편집, 『나의 아버지 여운형』(김영사, 2001), 164~165쪽.
222) 서중석, 위의 책, 252쪽.

임정 추대 논란

이제 곧 임정 요인들의 귀국이 가까워오면서 그간 정치지도자들 사이에 늘 쟁점이었던 임정 추대 문제가 뜨겁게 살아나게 되었다.

조선공산당은 임시정부의 공헌은 어느 정도 인정하지만, 일제의 식민지 체제하에서 악전고투하며 구사일생해 온 것은 노농대중이고, 이들이 민족해방의 주체라고 주장하였다. 즉, 국내 혁명세력을 민족해방운동의 중심에 두고 인공이 그것을 이어받았다는 이유를 들어 임정 추대에 반대하였다.[223]

여운형은 좀 다른 각도에서 중경 임정 추대에 반대하였다. 여운형은 반대 이유로 "임시정부는 30년 간 해외에서 지리멸렬하게 유야무야 중에 있던 조직이니 국내의 기초가 없어 군림이 불가하다는 점, 연합국한테 승인되지도 될 수도 없다는 점, 미주(美洲)·연안·시베리아·만주 등지의 혁명단체 중에는 임시정부보다 몇 배가 크고 실력 있고 맹활동한 혁명단체가 있으며 그네들 안중에는 임시정부가 없다는 점, 국내에서 투옥되었던 혁명지사가 다수인데, 안전지대에 있었고 객지고생만 한 해외 혁명가 정권만을 환영하는 것은 잘못된 것이라는 점, 중경 임정을 환영하는 자들은 혁명 공적이 없는 자들도 호가호위(狐假虎威)하려는 것이고 건준의 정권수립권(權)을 방해하는 수단이 된다는 점, 중경 임정만 환영하는 것은 해내해외의 혁명단체의 합동을 방해하고 혁명세력을 분열시키는 과오라는 점 등"을 들었다.[224]

해방 직후 여운형은 설산 장덕수에게도 이렇게 말한 적이 있었다.

"설산, 나도 상해에 있어 보았지만, 임정에 도대체 인물이 있다고 할

---

233) 서중석, 『한국현대민족운동연구: 해방후 민족국가 건설운동과 통일전선』(역사비평사, 1991), 266쪽.
234) 서중석, 위의 책, 273쪽.

수 있겠소. 누구누구 하고 지도자를 꼽지만, 모두 노인들뿐이고 밤낮 앉아서 파벌싸움이나 하는 무능무위(無能無爲)한 사람들뿐이오. 임정 요인 중 몇 사람은 새 정당이 수립하는 정부에 개별적으로 추대할 수 있을지 모르지만, 임정의 법통을 인정할 수 없소."[225]

범좌익진영의 임정 추대 반대와 임정의 법통 주장은 어느 쪽이 더 옳고 그르건 양쪽 모두 한 치의 양보도 없는 결사적인 자세를 취하였기 때문에 향후 정국의 분열과 대립을 악화시키는 주요 이유가 되었다. 이는 그들에게 양보와 타협의 훈련을 할 기회가 전혀 없었다는 점에서 일제 식민통치의 불행한 유산이기도 했다.

---

225) 서중석, 『한국현대민족운동연구: 해방후 민족국가 건설운동과 통일전선』(역사비평사, 1991), 273쪽.

김구의 귀국, 임시정부의 분열

중경 임시정부의 개인 자격 귀국

중국의 중경에서 해방 소식을 전해들은 임시정부의 요인들은 귀국을 서두르기 시작했다. 그러나 한 가지 큰 문제가 있었다. 임정 측은 임시정부의 법통을 주장한 반면, 미군정은 개인 자격으로 귀국하며, 정부로 행세하지 않고, 미군정의 질서 확립에 협력한다는 조건을 제시하였기 때문이다.[226]

임시정부의 법통에 대해선 임시정부 내에서도 우파와 좌파 간에 격렬한 대립이 있었다. 8월 15일부터 좌파는 국내외 단체와 민중의 기초 위에 임시정부를 다시 세우자는 취지에서 임시정부의 총사직을 요구한 반면, 한독당 측은 임시정부를 가지고 귀국해야 한다는 주장을 폈다.[227]

---

226) 김삼웅, 『한국현대사 뒷얘기』(가람기획, 1995), 121쪽.
227) 서중석, 『한국현대민족운동연구: 해방후 민족국가 건설운동과 통일전선』(역사비평사, 1991), 183~184쪽.

임정 요인들 가운데 특히 '법통'을 내세우던 이들은 김구·조완구·엄항섭 등 한국독립당 계열이었다. 반면 김규식·김원봉·장건상 같은 이들은 국무회의 석상에서의 발언을 통해 대체로 "38선 이남에서 미군정이 실시되는 현실에서 더구나 국내외 각 정파가 서로 자기 목소리를 외치는 현실 아래 중경 임시정부가 전민족적 의사를 집약·대변하기에는 한계가 있다"는 논리를 폈다. 그러나 김구 측의 주장이 우세해 귀국이 지연되고 있었던 것이다.[228]

8월 30일 중경 임정 대표들은 중경의 미 대사관을 방문해, 미국식 민주주의를 신봉하고 기독교 신자가 많은 자신들이 러시아를 배경으로 한 공산주의자들의 대거 입국 때문에 희망을 잃고 있으며, 미국의 도움으로 입국한다면 미 점령군이나 혹은 국무성의 의사에 반하는 일을 결코 하지 않을 것이라는 비망록을 남겼다.[229]

하지의 정치고문 베닝호프는 미 국무성에 편지를 보내 "공산주의자들조차 중경의 조직을 전적으로 부인하지 못하는 상황이므로 김구 세력을 활용하는 것이 미군정에 매우 유리하다"고 말했지만, 미 국무성은 당시 극동국장이었던 존 빈센트의 발언에 더 귀를 기울였다. 당시 빈센트는 무슨 말을 했던가.

"한국인들이 그들의 장래 지도자를 선택하기 위한 의사표시 기회가 주어지기 전에 이루어지는 특정 개인 내지 집단에 대한 지지는 군정이 당면하고 있는 정치적 문제를 더욱 복잡하게 만들 뿐 아니라, 소련군 사령관을 자극하여 자기네 지역에 유사한 개인 내지 집단을 후원케 함으로써 통일한국의 건설을 지연시킬 것이다."[230]

228) 김재명, 〈김성숙: 민족해방과 통일 위해 바친 자의 묘비명〉, 『한국현대사의 비극-중간파의 이상과 좌절』 (선인, 2003), 28쪽.
229) 서중석, 『한국현대민족운동연구: 해방후 민족국가 건설운동과 통일전선』(역사비평사, 1991), 275쪽.
230) 김삼웅, 『한국현대사 뒷얘기』(가람기획, 1995), 122~123쪽에서 재인용.

미국의 그런 강경 입장에 직면한 임정은 더 이상 귀국을 미루긴 어려워 결국 개인 자격의 귀국을 받아들이지 않을 수 없었다. 11월 23일 임정 요인 환국 제1진이 미군 수송기에 올랐다. 김구, 김규식, 이시영, 김상덕, 엄항섭, 민영완, 장준하, 윤경빈, 유진동 등 15명이었다.

김구는 귀국 다음날 서울방송국을 통한 귀국소감에서 "혼이 왔는지 육체가 왔는지 분간할 수 없는 심경"이라면서, '개인 자격' 운운에 대해서는 "군정이 실시되고 있으니 대외적으로는 개인 자격이지만, 우리 한국 사람 입장으로 보면 임시정부가 환국한 것"이라고 말했다. 김구는 모두 단결하여 최단시간 내에 통일독립을 완성해야 한다고 역설했다.[231]

김구는 "스튜(고깃국)에 필요한 소금"

미군정은 임정을 최대한 활용하려는 모습을 보여주었다. 하지는 이미 11월 2일 주한미군 사령부 참모회의 석상에서 "김구는 스튜(고깃국)에 필요한 소금이 될 것이고, 그의 출현은 우리에게 도움이 될 것이다"라고 말했다.[232]

김구의 귀국 이후 하지의 '소금' 대접은 제법 극진했다. 김구를 국내에 처음으로 소개하는 11월 24일의 기자회견장에서 하지는 김구를 "조선을 극히 사랑하는 위대한 영도자"로 묘사했다. 미군정은 덕수궁에 임시정부의 본부를 마련해 주고, 미군 헌병이 경비를 서게 하였으며, 교통수단을 제공하였다. 또 다른 단체들에 대해서는 무기반납을 명령하였지만, 김구의 개인 수행원들이 무기를 지니는 것을 허용했다. 또 미군정은 인공에게는 미군정이 유일한 정부라고 으름장을 놓으면서 '공화국'이라

---

231) 김삼웅, 『한국현대사 뒷얘기』(가람기획, 1995), 120쪽; 김삼웅, 〈1945년/중경 임시정부 당면정책〉, 『사료로 보는 20세기 한국사』(가람기획, 1997), 176쪽.
232) 정용욱, 『미군정 자료연구』(선인, 2003), 216쪽에서 재인용.

1945년 11월, 중국에서 귀국한 김구를 하지 중장에게 소개하고 있는 이승만(왼쪽).

는 단어를 사용하지 못하게 했던 것과는 달리 "임정을 인공의 경쟁자 수준으로 끌어올리기 위해 임정이 '정부' 또는 '내각'이라는 단어를 사용하도록 허용했다."[233]

미군정은 임정과 김구에 대해 어떤 판단을 내렸던 걸까? 미군정 보고서는 "다른 무엇보다 임정이 한국 정치에 기여할 수 있는 가장 큰 장점은 임정의 명망성 그 자체"라고 했다.

"임정은 한국 독립운동의 신적 존재이다. 한국의 어린이들은 25년 간 임정이 독립의 날을 가져오기 위해 일하고 있다고 비밀리에 배워 왔다. 임정은 한국인들의 일반적 감정에 호소해 온 하나의 외부 조직이었다.

233) 정용욱, 『존 하지와 미군 점령통치 3년』(중심, 2003), 38쪽; 송광성, 『미군점령 4년사: 우리나라의 자주·민주·통일과 미국』(한울, 1995), 119~120쪽.

비록 임정 관리들이 기여할 수 있는 것이 그들의 명성뿐이라 하더라도 이러한 한국 독립운동의 신적 존재가 지금 시점에서 출현하는 것은 의심할 바 없이 건전한 한국 행정부를 발전시키는 데 도움이 될 것이다."[234]

그렇다면 임정의 상징이라 할 김구에 대해선 어떤 판단을 내리고 있었을까?

"그는 일본의 병합 이전에 젊은 시절을 보낸 구식의 한국인들이 대개 그렇듯이 편협함과 완고함을 가지고 있다. 그러나 그는 용기와 진지함, 목적에 대한 충실성이라는 장점을 가지고 있으며 그의 이름은 삼천리 방방곡곡에 알려져 있다. 그는 한국 정부의 집행부 수반으로 장기간 일할 만한 자격은 갖추지 못했으나 과도기구의 의장은 잘할 수 있을 것이다. 다른 무엇보다도 그는 자유를 향한 한국인들의 투쟁의 상징이 될 수 있는 원로 정치인의 자격을 가지고 있다."[235]

12월 1일 서울운동장에서 임정 환국을 축하하는 환영회가 개최되었다. 오세창은 "갈망하던 임시정부 간부가 환도하였으니 이 지도자(김구)의 명령에 절대 복종하자"는 개회사를 하였다. 김구는 자신에 대한 성대한 환영에 흡족해 하면서 그 감격을 이렇게 기록하였다.

"국내에서 환영 선풍이 일어나자 군정청 소속 기관과 정당·사회단체며 교육·교회·공장 등 각종 부문이 쉴 틈 없이 연합환영회를 조직하였다. 나 자신과 우리 일행은 개인의 형식으로 입국하였지만, 국내 동포들이 정식으로 '임시정부 환영회'라고 크게 쓴 글씨를 태극기와 아울러 창공에 휘날리고 수십만 겨레가 총출동하여 일대 성황리에 시위행렬을 진행하니, 만리 해외에서 풍상을 겪은 온갖 고통을 동정하는 듯싶었다. 행렬을 마친 후 덕수궁에서 연회가 열렸는데 그 성황은 참으로 찬란하였

234) 정용욱, 『미군정 자료연구』(선인, 2003), 242~243쪽에서 재인용.
235) 정용욱, 위의 책, 236~237쪽에서 재인용.

서울에서 열린 대한민국 임시정부 환영식에 참석하기 위해 행진하는 학생들의 대열.

다. 서울 기생은 총출동하여 400명 이상이요, 식탁이 400여 개며, 이루
다 기록하기 어려울 만큼의 성황을 이루었다. 하지 중장을 비롯하여 미
군정 간부들과 참석한 동포들이 이루 헤아릴 수 없을 정도로 많아서 덕
수궁 광장이 비좁을 지경이었다."[236]

   임정 요인 제1진이 귀환한 지 약 열흘 후인 12월 3일 상해에 남아 있
던 홍진, 김원봉, 신익희, 김성숙, 조소앙, 최동오, 조완구, 성주식, 장건
상, 조성환 등 임시정부 요인 22명도 귀국길에 올랐다. 그러나 이들은
날씨 때문에 김포 비행장에 내리지 못하고 전북 군산 비행장에 착륙했
다. 제1진과는 달리 제2진에 대한 미군의 대우는 형편없었다.[237]

---

236) 김구, 도진순 주해, 『백범일지: 백범 김구 자서전』(돌베개, 개정판 2002), 410쪽.
237) 김재명, 〈김성숙: 민족해방과 통일 위해 바친 자의 묘비명〉, 『한국현대사의 비극-중간파의 이상과 좌절』
    (선인, 2003), 30쪽.

임정의 인공 및 조공 거부

인공은 임정 요인이 귀국하자 임정과의 연대를 모색했다.

11월 26일 전국인민위원회대표자대회에 참석한 위원 중 8개 도 대표들은 임정 측 인사인 김규식·엄항섭·유동열 등을 만나 "친일파·민족반역자 배제와 각지 인민대중의 요망을 토대로 한 통일정부 수립"을 요청했다. 다음날 인공 대표 허헌은 임정 요인과의 공식적인 첫 만남에서 김구·김규식 등이 인공 중앙위원에 취임할 것을 요청했으나, 이들은 "사전에 의사교환이 없었다"는 이유로 거절했다. 12월 13일엔 조선공산당(조공)이 친일파, 민족반역자, 국수주의자를 제외하고 좌우에서 각각 절반씩 참여하는 통일 방안을 제시했지만, 임정은 기존 임정의 부서를 그대로 승인하고 따로 2~3개의 부서를 늘려 좌익 측이 참여하는 방안을 역제시함으로써 조공의 대등통일 방안을 거부했다.[238]

임정은 여운형과 같은 중도 좌파에 대해서도 인내심이 약했다. 여운형의 방문마저 거부했다. 여운형은 훗날(46년 5월), 자신을 찾은 기독청년연합회의 강원용에게 이렇게 털어 놓았다.

"김구 선생이 중경에서 돌아온다고 할 때 사실 나는 그분을 만날 생각이 없었어. 왜 그런 줄 아나? 임시정부가 중경을 떠나올 때 마지막 국무회의가 결정을 내린 것 중의 하나가 나에 대한 사형선고야. 그리고 떠나면서 청사 대문 앞에다 '여운형이는 사형을 시킨다'고 써붙였어. 그런 사람들을 내가 무슨 이유로 보고 싶었겠는가? 그러나 그들이 돌아왔을 때 나는 내 개인 감정은 차치하고, 해외에서 오랜 세월 독립운동 하느라 애쓴 노고에 경의를 표하려고 그들에게 인사를 갔었네. 그런데 자네도

---

238) 허은, 〈8·15 직후 민족국가 건설운동〉, 강만길 외, 『통일지향 우리 민족해방운동사』(역사비평사, 2000), 313~314쪽.

알다시피 내가 거기서 얼마나 모욕과 냉대를 당했나? 나를 그냥 기다리게 하고 들어오라는 말을 안하는 거야. 어떻게 이럴 수가 있나? 정치도 사람들이 하는 건데……."[239]

임정은 인공과 조공에 대해선 단호한 태도를 취한 반면, 친일 협력자들에 대해선 유보적인 자세를 취했다. 이미 11월 24일의 기자회견에서 김구는 '통일전선에 있어 친일파와 민족반역자에 대한 문제'에 대한 질문을 받고 이렇게 답했다.

"통일전선을 결성하는 데 있어 불량한 분자가 섞이는 것을 누가 원하랴. 그러나 우선 통일하고 불량분자를 배제하는 일과 배제해 놓고 통일하는 것의 두 가지가 있을 것이므로 결과에 있어 전후가 동일한 것이다."

김구는 "그러나 악질분자가 중요한 자리를 차지한다면 통일 후의 배제는 혼란스럽지 않은가?"라는 질문에 대해선 "여하간 정세를 모르니 대답할 수 없다"고 답했다.[240]

이처럼 친일파 처단 문제에 소극적인 태도를 보인 김구와 임정은 친일 자본가와 한민당의 접근은 받아들였다. 『조선일보』 사주인 방응모는 김구가 이끄는 한국독립당의 재정부장을 맡았다. 김구 역시 "해방 뒤의 현실정치에서 정치자금 문제 때문에라도 일정하게 친일파들과 손을 잡"은 것이다.[241]

그간 임정의 정치자금은 해외 한인들의 성금과 중국 정부의 지원으로

---

239) 강원용, 『빈들에서: 나의 삶, 한국 현대사의 소용돌이 1-선구자의 땅에서 해방의 혼돈까지』(열린문화, 1993), 203쪽에서 재인용.

240) 서중석, 〈총론: 친일파의 역사적 존재양태와 극우반공독재〉, 역사문제연구소 편, 『인물로 보는 친일파 역사』(역사비평사, 1993), 18쪽에서 재인용.

241) 한홍구, 『대한민국사』(한겨레신문사, 2003), 108쪽. 방응모가 한국독립당(한독당)의 재정부장을 맡았다는 건 한홍구의 견해에 따른 것인데, 정지환은 〈친일파가 애국자로: 조선일보의 '방응모 한독당 재정부장설' 날조기〉라는 글에서 방응모는 한독당의 재정부장을 맡은 적이 없다고 주장했다. 당시 방응모가 김구와 '개인적으로 가까웠던 것은 사실'이며 『조선일보』 역시 김구 노선을 지지하는 논조를 보였거니와 한독당이 꼭 방응모가 아니라 하더라도 친일파의 자금 지원을 받은 것도 사실이므로 한홍구의 견해를 따르기로 했다는 걸 밝혀둔다. 정지환, 『대한민국 다큐멘터리』(인물과사상사, 2004), 243~268쪽.

조달되었다. 장개석은 김구의 귀국시 미화 20만 달러(현 가치 최소 300억여 원)라는 거금을 주었다. 이와 관련, 김영신은 "중국은 수십 년간 임정에 행사해 왔던 영향력을 바탕으로 한반도에서 김구를 자신들의 대리인으로 키우고자 했다"고 주장했다.[242]

그러나 김구는 미군정의 방해로 이 돈을 국내에 들여오지 못했다. 얼마 후 이 돈의 반입을 포기한 김구가 임정 시절 이승만과 재미교포 사회에서 받은 지원에 대한 보답으로 이승만에게 이 돈을 주기로 약속하자, 이승만은 중국 정부로부터 이 돈을 받아내기 위해 치열한 노력을 기울이게 된다. 비록 이승만은 그 돈을 손에 넣진 못했지만, 이는 당시에도 그만큼 정치자금이 중요했다는 걸 의미하는 것이다.[243]

임정과 한민당의 관계

한민당은 이미 1945년 10월 20일 환국지사영접위원회(일명 환국지사후원회)라는 외곽단체를 조직하여 해외에서 귀국하는 독립지사들, 사실상 임정 요인들을 맞이할 준비를 하고 있었다. 송진우가 주도한 환국지사후원회의 모금활동에 대해 위기봉은 이렇게 말했다.

"송진우는 재계 인사 20여 명의 적극적인 호응으로 단시일 동안에 2천여 만 원의 거금을 만드는 데 성공하였다. 8 · 15 이후 물가는 한 달 사이에도 몇 배씩 뛰어올랐기 때문에 종잡을 수가 없는 것이지만 1945년 12월 29일 미 군정청이 발표한 경기도 지역의 쌀값은 석당(石當) 750원이었다. 2천만 원이라면 쌀 2만 6천 석에 달하는 거금이었다."[244]

---

242) 한윤정, 〈정치자금으로 본 해방정국: 돈줄막힌 김구 화교무역으로 활로 모색〉, 『경향신문』, 2002년 2월 2일, 7면.
243) 45~47년 이승만의 정치자금은 최고 5천만 원으로 추산되는데 당시 20만 달러는 약 3천만 원에 해당되는 만큼 이승만이 이 돈에 사활을 걸지 않을 수 없었다는 것이다. 한윤정, 위의 글.
244) 위기봉, 『다시 쓰는 동아일보사』(녹진, 1991), 271쪽.

한민당 수뇌부는 임시정부 요인들을 방문하여 귀국 인사를 하면서 900만 원의 정치자금을 김구에게 전달하였다. 김구는 임정 재무부장 조완구와 상의 끝에 이 돈이 '깨끗하지 못하다'고 판단해 되돌려 주기로 결정하였으며, 조완구는 송진우를 찾아가 돈을 돌려주며 이렇게 말했다. "부정(不淨)한 돈을 받을 수 없소. 이것은 우리 임시정부를 대접하는 것이 아니라 욕되게 하는 것이오."[245]

다음날 동아일보 사옥 2층 환국지사후원회 사무실에서는 임시정부 측 실무진과 환국지사후원회 사이에 이 돈에 대한 처리 문제를 협의하는 자리가 마련되었다. 여기서 임시정부 측 인사의 친일파 운운하는 발언이 발단이 되어 장덕수와 언쟁이 붙었다고 하는데,

"옥신각신하다가 장덕수가 따귀를 얻어맞는 소동이 벌어져 회의는 유산되고 말았다. 송진우가 나서서 김구에게 뷰익 승용차 한 대를 진상하고, '임시정부도 정부요, 정부가 받는 세금 가운데는 양민의 돈도 들어 있고, 죄인의 돈도 들어 있는 법이오' 운운하면서 설득한 결과 임시정부는 이 돈을 받아들였고, 중추원 칙임참의에 만주국 총영사를 지낸 거물급 친일파 김연수는 12월 16일 경방 이사 최창학과 함께 김구를 찾아가서 이와는 별도로 700만 원을 헌납하고 머리를 조아렸다. 이렇게 해서 문제는 일단락이 되었으나 제 것 주고 뺨맞은 한민당 수뇌들의 입맛은 씁쓸할 수밖에 없었다."[246]

한민당과 임정 사이의 반목과 대립이 깊어지자 송진우는 이를 해소해 보려고 12월 중순 임정 요인들을 서울 관수동의 국일관으로 초대해 주연을 베풀었다. 그러나 여기서 또다시 해공 신익희가 한민당 측 인사들을 가리켜 친일파 운운하는 바람에 싸움판이 벌어지고 말았다.[247]

---

245) 연시중, 『한국 정당정치 실록 1: 항일 독립운동부터 김일성의 집권까지』(지와 사랑, 2001), 241쪽; 김재명, 『한국현대사의 비극-중간파의 이상과 좌절』(선인, 2003), 201~203쪽.
246) 위기봉, 『다시 쓰는 동아일보사』(녹진, 1991), 282~283쪽.

신익희는 국내 지도자들이 지금까지 친일을 하지 않고 어떻게 생명을 부지할 수 있었겠느냐며 숙청론을 제기했다. 이에 설산 장덕수가 "그러면 나는 숙청이 되겠군" 하고 맞서자 신익희가 "설산뿐인가"라고 대응했다. 송진우, 장덕수, 신익희는 모두 과거 일본 유학 시절부터 잘 알고 있던 사이였는지라, 이에 송진우가 끼어들어 이렇게 말했다.

"여보 해공, 국내에 발붙일 곳도 없이 된 임정을 누가 오게 하였기에 그런 큰소리가 나오는 거요? 인공이 했을 것 같애? 해외에서 헛고생들 했군. 더구나 일반 국민에게 모두 떠받들도록 하는 것이 3·1운동 이후 임정의 법통 관계지, 노형들 위해서인 줄 알고 있나? 여봐요, 중국에서 궁할 때 뭣들 해 먹고서 살았는지 여기서는 모르고 있는 줄 알아? 국외에서는 배는 고팠을 테지만 마음의 고통은 적었을 것 아니야. 가만히 있기나 해. 하여간 환국했으면 모든 힘을 합해서 건국에 힘쓸 생각들이나 먼저 하도록 해요. 국내 숙청 문제 같은 것은 급할 것 없으니, 임정 내부에서 이러한 말들을 삼가하도록 하는 것이 현명할 거요."[248]

김구도 괴로운 표정으로 이 이야기를 옆에서 다 들었다.[249] 이 이야기는 『고하 송진우 선생전』에 실린 거라 그대로 믿을 건 못된다 하더라도 이 책에서 말하는 것처럼 이후 임정 측의 숙청론이 고개를 숙인 건 분명한 사실이었다.

247) 위기봉, 『다시 쓰는 동아일보사』(녹진, 1991), 283~284쪽.
248) 김학준, 『고하 송진우 평전: 민족민주주의 언론인·정치가의 생애』(동아일보사, 1990), 336쪽에서 재인용.
249) 서중석, 〈안재홍과 송진우: 타협이냐 비타협이냐〉, 역사문제연구소 편, 『한국 현대사의 라이벌』(역사비평사, 1991), 83쪽.

임정의 내분

임정에겐 한민당과의 관계 설정도 문제였지만, 더욱 큰 문제는 오랫동안 임정을 괴롭혀 온 고질적인 내분이었다. 일제 시기 항일투쟁을 하던 한국 민족주의자들의 분열상에 대한 다음과 같은 견해는 과장된 것일지라도 일말의 진실은 담고 있는 것이었다.

"한국 민족주의자들은 너무나 까다로웠고 자기 아집에만 얽매여 있었다. 그들에겐 연합전선 구축이나 일관된 주장을 펼쳐야 한다는 생각이 전혀 없었다. '한국인'이란 말은 심지어 국제사회주의운동 세력들 사이에서조차 '파벌주의'라는 말과 동의어가 되고 있었다."[250]

미군정 보고서도 그런 점에 주목했다. 한 보고서는 "중경(임정)의 문제점은 정책상의 차이라기보다는 분파와 개별 인물들간의 파쟁에 있다"며, "이는 이들 망명한 애국자들이 지난 26년 간 먹고살기 위해 투쟁하는 한편으로 혁명적 지도자로 행세하기 위해 투쟁하던 데에 그 뿌리가 있다"고 했다.

"이 기간 내내 이들에게는 어떤 서방 민주국가의 지원도 없었다. 수년 간 그들은 미국, 멕시코의 한인 조직들로부터 재정지원을 받았다. 그러나 이 기부금은 부정기적이었고…… 이런 조건에서 의심과 반목은 거의 불가피한 것이었다."[251]

한마디로 이야기해서, 임정 요인들이 처해 있던 상황이 너무 열악했다. 서중석은 "이역만리에서 민중의 기반이 없는 채 협소한 공간에서 활동하였다는 바로 그 점이 독립운동단체들의 대립을 심화시키는 한 요인이 되었다"며, "'애국단자금 사건'이 말해 주듯, 간신히 확보한 자금에서

---

250) 마이클 브린, 김기만 옮김, 『한국인을 말한다』(홍익출판사, 1999), 243~244쪽.
251) 정용욱, 『미군정 자료연구』(선인, 2003), 234~235쪽에서 재인용.

다른 세력을 받아들여 그것을 나눠 쓴다는 것은 어려운 일이었다"고 했다.

"또 확보한 자기 세력을 통합의 와중에서 잃는다는 것은 자신의 정치 생명에 영향을 미칠 수 있다는 것을 중국 관내의 독립운동가들은 오랜 경험으로 터득한 것 같다. 더구나 좌파는 우파의 청년세력을 빼앗아갈 수 있었다. 중경은 독립운동 인사가 몇백 명밖에 안 살았는데, 우파와 좌파는 전혀 거주지역을 달리하고 있었다. 갑당(甲黨)과 을당(乙黨)은 서로 상대편을 끌어들이려고 노력했고, 학병 탈출자 등 한국인 청년이 나타나기만 하면 포섭 공작을 벌였다."[252]

포섭 공작이라고 해봐야 극진한 환대 정도였겠지만, 몇십 명만 어떤 정당에 가입하기만 하면 그 정당이 최대 정당이 돼 임정 내부의 패권을 잡을 수 있었기 때문에 그런 경쟁은 매우 치열하게 이뤄졌다. 장준하의 '폭탄선언'이라는 것도 이 때문에 나온 것이었다. 장준하는 44년 1월 학도병으로 들어가, 그해 7월 중국 서주에서 탈출해 6천 리를 걷는 등 천신만고 끝에 중경에 도착했는데, 그곳에서 임시정부 요인들의 분열상을 보고 절망했던 것이다. 27세 열혈청년 장준하는 임시정부 전 국무위원들과 100여 명에 가까운 교포들이 모인 자리에서 이런 '폭탄'을 던졌다고 한다.

"가능하다면 이곳을 떠나 다시 일군에 들어가고 싶습니다. 이번엔 일군에 들어간다면 꼭 일군 항공대에 지원하고 싶습니다. 일군 항공대에 들어간다면 중경 폭격을 자원, 이 임정 청사에 폭탄을 던지고 싶습니다. 왜냐고요? 선생님들은 왜놈들한테 받은 서러움을 다 잊으셨단 말씀입니까? 그 설욕의 뜻이 아직 불타고 있다면 어떻게 임정이 이렇게 네 당, 내 당 하고 겨누고 있을 수가 있는 것입니까."[253]

---

252) 서중석, 『한국현대민족운동연구: 해방후 민족국가 건설운동과 통일전선』(역사비평사, 1991), 176~177쪽.
253) 서중석, 〈분단체제 타파에 몸던진 장준하〉, 『역사비평』, 제38호(1997년 가을), 63쪽; 서중석, 위의 책, 177쪽.

'임정 = 한독당 = 김구' 전략

임정의 내분은 귀국시 1, 2진으로 나눈 기준 문제를 둘러싸고 다시 불이 붙었다. 미군정은 임정 내의 우익이 먼저 귀국하여 유리한 위치를 점해야 한다는 계산을 하고서 일부러 작은 비행기를 보내 준 것으로 알려졌는데,[254] 누가 먼저 귀국할 것인가 하는 문제는 임정 내부에서 결정된 것이므로 논란이 일어날 수밖에 없었다.

귀국시 김구의 한국독립당 계열 젊은이들과 김원봉의 민족혁명당 계열 젊은이들이 팔을 걷어붙이고 싸움을 하는 추태마저 연출했던 것도 바로 그런 이유 때문이었다. 얼른 생각하자면, 국무위원들이 먼저 가는 게 상식적이었을 것이다. 그러나 한독당 측은 주석 김구, 부주석 김규식과 일부 국무위원 그리고 그들의 수행원이 먼저 가야 한다고 주장했다. 당연히 민혁당을 비롯한 다른 당파들이 반발했고, 급기야 이 문제를 두고 '이놈 저놈' 하는 난장판이 벌어졌다.[255]

결국 민혁당의 김원봉이 양보하여 한독당 측의 주장대로 되었지만, 누가 먼저 귀국하느냐 하는 건 사실 중요한 의미가 있는 것이었다. 염인호는, 먼저 귀국한 김구는 일련의 활동을 통해 '임정=김구' 등식을 구축하는 데 성공하였다며, 이렇게 말했다.

"당시 국내 대중들은 중경 임정 내부사정을 잘 알지 못하고 있었다. 반면 민혁당과 약산(김원봉)은 가려졌다. 약산은 임정 내에서 제2인자였음에도 환국 후 국내에서는 김구, 이승만, 김규식에 이어 제4인자로 소개되었다. 이 점에서 김구 일행의 선발을 용인한 민혁당, 특히 약산의 실

---

254) 구종서, 〈보수우익 세력의 형성과정〉, 한배호 편, 『한국현대정치론 I: 제1공화국의 국가형성, 정치과정, 정책』(나남, 1990), 96쪽.
255) 김재명, 〈김성숙: 민족해방과 통일 위해 바친 자의 묘비명〉, 『한국현대사의 비극-중간파의 이상과 좌절』(선인, 2003), 30쪽; 염인호, 『김원봉 연구: 의열단, 민족혁명당 40년사』(창작과비평사, 1992), 294쪽.

수는 큰 것이다."[256)]

임정 요인들을 1진과 2진으로 나누어 귀국하게끔 한 건 진보적인 민혁당을 보수적인 한독당의 그늘에 가리게 하려는 이승만과 미군정의 의도였다는 설도 있지만, 이들이 한독당이 먼저 귀국하게끔 하는 것까지 결정할 수는 없는 일이었다. 그렇다면, 김구와 같이 귀국한 장준하의 말대로, 김구 일파가 먼저 입국함으로써 '임정=한독당=김구'의 등식을 국내 민중에게 심으려는 한독당 측의 의도는 미군정의 그런 의도와 이심전심(以心傳心)의 공감대를 형성했던 건 아닌지 모르겠다.[257)]

귀국시 1진과 2진을 나눈 문제를 둘러싼 갈등은 급기야 12월 6일 경교장에서 열린 첫 국무회의마저 무산시키고 말았다. 이승만도 임시정부 구미위원단의 단장 자격으로 참석한 이 국무회의는 매우 중요한 의미를 갖는 것이었기에 신문에 대서특필되었지만, 2진파 각료들의 1진파에 대한 불만이 워낙 큰 탓에 한 가지 안건도 상정하지 못하고 산회되었던 것이다.[258)]

회의 기록을 위해 참석했던 장준하는 후일 "환국한 임정 각료들 안에서까지 일치구국의 염이 저렇듯 허사가 된다면 이제 무엇을 기대할 것인가"라면서, "이 난국에 온 국민의 기대가 임정에 집중되어 있는데 그 기대에 부응할 수 있는 단 한마디가 없는 국무회의가 된 것이 무엇보다 가슴 아픈 일이었다"고 개탄했다.

"좁은 사회에서 적은 수의 지지 배경밖에는 가지지 못했던 파벌들이 국내에 들어와 좋은 여건을 맞게 되자 이제야 세상을 만났다는 듯이 각기의 세력을 좀더 확보·강화하려는 내심들이 없었다면 온 국민의 여망이 모아진 이날의 회의를 그처럼 무위로 끝내 버릴 수가 있을 것인가."[259)]

256) 염인호, 『김원봉 연구: 의열단, 민족혁명당 40년사』(창작과비평사, 1992), 295쪽.
257) 염인호, 위의 책, 294쪽.
258) 박경수, 『장준하: 민족주의자의 길』(돌베개, 2003), 218~220쪽.

민생을 외면한 보상욕구

문제는 분열만이 아니었다. 당시 모든 지도층 인사들에게 해당되는 것이었겠지만, 염불보다는 잿밥에 관심을 가진 사람들이 너무 많았다. 자신들의 독립투쟁에 대한 과도한 보상욕구였는지도 모르겠다. 당시 장준하는 어느 환영회에 참석했다가 충격을 받았다. 민중은 굶주리고 있는데, 독립투사라는 사람들이 국내 제일의 요정인 명월관에서 산해진미와 기녀(妓女)들에 휩싸여 흥청망청하는 와중에 기녀들의 이마에 여기저기서 지폐가 붙여지는 걸 보고 '이건 아니다' 싶었던 것이다. 장준하는 훗날 이때를 이렇게 술회하였다.

"이런 식의 초대 향응이 매일 매야 바뀌는 명목들로 벌어졌다. 누구누구를 초대하든 같은 명월관이나 국일관 등 주지육림 속에서 놀아나며 세월을 허송하는 것이었다. 요릿집 경기는 장안을 누르고, 해방된 기쁨이라고 사회와 인심은 둥둥 들떠 있었다. 이 혼잡 속에서도 불순한 정치세력은 칡넝쿨처럼 이권과 이해와 정치목적을 따라 뻗어나갔고 국민들은 깨어나야 할 혼돈 속에서 각성을 몰랐다. 임정을 위요(圍繞: 둘러쌈)하고 있는 밖의 정치세력들도 집요하게 달려들었다. 임정과 연결을 가지려는 이들 악착스러운 움직임에 빠져, 국무위원들은 각자 자기대로 외적인 파벌과 결탁을 하기에 바쁜 것이 현저한 그들의 행태였다."[260]

이타적 삶을 산 사람들의 과도한 보상욕구가 문제였을까? 보상욕구 자체를 탓할 수는 없을 것이나, 그런 전통은 훗날까지도 계속되어 민중으로 하여금 엘리트의 이타적인 행동을 정략적인 '장기 투자'로 보게끔 만드는 가공할 효과를 낳게 된 건 부인할 수 없는 사실이었다.

---

259) 박경수, 『장준하: 민족주의자의 길』(돌베개, 2003), 220~221쪽.
260) 박경수, 위의 책, 222쪽.

자세히 읽기

함석헌과 윤치호

함석헌(1901~1989)이 "해방은 도둑같이 뜻밖에 왔다"고 말한 건 반가움의 표현이 아니었다. 그건 조선인, 특히 엘리트 집단에 대한 질책이었다. 그는 "솔직하자. 너와 내가 다 몰랐느니라. 다 자고 있었느니라"라고 개탄하면서 깊은 잠을 자고 있던 조선 지도층의 모습을 이렇게 묘사하였다.

"신사참배 하라면 허리가 부러지게 하고, 성을 고치라면 서로 다투어가며 하고, 시국강연을 하라면 있는 재주를 다 부려서 하고, 영미(英美)를 욕하고, 전향하라면 참 '앗싸리' 전향을 하고, 곱게만 보일 수 있다면 성경도 고치고, 교회당도 팔아먹고, 신용을 얻을 수 있다면 네 발로 기어도 보이고, 개소리로 짖어도 보여준, 이 나라의 지사·사상가·종교가·교육자·지식인·문인에, 또 해외에서 유랑 몇십 년 이름은 좋아도 서로서로 박사파·선생파·무슨 계·무슨 단, 하와이나 샌프란시스코에서는 미국인 심부름꾼 노릇을 하며 세력다툼을 하고, 중경·남경에선 중국인 강낭죽을 얻어먹으며 자리싸움을 하던 사람들이 알기는 무엇을 미리 알았단 말인가?"[261]

조선의 엘리트 계급에 대한 매서운 질책임에 틀림없다. 그 질책이 틀리지 않았음을, 그래서 조선인들이 일제 치하보다 더 혹독하고 잔인한 동족상잔의 길로 나아가게 되었음을, 이후 역사는 보여주게 된다.

한편 냉혹한 현실주의자로서 개화기 선구적 지식인이자 정치인이었다가 친일의 길을 걸었던 윤치호(1865~1945)는 해방 후 친일파 청산 문제가 거론되자 자신의 소신을 굽히지 않고 〈한 노인의 명상록〉이란 영문

261) 함석헌, 『뜻으로 본 한국역사』(한길사, 2003), 394쪽.

서한을 작성해 미군정과 이승만에게 보냈다. 그는 45년 10월 20일에 작성한 글에서 역사의 불가항력을 역설했다.

그는 "일본의 신민으로서 '조선에서 살아야 했던' 우리들에게 일본 정권의 명령과 요구에 응하는 것 외에 어떤 대안이 있었겠습니까? 우리의 아들들을 전쟁터에 보내고 딸들을 공장에 보내야만 했는데, 무슨 수로 군국주의자들의 명령과 요구를 거역할 수 있었겠습니까?"라고 물으면서 "그러므로 누군가가 일본의 신민으로서 한 일을 가지고 비난하는 것은 어불성설입니다"라고 주장했다.

"우리는 해방이 선물로 주어진 것임을 솔직히 시인하고, 그 행운을 고맙게 여겨야 합니다. 잃었던 보석을 되찾은 듯한 은혜를 입은 만큼, 겸허한 마음으로 다시는 그것을 잃지 않도록 최선을 다해야 합니다. 사소한 개인적 야심과 당파적인 음모와 지역간의 증오심일랑 모두 묻어두고, 고통을 겪고 있는 우리나라의 공익을 위해 다 함께 협력해야 합니다. 우리나라의 지정학적 상황으로 미루어 볼 때, 민중의 무지와 당파간의 불화 속에서는 우리 조선의 미래를 낙관할 수가 없습니다. 우리는 분열되지 말고 단결해야 합니다."

또 윤치호는 "마치 자기들의 힘과 용맹성을 가지고 일본 군국주의로부터 조선을 구해내기라도 한 것처럼 어딜 가나 으스대며 다니는, 자칭 구세주들의 꼴이란 참으로 가관입니다"라면서, "그들은 아둔하거나 수치심이 없는―아마도 그 둘 다인―사람들인지라, 조선의 자유는 달 속에 살고 있는 사람의 자유만큼도 되지 않았다는 것을 모르는 모양입니다"라고 말했다.

"이른바 그 '해방'이란, 단지 연합군 승리의 한 부분으로 우리에게 온 것뿐입니다. 만일 일본이 항복하지 않았더라면, 허세와 자만에 찬 '애국자'들은 어떤 사람이 큰 지팡이로 일본을 내쫓을 때까지 계속해서 동방요배를 하고 황국신민서사를 읊었을 것입니다. 분명한 것은, 이 허세와 자만에 찬 '애국자'들이 일본을 몰아낸 것은 아니라는 점입니다."[262]

　함석헌과 윤치호는 전혀 다른 입장이었지만, 독립운동가들의 권력투쟁에 대해 비판적인 목소리를 낸 것만큼은 같았다. 윤치호가 훗날 반민특위 재판을 받았더라면 그 자리에서 자신의 그런 소신을 역설했겠지만, 그는 45년 12월 세상을 떠났다. 윤치호는 자결한 것으로 알려져 있지만 당시 『조선일보』는 "송도중학 설립자 윤치호 씨는 6일 오전 9시 개성 고려정 자택에서 뇌일혈로 사망하얏다. 영결식은 오는 11일 오후 3시 송도중학 대강당에서 거행한다"고 보도했다.[263]

---

262) 김상태 편역, 『윤치호 일기 1916~1943: 한 지식인의 내면세계를 통해 본 식민지시기』(역사비평사, 2001), 630~632쪽.
263) 〈윤치호씨 병사〉, 『조선일보』, 1945년 12월 8일, 조간 2면.

김일성의 권력 장악, 인공 불법화

'신의주 사건'과 김일성의 '민주 기지론'

1945년 11월 3일 북한에서의 우파 지도자인 조만식은 조선민주당을 창당했다. 북한 주민들의 호응이 뜨거워 조선민주당은 창당 3개월 만에 북한 전역에 지부를 구성하였으며, 당원의 수는 30만(김일성의 계산)에서 50만(조선민주당의 집계)에 이르렀다.[264]

조선민주당의 인기가 시사하듯이, 북한에선 반소·반공 운동이 고개를 들기 시작했다. 11월 7일 함흥, 11월 18일 용암포에서 학생들과 공산당원들 사이에 격투가 벌어졌고, 이런 갈등은 11월 23일 신의주에서 최고조에 이르러 학생 쪽에서 사망자 24명과 부상자 350명이 나오는 대규모 유혈사태로 비화되었다. 당황한 소련군은 발포 책임자와 공산당 간부들을 중징계하였으며, 김일성도 현장에 나타나 공산당 간부들을 비난하

---

264) 김학준, 『북한 50년사: 우리가 떠안아야 할 반쪽의 우리 역사』(동아출판사, 1995), 95쪽.

는 연설을 함으로써 민심을 가라앉히고자 애를 썼다.[265]

12월 13일 김두봉, 최창익, 한빈, 무정 등 중국공산당의 지원을 받으며 항일운동을 했던 연안파 공산주의 지도자들이 평양에 도착했지만, 이들의 귀국은 너무 늦어 별 힘을 쓸 수 없었다.[266]

12월 17일에 열린 조선공산당 북조선분국 제3차 확대집행위원회에선 소련 점령군 사령부의 각본에 따라 김일성이 책임비서로 선출되었다. 이 때에 김일성은 연설에서 북한을 하루빨리 조선 전체의 사회주의 혁명을 위한 '민주 기지'로 키워야 한다고 선언했으며, 이후 '조선공산당 북조선분국'을 마음대로 '공산당 북조선조직위원회'로 격상시켜 불렀다.[267]

그러나 이 당시 김일성은 대외적으로는 공산주의 또는 사회주의라는 말을 가급적 쓰지 않으려고 애를 썼는데, 그는 훗날 그 이유를 다음과 같이 털어놓았다.

"우리가 처음부터 조선에서 공산주의나 사회주의를 한다고 말하고 다녔으면 인민들이 따라오지 않았을 것입니다. 왜냐하면, 일본 제국주의자들이 공산주의나 사회주의를 아주 나쁜 것으로 악선전해 놓았기 때문입니다."[268]

미군정의 공적(公敵)이 된 인공

북한에서 김일성의 권력이 강화되어 갈수록 남한에서 좌익의 입지는 더욱 어려워지고 있었다. 12월 12일 하지는 공식적으로 인공을 불법화한다는 성명을 발표했다. "인공은 어떠한 의미에서도 '정부'가 아니며 어

---

265) 김학준, 『북한 50년사: 우리가 떠안아야 할 반쪽의 우리 역사』(동아출판사, 1995), 96~97쪽; 한수영, 〈한국의 보수주의자: 선우휘〉, 『역사비평』, 제57호(2001년 겨울), 73쪽.
266) 김학준, 위의 책, 97~98쪽.
267) 김학준, 위의 책, 99~100쪽.
268) 김학준, 위의 책, 100쪽에서 재인용.

떠한 경우에서도 정부로 행동하는 것이 법으로 허락되지도 않았다. 남조선에서 실제적인 정부는 미군정뿐이다……. 정부 역할을 시도하는 어떠한 정치조직의 활동도 불법으로 취급할 것이다." 이때부터 인공은 미군정의 공적(公敵)이 되었다.[269]

이어 미군정은 12월 19일 경찰과 우익 청년단체들을 동원해 서울에 있는 인민위원회를 습격했다. 결국 조병옥을 비롯한 미군정의 한인 고위 관료들이 인공의 불법화와 인민위원회 해체를 선포하자고 주장했던 것이 실현된 것이었다.[270] 인민위원회 해체는 지방에선 이미 11월 중에 왕성하게 전개되었던 것으로 11월 15일 남원에선 인민위원회 해체에 항의하는 민중들에게 미군이 발포하여 사망자 3명, 부상자 50여 명을 낳은 유혈사태까지 빚어진 바 있었다.

의도했건 의도하지 않았건, 12월 16일부터 미국과 영국, 그리고 소련 등 3국의 외상들이 전후 문제를 처리하기 위해 모스크바에서 삼상회의를 열고 있는 와중에 벌어진 이런 폭력사태는 이미 카이로 회담에서 합의되었고 포츠담 회담에서 다시 확인되었던 4대국 신탁통치안의 논의 자체를 불가능하게 만드는 분위기 조성 효과를 갖는 것이었다.

수면 위로 떠오른 신탁통치 논란

그러나 미국 측의 입장은 다소 복잡했다. '국제파'와 '봉쇄파' 사이의 갈등이 살아 있었다. 국제파에 속하는 국무성 극동국장 존 빈센트는 10월 20일 미국은 한반도에 대한 신탁통치안을 지지하고 있다고 공개적으로 밝히고, 그걸 주한미군 당국에게도 주지시켰다. 그러나 미 군정청은 신

269) 송광성, 『미군점령 4년사: 우리나라의 자주·민주·통일과 미국』(한울, 1995), 127쪽; 브루스 커밍스, 김자동 옮김, 『한국전쟁의 기원』(일월서각, 1986), 260쪽.
270) 서중석, 『한국현대민족운동연구: 해방후 민족국가 건설운동과 통일전선』(역사비평사, 1991), 268쪽.

탁통치안의 포기 또는 회피를 원했고 그걸 본국 정부에 강력히 권고했다.[271]

당시 좌우를 막론하고 모든 정당과 사회단체들이 신탁통치 실시 절대 반대 의사를 표명하자, 군정장관 아놀드는 10월 30일 기자회견에서 "극동국장 빈센트 씨의 말은 단지 개인의 의사에 지나지 않은 줄 믿는다. 그분의 말이 미국 정부의 방침이 아님은 틀림없다"고 대답했다. 국무성의 신탁통치 실시 방침을 미군정은 모르고 있었던 것이다. 미군정은 그걸 11월 7일에야 알게 되었고, 그에 따라 미군정과 국무성 사이에 의견 대립이 표면화되었다.[272]

모스크바에서 삼상회의가 개최된 12월 16일, 하지는 자신의 심정을 담은 편지를 미국 정부에 보냈다. 하지는 자신의 지난 3개월 간의 관찰 결과에 근거해 "한국인들은 무엇보다도 독립을, 그것도 지금 당장 독립을 원하고 있으며, 만일 신탁통치 계획이 발표된다면 이들은 실제로 물리적 저항에 나설 것"이라고 말했다. 그는 "서구적 기준으로 본다면 한국인은 아직 독립의 준비가 되어 있지 않지만, 시간이 지난다고 해서 이들의 자치 능력이 크게 향상될 것 같지는 않다"고 내다보면서 차라리 미 · 소 양군이 한반도에서 동시 철수하고, 이로 인해 필연적으로 발생할 내부의 대혼란은 한국인들 자신에 의해 자체적으로 해결하도록 두는 편이 나을 것이라는 견해를 밝혔다.[273]

'신탁'이라는 말은 일본이 조선에서 행한 식민지 통치를 변명하면서 사용한 것이었기 때문에 조선인들에게 강한 심리적 반발감을 갖게 만들었다.[274] 일단 그 단어를 사용하는 한 합리적인 논쟁 자체가 불가능한 것

---

271) 김학준, 『고하 송진우 평전: 민족민주주의 언론인 · 정치가의 생애』(동아일보사, 1990), 338쪽.
272) 서중석, 『한국현대민족운동연구: 해방후 민족국가 건설운동과 통일전선』(역사비평사, 1991), 287쪽; 이완범, 〈한반도 신탁통치문제 1943~46〉, 박현채 외, 『해방전후사의 인식 3』(한길사, 1987), 236쪽.
273) 김성진, 『한국정치 100년을 말한다』(두산동아, 1999), 81~82쪽.

이었다. 이후 조선에서 전개될 '신탁' 논쟁은 바로 그런 격렬한 감정과
선동의 대결을 예고하고 있었다.

274) 송광성, 『미군점령 4년사: 우리나라의 자주 · 민주 · 통일과 미국』(한울, 1995), 129쪽.

'죽음이냐 독립이냐': 신탁통치 갈등과 투쟁

모스크바 결정의 왜곡

1945년 12월 28일 미·소·영 세 나라 수도에서 발표된 모스크바 결정은 한국의 신탁통치에 관한 내용을 담고 있었는데, 이는 국내에서 격렬한 '찬·반탁' 논쟁을 불러 일으켰다. 그러나 그 논쟁은 한민당 입장을 대변하는 『동아일보』의 심각한 오보에 의해 극히 왜곡된 형식으로 이루어졌다.

모스크바 결정서는 먼저 임시정부를 수립하게 되어 있었고 신탁통치의 방안은 결정하지 않았다. 신탁통치는 미소(美蘇) 공동위원회가 임시정부와 협의하여 작성하게 되어 있었던 바, 임시정부가 신탁통치를 강력히 반대한다면 신탁통치를 받지 않을 가능성도 있었던 것이다.[275]

그러나 『동아일보』가 저지른 일련의 오보는 그런 이성적인 판단을 불

---

275) 우사연구회 엮음, 서중석 지음, 『남·북협상: 김규식의 길, 김구의 길』(한울, 2000), 25~26쪽.

가능하게 만들었다. 모스크바 결정이 국내에 정확히 알려지기 이전인 12월 24일, 『동아일보』엔 소련이 청진과 원산에 특별이권을 요구한다는 반소(反蘇) 기사가 실렸다. 또 그 다음날엔 24일자의 보도내용을 확인하지 않은 채 그것을 비난하는 반소 기사와 더불어 소련이 대일참전의 대가로 한반도를 차지하려 한다는 근거 없는 기사가 실렸다.[276]

『동아일보』의 최악의 오보는 12월 27일에 나왔다. 12월 27일자 머리기사의 주요 내용은 다음과 같았다.

〈소련은 신탁통치 주장, 미국은 즉시 독립 주장, 소련의 구실은 38선 분할점령〉
모스크바에서 개최된 3국 외상회담을 계기로 조선독립 문제가 표면화하지 않는가 하는 관측이 농후해 가고 있다. 즉 번즈 미 국무장관은 출발 당시에 소련의 신탁통치안에 반대하여 즉시 독립을 주장하도록 훈령을 받았다고 하는데 삼국간에 어떠한 협정이 있었는지 없었는지는 불명하나 미국의 태도는 '카이로 선언'에 의하여 조선은 국민투표로써 그 정부의 형태를 결정할 것을 약속한 점에 있는데 소련은 남북 양 지역을 일괄한 일국 신탁통치를 주장하여 38선에 의한 분할이 계속되는 한 국민투표는 불가능하다고 하고 있다. 워싱턴 25일발 합동 지급보(至急報).[277]

모스크바 삼상회의 결정서가 공식 발표된 것이 서울 시각으로 12월 28일 오후 6시이니 이 기사는 삼상회의 결정서가 발표되기 하루 전, 주

---

276) 서중석, 〈우익의 반탁주장과 좌익의 '모스크바 삼상회의 결정' 지지〉, 『논쟁으로 본 한국사회 100년』(역사비평사, 2000), 165~166쪽. 12월 26일 이승만은 방송 연설을 통해 소련이 신탁통치안을 주장하고 있다고 시사하면서 "최후의 1인까지 죽엄으로 싸야 독립방해를 각성케 하자"고 호소했다.
277) 정용욱, 〈신탁통치 파동과 하지: 하지와 김구, 박헌영〉, 『존 하지와 미군 점령통치 3년』(중심, 2003), 54~55쪽.

한미군 사령부가 결정서를 입수하기 이틀 전에 나온 이른바 관측 보도였다. 이 기사는 삼상회의 당시 미·소 양측 입장과 주장을 정반대로 보도했을 뿐만 아니라 결정서 내용과 전혀 다른 왜곡 보도였다.

『동아일보』와 『조선일보』의 선동

무엇보다도 미국 모 통신사로 되어 있는 기사의 출처가 의문시되었다. 당시 외신을 취급하던 국내 주요 통신사로는 합동통신과 조선통신이 있었는데, 합동통신(KPP: Korean Pacific Press)은 우익 성향이 강했고, 외신 제휴사는 AP(Associated Press)통신이었다. 조선통신의 외신 제휴사는 UP(United Press)통신이었는데, 조선통신은 삼상회의 결정을 빨리 보도하지 않았다 하여 좌경사(左傾社)로 낙인찍혔다. 삼상회의 결정이 국내로 전달되는 과정에서 발생한 이 왜곡 보도에 대해서는 그 당시부터 국제적 모략이라는 주장이 제기되었고, 이후 일부 연구자들은 배후가 있었거나 최소한 당시 언론기관을 통제했던 미국의 고의적인 '방조'가 있었을 것이라고 분석하기도 했다.[278]

이러한 오보가 "당시 언론을 통제하던 미군정의 단순실수인지, 아니면 반소·반탁 감정을 형성하기 위한 모종의 국제적인 음모가 개입된 것인지는 여전히 미스터리"로 남아 있지만,[279] 이 오보는 다른 신문들의 비분강개형 선동과 더불어 큰 위력을 발휘하였다.

예컨대, 『조선일보』 12월 27일자 사설 〈신탁통치설을 배격함〉은 "신탁보다 차라리 우리에게 사(死)를 주는 것이 나을 것이다"라고 했다. 다음날 『조선일보』는 〈죽음으로 신탁통치에 항거하자〉는 제목의 호소문을

---

278) 정용욱, 〈신탁통치 파동과 하지: 하지와 김구, 박헌영〉, 『존 하지와 미군 점령통치 3년』(중심, 2003), 55~57쪽.
279) 김삼웅, 『한국현대사 뒷얘기』(가람기획, 1995), 128~129쪽.

실은 호외까지 발행하였다.[280]

『동아일보』 12월 28일자는 〈소련의 조선신탁 주장과 각 방면의 반대 봉화〉라는 제목 아래 중경 임시정부 측, 한민당, 국민당 등의 신탁 결사 반대의 의견을 게재함으로써 27일자의 오보를 확신시켰다. 또 이날의 사설은 "신탁통치는 민족적 모독"이라고 규정하면서 전국적인 반탁운동을 촉구했다. 『동아일보』 12월 29일자는 모스크바 결정을 보도한다고 하면서도, 가장 중요한 임시정부 구성은 언급하지 않고 신탁통치를 실시한다는 것만 아주 자극적으로 보도했다. 또 이 날짜 사설은 "차라리 옥쇄(玉碎)하자"고 선동했다. 12월 30일자 사설은 "망국 40년 뼈에 사무친 통한을 그대로 폭탄 삼아 탁치 정권에 부딪쳐 보자"고 외쳤다.[281]

선동에 관한 한 『조선일보』도 결코 『동아일보』에 뒤지지 않았다. 이 신문의 12월 29일자에 실린 '팔면봉'은 "3천만이 5년이라면 1억 5천만 년. 오호라 시일야 방성대곡을 누가 하였던고"라고 흐느꼈으며, 사설 〈죽음이냐 독립이냐〉는 다음과 같이 절규했다.

"오호라! 하늘을 우러러 통곡할지오, 땅을 치고 발버둥칠지로다. …… 오호라! 3천만 동포여! 우리가 다시 무슨 소망으로 살아갈 것인가! 하늘도 무심하다 할까, 이 백성의 명수(命數)가 기구하다 할까. 우리가 또다시 남의 종이 되고 또다시 우마(牛馬)에 지나지 않는 신세가 되었으니 살아 있은들 산 것이 아니오, 살아 있어도 아무 의미가 없지 아니한가. …… 오호라! 이 나라가 또 한번 망한단 말인가. 이 백성이 또 한번 노예가 된단 말인가. 이것이 정말인가. 아! 이것이 몽환(夢幻)인가 현실인가. ……

280) 송건호, 〈미군정하의 언론〉, 송건호 외, 『한국언론 바로보기』(다섯수레, 2000), 154쪽; 조선일보사, 『조선일보 칠십년사 제1권』(조선일보사, 1990), 447쪽.

281) 서중석, 〈우익의 반탁주장과 좌익의 '모스크바 삼상회의 결정' 지지〉, 『논쟁으로 본 한국사회 100년』(역사비평사, 2000), 165~166쪽; 특별취재팀, 〈반탁운동의 진실: 임시정부, 3상회의 후 반탁주도 '좌익의 찬탁돌변'이 분열 불러〉, 『동아일보』, 2003년 12월 29일, A8면; 김민환, 『미군정기 신문의 사회사상』(나남, 2001), 69쪽.

울음도 쓸 데 없고 탄식도 쓸 데 없다. 3천만이 하나로 싸우자. '독립을 다구. 그렇지 아니하면 죽엄을 다구.' 이 한마디의 표어로서 우리를 구속하는 모든 세력에 반항하여 싸우자. 피를 흘리자. 아! 3천만 형제의 최후 일전의 시기는 지금 이때다. 일어나라! 나아가자! 독립 전쟁의 길로!"[282]

"탁치 순종자는 반역자로 처단한다"

『동아일보』의 오보와 다른 신문들의 선동이 가세한 후, 남한 사회는 말 그대로 벌집을 쑤셔 놓은 듯 들썩였고 국민들의 분노가 들끓었다. 신문들의 오보와 선동이 신탁통치 반대운동을 이끌어냈다고 해도 과언이 아닐 정도로 그 위력은 컸다.[283]

좌익과 우익 공동으로 신탁통치반대국민총동원위원회가 구성되어 12월 28일 신탁통치 반대 성명을 발표했다. 이 성명서는 "우리는 피로써 건립한 독립국과 정부가 이미 존재해 있음을 다시 한번 선언한다"며, "5천 년의 주권과 3천만의 자유를 쟁취하기 위하여는 자기의 정치 활동을 옹호하고, 외래의 탁치 세력을 배격하는 데 있다"고 말했다. 이어서 "우리들의 혁혁한 혁명을 완수하려면 민족이 일치로써 최후까지 분투할 뿐이다. 일어나자 동포여"라고 절규했다.[284]

임시정부 요인들은 28일 밤 경교장에서 주석 김구를 중심으로 철야 긴급 국무회의를 열고 반탁을 결정했다. 29일엔 주석 김구와 외무부장 조소앙 명의로 "탁치는 민족자결주의 원칙에 위배되므로 결사 반대한다"는 내용의 전문을 미국과 영국, 소련과 중국 등 4대 강국 원수들에게

---

282) 송건호, 〈미군정하의 언론〉, 송건호 외, 『한국언론 바로보기』(다섯수레, 2000), 154~155쪽; 조선일보사, 『조선일보 칠십년사 제1권』(조선일보사, 1990), 447~448쪽에서 재인용.
283) 강만길, 『20세기 우리역사』(창작과비평사, 1999), 189쪽.
284) 김성진, 『한국정치 100년을 말한다』(두산동아, 1999), 83쪽에서 재인용.

『동아일보』의 오보가 도화선이 되어 신탁통치 반대 시위가 전국으로 퍼져 나
갔다.

발송했으며, 국민 앞으로 "탁치 순종자는 반역자로 처단한다. 대한민국
임시정부를 절대 수호하자. 외국 군정 철폐를 주장하자"는 등의 9개 행
동강령을 시달했다. [285]

그날 김구는 전국적인 파업을 호소하였으며 미군정의 한인 관리들에
게도 자신의 명령을 따르라고 요구하였다. 실제로 1천 명의 미 군정청 직
원들은 "그런 굴욕을 받으면서까지 군정에 협력할 필요가 없다"며 신탁

---

285) 연시중, 『한국 정당정치 실록 1: 항일 독립운동부터 김일성의 집권까지』(지와 사랑, 2001), 176~177쪽에
    서 재인용.

통치 반대운동에 참여하여 29일부터 사직을 각오한 채 출근하지 않았다. 그들은 그날 종로구 누상동에 있는 맹아학교에 모여 반탁대회를 열었다. 하지의 한국인 요리사까지 떠나버려 하지는 식사에 곤란을 겪어야 했다. 당황한 미군정은 그래도 체면은 잃지 않기 위해 한국인 고용인들에게 10일 간의 휴가를 실시한다는 발표로 대응했다.[286]

송진우 암살

12월 29일 밤 경교장에선 좌우를 망라한 각 정당과 사회단체 등의 대표 약 200명이 참석한 회의가 열렸는데, 이 회의에 참석했던 강원용은 그 회의의 분위기를 이렇게 묘사했다.

"당시 경교장 회의의 열기는 참으로 대단했다. 참석자들은 좌익이고 우익이고를 가릴 것 없이 신탁통치 반대를 외치며 고함을 지르고 일어서서 주먹질을 하는 등 모두 감정이 울분으로 북받쳐 있었다. 김구 선생도 '오늘부터는 양복도 구두도 다 벗어버리고 전부 짚신을 신고 다니자'고 소리를 높이는 판이었다."[287]

그날 회의에선 신탁통치 반대엔 이견이 없었지만 반대의 방법론에 있어선 미군정을 임시정부가 접수하자는 임시정부파와 미군정은 부인하지 말고 국민대회를 열어 반대여론을 미국에 알리자는 한민당파가 격돌했다.

격렬한 논쟁이 이루어진 뒤, 임시정부가 주권을 행사하여 미군정에서

---

286) 브루스 커밍스, 김자동 옮김, 『한국전쟁의 기원』(일월서각, 1986), 288쪽; 연시중, 『한국 정당정치 실록 1: 항일 독립운동부터 김일성의 집권까지』(지와 사랑, 2001), 177, 229쪽; 송남헌, 〈민족통일독립운동의 선도자〉, 우사연구회 엮음, 『몸으로 쓴 통일독립운동사: 우사 김규식 생애와 사상 ③』(한울, 2000), 48쪽; 김정원, 『분단한국사』(동녘, 1985), 82쪽.
287) 강원용, 『빈들에서: 나의 삶, 한국 현대사의 소용돌이 1-선구자의 땅에서 해방의 혼돈까지』(열린문화, 1993), 183~184쪽.

일하고 있는 모든 공무원이 군정을 거부하고 임정의 명령에 따르도록 하는 한편 상인들도 모두 출시해 반탁운동을 벌이자는 의견이 대세로 자리잡아 갈 무렵 송진우가 냉정을 촉구하는 발언을 했다. 그 회의에 참석했던 강원용은 송진우의 발언을 다음과 같이 기억했다.

"여러분의 그런 생각이 모두 애국심에서 나온 것이란 걸 나도 알고 있지만 그러나 나라를 이끄는 지도자들로서 우리가 경박해서는 안 되겠지요. 여기 누구라도 모스크바 삼상회의에서 결정된 의정서의 원본을 제대로 읽어본 분이 있습니까? 내가 알고 있기로는 그 의정서의 내용이 미소공동위원회를 설치한 후 한국의 정당·사회단체들과 협의해서 남북을 통일한 임시정부를 세우고 5년 이내의 신탁통치를 하는 것으로 되어 있는데, 내가 알고 있는 게 정확하다면, 길어야 5년이면 통일된 우리의 독립정부를 세울 수 있는 것을 그렇게 극단적인 방법으로까지 반대할 이유는 없지 않겠습니까? 어차피 우리가 우리 힘으로 정부를 세운다고 해도 현재 이렇게 분할통치되고 있는 상황이고 강대국간의 전후 문제가 아직 해결되지 않은 상태에서 우리가 그들의 합의 없이 마음대로 할 수 있는 게 아니지 않습니까? 신탁통치가 길어야 5년이라고 하니 실제로는 3년이 될 수도 있는 것이고, 그러니 그것을 그렇게 거국적으로 반대할 이유가 뭐 있습니까? 물론 나도 신탁통치는 반대합니다. 그러나 반대 방법은 다시 한번 여유를 가지고 냉정히 생각해 봅시다."[288]

12월 30일 새벽 6시 15분 한국민주당 수석 총무였던 송진우가 암살당하는 사건이 발생했다. 범인은 한현우 등 6명이었고 탄환 13발 중 6발이 명중했다. 범행의 배후는 끝내 밝혀지지 않았지만, 한현우는 후에 송진우가 미국의 후견을 지지한 것이 자신의 저격 동기였으며, 배후는 없었

---

288) 강원용, 『빈들에서: 나의 삶, 한국 현대사의 소용돌이 1-선구자의 땅에서 해방의 혼돈까지』(열린문화, 1993), 185~186쪽에서 재인용.

152___한국 현대사 산책 · 1940년대편 ①

지만 김구와 이승만이 자신들을 '의거'를 단행한 '의사'로 칭찬해 주었다고 주장했다.[289]

송진우가 미국의 후견을 지지했다는 주장은 29일 밤 경교장 회의에서 나온 송진우의 발언을 의미하는 것이었다. 송진우의 이 같은 발언엔 하지가 영향을 미쳤을 것이다. 12월 29일, 하지는 자신이 가장 신뢰하는 자문위원인 송진우를 불러 임시정부에 대한 설득을 당부하였는데, 하지는 후일 "송진우가 떠난 다음에 그의 친구들에게 자신이 이성적으로 행동할 준비가 되었다고 말했는데 다음날 아침에 죽고 말았다"고 말했다. 하지는 한현우의 배후로 임정 세력을 지목했다.[290]

실패한 임정의 쿠데타 계획

12월 30일 임시정부는 내무부장 신익희의 이름으로 '임시정부 포고 제1호 및 제2호'를 발표하였다. "미군정청 산하의 모든 한인 직원들은 임정의 지휘를 받을 것"과 "모든 국민은 임정의 지휘 아래 반탁운동에 참여할 것"을 요구했다. 이 포고문은 임정이 국내 행정과 치안 및 경제를 담당하겠다는 의사를 명백히 표시한 것으로서 '미군정에 대한 쿠데타' 였으며, '임정의 주권선언'이었다. 포고문이 나가자 서울시내 7개 경찰서장들이 경교장으로 임정을 방문하고 충성을 선언하였다.[291]

바로 그날 신탁통치반대국민총동원위원회가 결성돼 중앙위원 76명을 선임하였고, 다음날 이들 중앙위원은 상무위원 21명을 선출해 구체적인

---

289) 브루스 커밍스, 김자동 옮김, 『한국전쟁의 기원』(일월서각, 1986), 287쪽; 김학준, 『고하 송진우 평전: 민족민주주의 언론인 · 정치가의 생애』(동아일보사, 1990), 357쪽.

290) 도진순, 『한국민족주의와 남북관계: 이승만 · 김구 시대의 정치사』(서울대학교출판부, 1997), 63쪽; 브루스 커밍스, 김자동 옮김, 위의 책, 286쪽; 송남헌, 〈민족통일독립운동의 선도자〉, 우사연구회 엮음, 『몸으로 쓴 통일독립운동사: 우사 김규식 생애와 사상 ③』(한울, 2000), 50쪽.

291) 송남헌, 위의 글, 49쪽.

운동방침 등 일체를 일임하였다. 12월 31일 오후 1시 신탁통치반대국민 총동원위원회의 주관하에 서울운동장에서 대규모의 반탁대회가 열렸다. 신문들은 영하 20도의 강추위를 무릅쓰고 애국 일념에 불타는 30만의 시민이 운집했다고 보도했다.[292]

당시 서울 인구가 120만이었으니, 그 집계가 맞다면 전 서울시민의 4분이 1이 모인 셈이었다. 시위 군중은 신탁통치안에 대한 항의 표시로 사흘째 철시(撤市) 상태인 시내 중심가를 행진한 끝에 서울운동장에 집결하였는데, 사람들이 어찌나 많이 모였는지 "동대문 뒷산이 하얗게 덮일 정도"였다.[293] 이 대회는 임시정부 절대지지, 신탁통치 결사반대, 완전자주독립 전취 등을 결의하였다.

반탁의 열기는 뜨거웠지만, 임정의 '쿠데타' 시도는 무모한 것이었음이 점차 분명해졌다. 하지는 12월 31일 0시를 기해 임정 요인들을 인천에 있는 전 일본군의 미군 포로수용소에 수용했다가 중국으로 추방할 계획까지 세웠다. 그러나 군정청 경무부장 조병옥의 만류로 46년 1월 1일 반도호텔의 하지 사무실에서 양측의 협상이 이루어졌다. 협상 결과, 임정은 1월 1일 신익희 명의의 임정 포고문을 폐기하고 일반 민중들에게 파업을 중지하고 반탁운동을 질서 있게 전개하라는 내용의 발표를 하였다.[294] 커밍스에 따르면,

"1월 1일, 하지는 김구를 자기 사무실로 불러들여 '야단을 쳤다'고 말했는데 이것은 점령 당국의 상습적인 표현 방법이었다. 하지는 김구에게 '다시 나를 거역하면 죽이겠다'라고 말했다는 것이다. 김구는 하지의 융단 위에서 당장 자살하겠다고 대들었다고 한다. 그날부터 '쿠데타'는 점

---

292) 위기봉, 『다시 쓰는 동아일보사』(녹진, 1991), 290쪽.
293) 임채청, 〈"지도자들 신탁안 라디오만 듣고 흥분": '내가 본 혼돈의 해방공간' 강원용 목사 인터뷰〉, 『동아일보』, 2004년 1월 19일, A8면.
294) 송남헌, 〈민족통일독립운동의 선도자〉, 우사연구회 엮음, 『몸으로 쓴 통일독립운동사: 우사 김규식 생애와 사상 ③』(한울, 2000), 50쪽.

차 모습을 감추었다.' 그리고 그와 임정은 제대로 회복할 수 없었던 '심각한 체면 손상'을 당했다 한다."[295]

1월 1일 하지는 김구를 만나서 '자살하겠다고 날뛰는' 김구를 겨우 진정시켜 반탁시위가 군정에 대해서가 아니라 신탁통치에 반대하기 위해 행해졌다는 것을 라디오 방송을 통해 밝히도록 설득하면서 "나를 속이면 죽여버리겠다"고 위협했다. 면담 직후 김구를 대신해 임정 선전부장 엄항섭은 방송을 통해 국민들에게 파업을 중지하고 일터로 돌아갈 것을 요청했으며, 자신들의 행동은 신탁통치에 반대하는 것이지 군정에 반대하는 것은 아니라고 말했다.[296]

그러나 아직 반탁 열기가 손상을 입은 건 아니었다. 오히려 46년부터 본격적으로 반탁운동은 "친일파를 애국자로 둔갑시키는 손오공의 여의봉 같은 괴력을 지난 무기"의 성격마저 갖게 된다.[297] 그렇기 때문에 더욱 내부 대화와 타협은 어려워졌다. 명분과 열정이 만나고, 피해의식과 자존심이 만나 바람을 일으키게 되면 그게 일진광풍(一陣狂風)이 되어 전 사회를 휩쓰는 건 비단 이때뿐만 아니라 60년이 지난 먼 훗날까지도 지속될 한국 사회의 속성이었다.

295) 브루스 커밍스, 김자동 옮김, 『한국전쟁의 기원』(일월서각, 1986), 288~289쪽.
296) 정용욱, 〈1945년 말 1946년 초 신탁통치 파동과 미군정: 미군정의 여론공작을 중심으로〉, 『역사비평』, 제62호(2003년 봄), 300쪽.
297) 서중석, 〈총론: 친일파의 역사적 존재양태와 극우반공독재〉, 역사문제연구소 편, 『인물로 보는 친일파 역사』(역사비평사, 1993), 45쪽.

'언론의 둑은 터졌다' : 좌우(左右) 전쟁

"뉴스에 굶주려 종이에 빨려 들어가다"

1945년 9월 11일 한국 점령군 사령관 존 하지는 기자회견을 통해 앞으로 언론에 대해 어떠한 간섭도 가하지 않겠다고 약속하면서 '문자 그대로 절대적인 언론자유의 보장'을 선언하였다.[298]

당연히 신문의 발행은 허가제에서 등록제로 바뀌었으며, 그 결과 수많은 신문들이 창간되었다. 1945년 말까지 창간된 신문만도 40종 이상이 되었다. 미군정 치하에서의 영어의 위력을 말해 주는 것이겠지만, 해방정국에서 가장 먼저 나온 신문은 국문 신문이 아닌 영어 신문이었다. 미군이 진주하기 3일 전인 9월 5일 이묘묵 등이 주도한 『코리아타임스』가 창간되었고, 바로 다음날 민원식 등이 주도한 『서울타임스』가 창간되었다.[299]

---

298) 정진석, 『한국현대언론사론』(전예원, 1985), 248쪽.

해방 직후 창간된 주요 국문 신문엔 『조선인민보』(9월 8일), 『해방일보』(9월 19일), 『민중일보』(9월 22일), 『동신일보』(10월 4일), 『자유신문』(10월 5일), 『조선신보』(10월 5일), 『조선문예신보』(10월 24일), 『중앙신문』(11월 1일), 『대공일보』(11월 3일) 등이 있었으며, 지방에서도 일본인들이 발행하던 일문(日文) 신문사의 시설을 접수하여 여러 지방지들이 창간되었다. 이들은 거의 대부분 타블로이드판 2면 신문이었다.[300]

해방 직후의 정치적 혼란 상황에서 신문이 매우 현실적인 권력임을 일찍 간파한 좌파는 신문을 최대한 활용하였고, 또 이에 질세라 우파도 신문 발행에 열을 올려 신문은 이래저래 많이 나오게 되었다. 최준은 당시 상황을 '언론의 둑은 터졌다' 며 다음과 같이 묘사했다.

"홍수와도 같이 쏟아져 나오는 전단, 포스터와 신문, 특히 민간 신문의 일체 폐간 이후, 6년 만에 아무 장해 없이 실로 자유 활달하게, 우리의 손으로 감격에 넘쳐 만든 신문지는 서울 장안을 휩쓸었다. 활판인쇄로 된 것은 물론이고 등사판인쇄의 전단 비슷한 신문 등등 …… 진정한 뉴우스에 굶주렸던 무리들은 종이에 그저 빨려 들어가는 듯하였다."[301]

중립을 배격하는 정론지(政論紙)

신문들은 거의 대부분 이념적 · 정치적 색깔을 드러내는 정론지(政論紙)였다. 상업신문이 태동할 수 있는 물적 조건이 갖춰져 있지 않은 상황인지라 더욱 그랬다. 신문들은 '의견' 과 '주장' 에 더 주력하였다. 언론인들은 신문의 그런 성격을 상황론을 들어 정당화하였다. 10월 23일 서울

---

299) 국문 신문도 미군정을 의식해 1면에 영문 논설을 싣곤 했는데, 영문 논설을 제일 많이 실은 신문은 『동아일보』였다. 홍순일 · 정진석 · 박창석, 『한국영어신문사』(커뮤니케이션북스, 2003), 165~167쪽.
300) 이해창, 『한국신문사연구: 자료 중심』(성문각, 1983), 336~338쪽; 최준, 『한국신문사』(일조각, 1987), 340쪽; 유일상 외, 『새로 쓰는 한국언론사』(아침, 1993), 284쪽.
301) 최준, 위의 책, 338쪽.

종로 중앙기독교청년회 대강당에서 열린 전조선신문기자대회에서 채택된 선언문에 따르면,

"신문이 흔히 불편부당을 말하나 이것은 흑백을 흑백으로써 가리어 추호도 왜곡치 않는 것만이 진정한 불편부당인 것을 확신한다. 엄정중립이라는 기회주의적 이념이 적어도 이러한 전민족적 격동기에 있어서 존재할 수 없음을 우리는 확인한다. 우리는 용감한 전투적 언론진을 구축하기에 분투함을 선언한다."[302]

이 선언문이 말해 주듯이, 언론 분야에서도 중간파가 설 땅은 없었다. 이 당시 언론은 정치투쟁의 격렬함을 완화하기보다는 오히려 그 선봉에 서는 당파지로서 갈등을 극화시키는 역할을 했다. 이처럼 중간파가 기회주의자로 몰린 해방정국의 상황과 관련, 남경희는, 혼란기에는 이념과 가치관의 단순성이나 단일성 그리고 일의성이 요구되거나 또는 일반 대중들에게 그러한 것이 호소력을 갖는다고 평가했다.

"중도적인 입장은 오히려 기회주의적인 입장으로 이해되기 십상이었으며 실제로도 당시에는 그리 인식되었다. 중도적이고 타협적인 입장은 보다 관용적이고 개방적인 이성이 지배하는 시대에 설득력을 발휘할 수 있다. 해방 3년의 시기는 중도적인 입장이 발을 붙일 수 있는 때가 아니었다. 더구나 미소(美蘇)라는 상반되는 이념의 구체적인 실현체가 한반도를 점령하고 있는 상황에서는."[303]

『조선일보』와 『동아일보』가 받은 특혜

미군정은 9월 25일 총독부 기관지였던 『경성일보』(일본어)를 접수하

---

302) 정진석, 『언론과 한국현대사』(커뮤니케이션북스, 2001), 434쪽에서 재인용.
303) 남경희, 『주체, 외세, 이념: 한국 현대국가 건설기의 사상적 인식』(이화여자대학교출판부, 1995), 164쪽.

였고, 10월 2일엔 『매일신보』(한국어)도 접수하고자 하였으나 600여 명에 이르는 『매일신보』 사원들의 완강한 저항에 부딪혀 뜻을 이루지 못했다.[304]

미군정은 1945년 11월 10일 『매일신보』에 정간 명령을 내렸다. 정간의 이유는 『매일신보』의 재정조사라고 내세웠지만, 일제 치하에서 조선총독부의 어용지였던 이 신문이 해방 후에는 사원들로 구성된 자치위원회를 결성하여 좌익 계열과 밀접한 관계를 가지고 미군정에 비판적인 태도를 취했기 때문이었다. 또 『매일신보』를 접수하는 데에 실패하였고 인공을 부인한 아놀드 성명의 게재를 거부하고 비판적 태도를 취한 것에 대한 보복도 작용했을 것이다. 해방 후 최초의 이 정간 조치와 함께 『매일신보』라는 제호는 없어지고, 11월 23일자부터 『서울신문』으로 바꾸어 속간되었다.

『매일신보』에 대한 정간 처분이 잘 말해 주듯이, 미군정은 겉으로 내세운 '절대적인 언론자유의 보장'과는 달리 좌파 신문은 탄압하였다. 반면 우파 신문은 적산(敵産, enemy property)의 불하를 통해 적극적으로 육성하였는데, 『동아일보』와 『조선일보』가 그런 혜택을 받은 대표적인 신문들이었다.

두 신문은 인쇄시설을 확보할 수 없어서 발간이 늦어진 것이었는데, 결국엔 미군정의 지원을 받아 『조선일보』는 11월 23일, 『동아일보』는 12월 1일에 속간되었다. 『조선일보』는 1945년 11월 23일 속간사에서 "우리 조선일보는 군정청의 우호적 지지와 이해있는 알선에 의하여 오늘부터 재기한다"고 밝혔다. 『동아일보』는 1945년 11월 하순에 〈해방된 강산에 부활된 동아일보 언론진영에 불일간 재진군〉이라는 제목으로 된 전

---

304) 『경성일보』는 60만 재한 일본인들을 위해 1945년 7월 말 현재 37만 5천680부가 발행되었으며, 11월 1일까지 발행되었다. 최준, 『한국신문사』(일조각, 1987), 335쪽; 김민환, 『미 군정 공보기구의 언론활동』(서강대언론문화연구소, 1991), 26~27쪽.

단의 말미에 "군정 당국의 호의로 경성일보사의 일부 시설을 이용케 되어 방금 준비중입니다"라고 밝혔다.[305]

신문 테러

『조선일보』와 『동아일보』의 속간을 전후로 여러 신문들이 창간되었다. 1945년 11월 25일에 이종형을 중심으로 한 『대동신문』이 창간되었으며, 1946년 2월 26일엔 안재홍을 중심으로 한 『한성일보』, 3월 25일엔 『현대일보』, 4월 19일엔 『중외신보』, 5월 1일엔 『독립신보』가 창간되었다.

극도로 혼란한 정치 상황에서 신문들이 노골적인 정파성을 드러냄에 따라 폭력사태가 자주 발생하였다. 이 당시엔 무슨 시위만 했다 하면 주로 신문사들이 테러의 대상이 되곤 했다. 45년 12월 31일 우익 청년들은 『조선인민보』 사옥을 습격하여 공무국원 20여 명을 구타하였으며, 46년 1월 2일엔 『조선인민보』 사옥에 수류탄을 던져 시설 일부를 파괴하였다.

『조선인민보』는 1월 20일자로 신문을 다시 내면서 〈무지한 백색테로에 너털웃음/한야폐허(寒夜廢墟) 속에 윤전기는 돈다〉는 제목으로 사건의 전말을 보도했다. 훗날 당시 『조선인민보』 독자였던 이기형은 "전직원이 달라붙어 활자를 주워모아 판을 다시 짠 거지요. 마침내 기계가 돌아가니 추운 밤, 즉 한야에 윤전기는 돈다는 이야기였지요. 난 그 제목이 아직도 생생하게 기억나요. 아주 시적인 제목이라 60년 전인데도 어제 일같이 떠오릅니다"라고 회고했다.[306]

이런 폭력사태가 전개되는 가운데 우파는 좌파지를 '매국신문(賣國新

---

305) 『미디어오늘』, 1995년 8월 23일, 9면; 김해식, 『한국언론의 사회학』(나남, 1994), 50쪽.
306) 이기형, 〈찬탁은 애국이요 반탁은 비애국이다〉, 문제안 외, 『8·15의 기억: 해방공간의 풍경, 40인의 역사체험』(한길사, 2005), 276쪽.

聞)'이라고 비난했고, 좌파는 우파지를 '반동신문(反動新聞)'이라고 비난하였다.[307]

우익의 테러에 대해 좌익이라고 가만히 있을 리는 없었다. 46년 1월 9일엔 우익지의 선봉인 『대동신문』이 좌익의 습격을 받아 5일 동안 신문을 발간하지 못하는 일이 벌어졌다. 『대동신문』은 사장 이종형이 연일 사설을 직접 썼는데, 이 신문은 '우익 소아병(小兒病)을 대표하는 극우지'이자 '사주 개인감정 발산의 수단'으로서 악명이 높았다.[308] 예컨대, 『대동신문』의 46년 1월 18일자 사설〈완적요부(頑賊妖婦)〉의 한 대목을 보자.

"박헌영은 완적(頑賊)이요 여운형은 요녀이다. 박적(朴賊)은 적색 '파쇼'의 본령을 발휘하여 미련스럽기가 짝이 없다. …… 요녀형의 여운형의 국적(國賊)은 연(連)해 매소의 추파를 팔방으로 보낸다. 미국에는 인민당의 문서상 민주주의로 추파를 건네고 공산당에는 노동계급의 투쟁자로 대중 인기의 웃음을 팔아먹었으며 …… 최근에 하는 짓은 하루에도 열두 번씩 변하여서 요녀 배정자는 정식결혼 49회라더니 요부형 국적 여운형아 묻노니 정치적 변질 무릇 몇 번에 영영 매국적이 되고 말았느뇨."[309]

매체의 좌익 우세

해방정국의 신문들은 좌익 우세였다. 25개 주요 일간지의 정치적 성향은 좌익 7개, 우익 8개, 중립 10개였지만 발행 부수로는 좌익 22만 300부, 우익 14만 4천 부, 중립 2만 7천 부 등으로 좌익이 우세를 보였다.[310] 1945

---

307) 조선일보사, 『조선일보 칠십년사 제1권』(조선일보사, 1990), 450쪽.
308) 한원영, 『한국현대신문연재소설연구 상(上)』(국학자료원, 1999), 34쪽.
309) 한원영, 위의 책, 33~34쪽에서 재인용.

년 10월 23일에 작성된 미군정의 보고서는 당시 언론 상황에 대해 다음과 같이 말했다.

"일반적인 논평을 하자면, 대부분의 신문 경향은 분명히 좌로 기울어 있다. 급진적인 신문들이 보다 많이 생겨나고 있고, 현재도 급진적인 신문들이 많다는 것은 의심할 여지가 없으며, 몇몇 급진지들의 경우엔 신문편집이 보다 훌륭하다는 점을 인정하지 않을 수가 없다. 어떤 노선을 따라 연주를 되풀이해 대면 그 여파가 사람들의 사고에 영향을 미치리라는 것은 자명한 이치다."[311]

신문의 발행에 있어선 우파보다는 좌파가 훨씬 더 적극적이었고 감각도 앞섰는데, 특히 『조선인민보』의 활약이 두드러졌다. 이 신문은 미군이 서울에 진주하기 하루 전날인 9월 8일 김정도(사장 겸 발행인), 고재두(부사장) 등 『경성일보』에서 나온 젊은 기자들에 의해 창간되었다. 이 신문은 기존의 『매일신보』를 제외하고는 8·15 후 처음 창간된 국문 신문으로서 당시로서는 비교적 세련된 편집과 '진보적 민주주의'를 표방하고 '건준' 및 '인민공화국'을 지지하는 노선을 취하였다.[312]

약 열흘 후인 9월 19일 조선공산당 기관지로 창간된 『해방일보』는 신문으로서보다는 공산당 기관지로서 주목을 끌었는데, 창간호 1면 톱에 〈조선공산당의 통일 재건 만세!〉를 실었고 같은 면에 '우리의 표어'라 하여 다음과 같은 7개의 주장을 내걸었다.

"1. 조선인민공화국 만세! 2. 연합군을 환영하자! 3. 전쟁 범죄자를 처벌하라! 4. 일본 제국주의의 세력을 완전히 구축하라! 5. 일본 제국주의 행정기관을 통한 조선 통치 절대 반대! 6. 조선의 완전 독립! 7. 일본인 경관대의 무장을 곧 해제하라!"[313]

---

310) 이상철, 『커뮤니케이션발달사』(일지사, 1982), 178쪽.
311) 최진섭, 『한국언론의 미국관』(살림터, 2000), 198쪽에서 재인용.
312) 송건호, 〈미군정하의 언론〉, 송건호 외, 『한국언론 바로보기』(다섯수레, 2000), 122~123쪽.

당시『해방일보』기자였던 박갑동은 다른 신문들의 발행 부수가 몇 만 부 수준에 머물러 있던 반면『해방일보』는 60만 부를 발행하느라 하루 종일 찍었다면서 "그 당시에는 대세가 공산당 쪽으로 기울었기 때문에 박흥식(화신백화점 사장) 같은 부자들이 돈을 보따리로 싸가지고 왔어요" 라고 회고했다.[314]

그러한 '좌익 우세'는 출판계에도 그대로 반영되었다. 조상호는 "해방 이후 3년 정도의 기간에 출간된 대략 1천700종의 도서들을 살펴보면 '해방공간'의 출판 상황이 좌익 출판에 의해 주도되었음을 알 수 있다" 고 했다.[315]

최정호는 해방 직후의 좌우 투쟁에서 좌파가 주도권을 행사했던 주요한 원인 중의 하나로 우파가 "네트워크나 미디어보다도 더 중요한 메시지에 있어서, 말에 있어서" 좌파에게 밀렸다는 점을 들었다.[316]

'사회주의' 지지율 70%

당시의 시대적 상황도 좌익 우세였다. 미군정의 사관(史官)이었던 대위 리처드 로빈슨은 46년 봄에 작성한 보고서에서 남한엔 공산주의적 이상에 공감하는 사람들이 여전히 더 많고, 남한의 정치적 성향은 의심할 나위 없이 좌익적이라는 결론을 내렸다.[317]

이와 같은 '좌익 우세'는 미군정 공보부가 1946년 7월에 실시한 대규모 여론조사 결과에서도 나타났다. 이 조사에 따르면, 한국인의 85%가

313) 송건호, 〈미군정하의 언론〉, 송건호 외, 『한국언론 바로보기』(다섯수레, 2000), 123쪽.
314) 이철승·박갑동, 『건국 50년 대한민국, 이렇게 세웠다』(계명사, 1998), 259쪽.
315) 조상호, 『한국언론과 출판저널리즘』(나남, 1999), 76쪽.
316) 최정호, 『우리가 살아온 20세기 1: 최정호 교수의 현대사 산책』(미래M&B, 1999), 191~192쪽.
317) 정용욱, 〈『주한미군사』와 해방직후 정치사연구〉, 정용욱 외, 『'주한미군사'와 미군정기 연구』(백산서당, 2002), 46쪽.

'대의기구를 통한 모든 인민의 지배'가 바람직한 정부 형태라고 응답하였으며, 70%가 좋아하는 사상으로 '사회주의'를 지적했다(자본주의 13%, 공산주의 10%).[318]

이에 대해 김일영은 "당시 민중 사이에서 사회주의라는 미지의 체제에 대한 호감이 컸던 것은 사실"이지만, "당시의 사회주의는 스탈린식 사회주의나 공산주의를 의미하는 것이 아니라 독립운동에 크게 공헌했던 주체로서, 중도적 이미지로서의 사회주의를 의미한다"고 주장했다.[319] 전상인도 "'사회주의'라고 답한 사람들은 막연히 '다 같이 잘살아보자'는 국민 감정을 표출한 것이지 체제 선택을 했다고 보기 어렵다"며, "광복 직후 혼란기에 자본주의와 사회주의를 구분할 정도로 국민의식이 높았는지도 의문"이라고 주장했다.[320]

이 당시의 인민이 선호했던 '사회주의'의 정체가 무엇이건 70%가 그걸 좋아하는 사상으로 지목했다는 건 좌우 타협이 얼마든지 가능할 수 있는 사회적 여건은 형성돼 있었다는 걸 의미하는 것으로도 볼 수 있다. 문제는 좌우를 막론하고 여론을 대변하고 수렴해야 할 신문들이 너무 뜨거운 나머지 자기 정파의 이익을 취하기 위한 선동에만 몰두했다는 점이다. 이는 한국 언론의 전통으로 살아남아 훗날에까지 사회통합을 저해하는 요인이 된다.

---

318) 김민환, 『미 군정 공보기구의 언론활동』(서강대언론문화연구소, 1991), 36쪽.
319) 서정보 · 강수진, 〈사실은 85%가 대의민주주의 지지〉, 『동아일보』, 2005년 10월 3일, 4면.
320) 박성우, 〈강 교수 "사회 · 공산주의 지지 77%" 실상은…〉, 『중앙일보』, 2005년 10월 3일, 3면.

방송과 미군정 홍보

해방 당시 방송국은 남한에 10개, 북한에 7개였다. 총 직원 수는 1천 명이었는데, 한국인 직원 수가 755명이었고 나머지 245명은 일본인 직원이었다. 경성중앙방송국은 45년 9월 8일 밤 미군에 의해 접수되었다.[321]

9월 14일 수도의 명칭이 경성에서 서울로 바뀜으로써 경성중앙방송국은 서울중앙방송국이 되었다. 9월 15일 미군정은 서울중앙방송국을 비롯한 38선 이남의 10개 방송국을 모두 접수하여 군정 산하에 두고 군정정책에 대한 홍보 매체로 이용하였다. 군정장관 아놀드 소장의 관리하에 편성은 정보부장 헤이워드 중령이 맡았다. 미 군정청은 10월 24일 월리엄 글라스 중령을 중앙방송협회 회장으로 임명하여 편성과 기술을 완전히 미군의 지휘하에 두었다. 방송국의 조직도 일본식 직제에서 미국식 직제로 개편되었다.[322]

미군 고문관이 방송국에 파견되자 콜사인은 'JODK' 대신 아주 긴 문장의 영어로 대체되었다. 'This is the key station of the Korean Broadcasting System, Seoul, Korea' 바로 이것이 오늘날 KBS라는 이름의 유래가 되었다. 그렇게 긴 콜사인을 하게 된 것은 당시 우리가 국제무선통신연맹(ITU)에 가입하지 않았기 때문이었다.[323]

---

321) 한국의 초대 방송 기자인 문제안은 "1927년이니 뭐니 그런 말을 할 것이 아니라, 한국방송은 1945년 9월 9일 오후 5시부터 시작됐다는 것만은 알아야 한다"고 주장했다. "그날 오후 4시에 일본 총독과 조선주둔군 사령관이 미군사령관 하지 중장에게 항복해서 조선총독부가 이 땅에서 물러나서, 그 한 시간 후인 오후 5시부터 우리말 방송은 한국 사람이 한국 사람 손으로 한국 사람을 위한 방송을 시작했기 때문에 우리 방송의 시작으로 알자는 것입니다." 문제안, 〈이제부터 한국말로 방송한다〉, 문제안 외, 『8·15의 기억: 해방공간의 풍경, 40인의 역사체험』(한길사, 2005), 28~29쪽.
322) 정진석, 『한국 현대언론사론』(전예원, 1985), 251~252쪽.
323) 유병은, 『초창기 방송시대의 방송야사』(KBS 문화사업단, 1998), 279쪽.

'정당 방송' 시간에는 좌우익 정당 모두에게 방송 시간을 배정했다. 물론 우익이 좌익에 비해 우대를 받았다. 예컨대, 임정과 인공에 대한 대접이 달랐다. 미군정 사관(史官)이었던 대위 리차드 로빈슨의 기록에 따르면,

"1945년 늦은 가을과 겨울 사이에, 서울에 있는 방송국(JODK)을 이용하는 시간을 인공과 그 지부에게는 매달 30분만 할당하면서 임정과 임정을 지지하는 정치집단에게는 매달 4시간 30분을 할당했다. 물론 방송국은 미군정이 운영했다."[324]

1945년 12월 1일부터는 KBS가 대동아전쟁 발발 직후인 1942년 2월 24일부터 시작된 VOA(미국의 소리 방송) 조선어 방송을 아침과 저녁 2회에 걸쳐 중계하였다. 이후 KBS 아나운서들은 VOA 파견 근무를 실시하였는데, KBS의 VOA 중계는 1971년 3월 31일까지 계속됐다.[325]

미군정은 45년 10월 6일 방송에 '군정 시간'을 만들어 군정 뉴스와 각종 포고를 알리는 동시에 신문과 방송이 접근할 수 없는 다수 민중에 대한 선전전을 염두에 두고 자체 홍보매체로 45년 10월 16일 『주간신보』를 창간하였다. 『주간신보』는 40만 부를 발행(46년 12월엔 80만 부)하여 일반 신문과 방송이 미치지 못하는 외딴 지역에 배포되었다. 45년 12월 17일에 창간된 『농민주보』는 지방행정조직을 통하거나 비행기에서 공중 살포하는 방식으로 80만 부를 배포하였다. 미군정은 그밖에도 영화, 연극, 지방유세반, 각종 팸플릿, 전단, 포스터 등 다양한 매체를 홍보와 선전에 이용하였다.[326]

미군정은 『농민주보』의 인쇄를 1946년 2월 26일에 창간한 안재홍의

---

324) 송광성, 『미군점령 4년사: 우리나라의 자주ㆍ민주ㆍ통일과 미국』(한울, 1995), 119~120쪽.
325) 유병은, 『초창기 방송시대의 방송야사』(KBS 문화사업단, 1998), 155쪽.
326) 박찬표, 『한국의 국가형성과 민주주의: 미군정기 자유민주주의의 초기 제도화』(고려대학교출판부, 1997), 125쪽.

『한성일보』에 맡겼다. 『한성일보』는 『농민주보』를 제작해 주는 조건으로 『경성일보』 시설 관리권을 넘겨받았으며, 미군정의 지배하에 놓여 있던 경제보국회로부터 500만 원의 재정지원을 받았다. 미군정 철폐시까지 발행된 『농민주보』는 1면에 하지나 군정장관 등 미군정 고급장교의 담화와 성명, 미 국무부의 성명, 군정법령 및 관련 사설 등을 게재하였으나, 큰 활자를 사용하고 신문들 중 삽화와 만화를 가장 많이 이용했다.[327]

미군정은 45년 10월 미국의 독립기념일, 추수감사절, 크리스마스 등을 공휴일로 지정했는데, 어쩌면 바로 이것이야말로 훗날에까지 큰 영향을 미친 미군정의 가장 성공적인 홍보전략이었는지도 모르겠다.

327) 정병준, 『우남 이승만 연구: 한국 근대국가의 형성과 우파의 길』(역사비평사, 2005), 593쪽.

'새 나라의 어린이'와 38선의 밀수품

'새 나라의 어린이'

새 나라의 어린이는 일찍 일어납니다.
잠꾸러기 없는 나라 우리나라 좋은 나라
(윤석중 작사, 박태준 작곡)

해방 후 처음 발간된 『어린이신문』 첫 면에 특집으로 발표된 〈새 나라의 어린이〉는 해방을 실감케 하는 동요였다. 〈새 나라의 어린이〉 이외에도 "새 나라의 새 주인은 우리 어린이", "어린이는 나라의 일꾼 부지런히 공부하여 새 나라의 역군이 되자"라는 내용의 '애국 동요' 가 속속 창작되었는데, 이들은 일제 치하와 비교할 때 "우울하고 그늘진 심성(心性)을 노래하던 동요가 이제는 밝고 씩씩하고 건설적인 노래로 바뀐 것이다." [328]

---

328) 이강숙 · 김춘미 · 민경찬, 『우리 양악 100년』(현암사, 2001), 245쪽.

1945년 9월 24일, 새 나라의 어린이들이 일찍 일어나야만 할 일이 생겼다. 국민학교가 개학을 한 것이다. 미 군정청 학무국(나중에 문교부로 개칭)은 이날 공립국민학교가 개학하도록 공포하였고 사립국민학교는 10월 1일부터 개학하였다. 이즈음 김메리는 〈학교종이 땡땡땡〉이라는 동요를 작곡하였다.

이제 학생들은 아침마다 외워야 했던 황국신민서사를 더 이상 외울 필요가 없었고 더 이상 일본어를 못한다고 매 맞을 일도 없게 되었다. 해방 당시 어느 학생의 회고담이다.

"광복 후 처음 등교하는 날, 우리는 교과서도 없이 강의를 받았다. 생전 처음으로 우리 말 국어 강의를 받은 그날의 환희와 감격은 정말 벅찼다. 학생들의 눈은 초롱초롱 빛났고 그 누구의 숨소리조차도 들을 수 없을 만큼 교실 안은 쥐 죽은 듯 조용하였다. 이때만큼 무아지경에서 수업받기는 평생 처음이었다."[329]

오정희의 소설 〈불망비(不忘碑)〉는 새로운 학교 풍경을 이렇게 묘사했다.

"일본어 독본 대신 프린트된 국어책과 역사책을 새로 받고 선생님들도 대부분 바뀌었기 때문에 갓 입학한 기분이었다. 더욱이 학생들은 신입생들처럼 거의 매일 운동장에서 체조를 배우고 새로 애국가—아일랜드의 이별곡에 붙인—를 배웠다. 저녁 무렵 비석거리에 모인 아이들과 함께 소리높이 애국가를 부르노라면 특히 '대한 사람 대한으로 길이 보존하세'의 끝구절에 이르러서는 나라에 대한 사랑, 자신도 분연히 나서서 무언가 해야 한다는 용기와 감동으로 눈에 눈물이 고이는 것이었다."[330]

애국가가 안익태 곡을 정식으로 삼은 건 1945년 11월 21일부터였다.

329) 전국역사교사모임, 『살아있는 한국사 교과서 2: 20세기를 넘어 새로운 미래로』(휴머니스트, 2002), 180쪽에서 재인용.
330) 오정희, 〈불망비〉, 『제3세대 한국문학 13: 오정희』(삼성출판사, 1984), 76쪽.

그런데 우리 글을 배울 수 있는 책이 없었다. 곧 『초등공민』이라는 국어책이 나왔지만, 종이 기근으로 인해 책은 늘 모자랐다. 46년 문교 당국이 제정한 국민학교 졸업식 노래(윤석중 작사 정순철 작곡)를 보자. "빛나는 졸업장을 타신 언니께 / 꽃다발을 한 아름 선사합니다 / 물려받은 책으로 공부를 하여 / 우리는 언니 뒤를 따르렵니다" 이 노래마저 책 기근현상을 잘 말해 주고 있다.

우리 글에 대한 갈증은 비단 학생들에게만 있는 건 아니었다. 해방 당시 15세 이상의 인구 가운데 77%가 학교 교육을 전혀 받지 못한 불취학자였으며, 13세 이상의 인구 가운데 한글을 전혀 읽거나 쓸 수 없는 문맹자가 약 800만 명으로 전체의 77%를 차지했다.[331] 심지어 판사와 검사들도 '가 갸 거 겨'부터 배우는 한글 공부를 새로 해야만 했다.[332]

한글에 대한 갈증

그런 상황에서 우리 글로 된 책에 대한 수요가 폭증하는 건 너무도 당연한 일이었을 것이다. 무슨 책을 어떻게 내놓건 단지 우리 글로 된 책이라는 이유만으로 급속히 팔려 나갔다. '언론의 둑'만 터진 게 아니었다. '출판의 둑'도 터졌다.

우리 글과 우리 역사에 대한 갈증은 순식간에 역사책들과 국어독본들을 '베스트셀러'로 만들어 주었으며, 심지어 '38선의 밀수품' 품목에까지 오르게 만들었다. 최현배의 『우리말본』은 북한에서 인기가 높아 이 책을 한 짐만 지고 북으로 가면 명태를 한 달구지나 가져올 수 있었다. 당시의 상황을 말해 주는 어느 서점 주인의 증언이다.

---

331) 이범경, 『한국방송사』(범우사, 1994), 223쪽.
332) 고길섶, 『우리시대의 언어게임: 언어로 보는 한국현대사』(토담, 1995), 54쪽.

"45년 어느 날 오후였다. 내가 경영하던 서적도매상 유길서점 앞에 난데없이 트럭 한 대가 멎더니 30세 전후로 보이는 청년들이 내렸다. 그들은 땀방울을 닦을 사이도 없을 정도로 굉장히 바쁜 표정이었다. '선생님, 여기 돈 10가마니 싣고 왔으니 조선어와 조선 역사에 관한 책 한 트럭분만 실어 주십시오.' 트럭의 적재함에는 정말 돈 10가마니가 실려 있었다. 차곡차곡 다발로 묶어 넣은 것도 아니고 휴지를 쑤셔박아 놓은 것처럼 꾹꾹 눌러담은 돈이 자그만치 10가마니! 놀라운 것은 돈보다 그들이 책을 사려는 목적이었다. 청년들은 함흥에서 왔다고 했다. 해방이 됐으니 여러 가지 할 일이 많지만 우리 글, 우리 역사를 알 수 있는 책을 보급하는 것이 가장 시급한 일 아니겠느냐고 했다. 그리고 소련군이 지금 38선을 완전히 차단할 기세니 시간을 지체할 수 없다고 했다. 나는 우리 가게에 있던 국어와 국사에 관한 책을 모조리 긁다시피 하여 한 트럭 실어줬다. 그들이 가고 난 후에 돈을 세어보니 책값보다 훨씬 많은 액수였다. 그 사람들 38선을 무사히 넘었는지는 알 수 없다. 지금 살았으면 내 나이처럼 60 정도 됐을 텐데 만나기만 하면 그때 더 받은 돈도 돌려주고 묵은 회포도 풀고 싶다."[333]

6-3-3-4 학제의 도입

국민학교 개학에 이어 10월 1일에는 중등 이상의 학교들이 문을 열었다. 정식 인가는 46년 8월 15일에 나왔지만, 이화여자전문학교(경성여자전문학교), 연희전문학교, 보성전문학교 등은 각기 이화여대, 연희대(현 연세대), 고려대로 이름을 바꿔 사립 종합대학교로 출발하였다. 45년 대학생 총수는 7천819명(남자 6천733명, 여자 1천086명)이었지만, 대학생 수

---

333) 이임자, 『한국 출판과 베스트셀러 1883~1996』(경인문화사, 1998), 167~168, 247쪽.

는 곧 빠른 속도로 늘어나게 되었다.[334]

당시 중학교는 6년제로 중학생의 평균 연령도 매우 높아 20세 전후 학생이 많았으며, 남녀간 수업 연한도 달라 여성교육이 남성교육에 비해 수업 연한이 2~3년 짧았다. 미군정은 새로 6-3-3-4제를 근간으로 한 학제를 제정하였다.

이는 조선인 교육위원에 의해 도입된 것이었다. 45년 9월 16일 미 군 정청 학무국장 육군 대위 락카드는 조선교육위원회를 구성하고 7명의 조선인 교육위원을 선정하였다. 김성수, 현상윤, 백낙준, 김활란, 김성 달, 최규동, 유억겸 등이 바로 그들이다. 한두 사람을 제외하고는 다 친 일 경력이 있는 인사들이었다.[335]

6-3-3-4제는 김성수가 제안한 것인데, 당시엔 '기상천외한 것'으로 여겨졌다. 기회주의적인 미국 추종이라는 비판도 있었지만, 오천석은 "우리나라와 같이 가난한 형편에서는 중등교육 과정을 6년 또는 5년으 로 하게 되면 학부모들의 부담이 커서 중도에 학업을 그만두는 학생이 많을 것"이라는 이유를 들었다.[336]

미군의 교육시설 점유

해방 직후 교육 정상화의 가장 큰 장애 중의 하나는 미군의 교육시설 점유였다. 점령 직후 내려진 명령 중 하나가 모든 학교의 휴교였는데, 학 교 건물들은 미군에 의해 사용되었다. 곱게 사용했으면 모르겠는데, 약

---

334) 이화여자대학교, 『이화 100년사』(이화여자대학교출판부, 1994), 295~301쪽.
335) 한준상, 〈미국의 문화침투와 한국교육: 미군정기 교육적 모순 해체를 위한 연구과제〉, 박현채 외, 『해방 전후사의 인식 3』(한길사, 1987), 573~574쪽; 위기봉, 『다시 쓰는 동아일보사』(녹진, 1991), 286쪽.
336) 한준상, 위의 글, 553쪽. 오천석은 미국 코넬대, 노스웨스턴대, 컬럼비아대에서 각기 교육학으로 학사, 석사, 박사학위를 취득한 미국통으로 락카드에게 큰 영향을 미쳤다.(한준상, 561쪽)

탈적 점령으로 시설, 특히 도서관 파괴가 심각했다.[337)

군정 초기 중등교육과장을 맡았던 중령 비스코는 "중등학교에서의 파괴적 행위는 어처구니없고, 수치스럽고, 전혀 불필요한 것이었다"고 말할 정도였다.[338) 당시 경성공립공업학교에 다니던 리영희의 증언이다.

"그 훌륭했던 각 학과의 부설 실습공장의 기계류와 실험기구들은 해방 후 몇 달 사이의 혼란 속에 한 가지도 남아 있지 않았다. 미군 당국과의 오랜 협의 끝에 그 실습장 몇 개를 교실로 사용하는 교섭이 성립되어 실습장에 들어선 우리들은 아연실색했다. 미국 군대가 점령하고 있는 속에서 어떻게 그럴 수가 있었을까. 일본이 놓고 간 동양 제일이었던 귀중한 이 나라의 교육·실습시설은 깡그리 자취를 감추고 일본 전국에서도 이름났던 훌륭한 실습장은 텅 비어 있었다. 기계설비와 시설을 뜯어낸 자취만이 마치 선혈이 흐르듯이 처참하게 남아 있었다. 새 나라의 공업교육의 토대가 출발부터 소멸됨으로써 해방된 조국의 장래에 대한 소박한 기대와 희망이 무너지는 것 같은 고통을 느꼈다."[339)

당시 서울대 총장은 미군 대위 알프레드 크로포츠였는데, 45년 12월 서울대에서 일어난 일은 정말 어처구니없는 사건이었다. 최호진의 증언이다.

"교수 연구실 복도 양쪽에는 법문학부 부설로 있던 조선경제연구소에 소장하고 있던 책을 끄집어내어 잔뜩 쌓아놨더라고. 그런데 보니까 한국관계 책들은 하나도 없었어요. 우리 말로 된 책이나 한적(漢籍)은 잘 모르니까 그걸 불쏘시개로 써버린 거야. 12월경에 사령장을 받고 비로소 연구실에 들어가니, 기름 냄새가 온통 진동을 하더라고. 그때 다시 수위한

337) 이길상, 〈미군정기 교육연구와 『주한미군사』의 사료적 가치〉, 정용욱 외, 『『주한미군사』와 미군정기 연구』(백산서당, 2002), 219~220쪽.
338) 이길상, 위의 책, 221쪽에서 재인용.
339) 리영희, 『역정: 나의 청년시대-리영희 자전적 에세이』(창작과비평사, 1988), 95쪽.

테 나머지 책들이 다 어디 있느냐고 물었더니, 운동장에 나가 보라고 해. 그래 나가 봤더니 울타리 바깥에 고본상들이 잔뜩 와 있었어요. 미국군들이 고본상에 팔아 버리고 있었던 거야. 고본상에 경성제국대학 책, 조선경제연구소 책들이 많았던 것은 그래서 그런 거예요. 불 때서 없애고 고본상에 팔아 없애고 큰일 났다 싶어, 미군 장성들과 교섭을 하자고 해서 유억겸 씨를 만났더니, 유억겸 씨 하는 말이 '어떡합니까, 지금은 포로와 같은 신세니 참아야지' 그러더라고. 그때 책들이 다 결딴이 났어요."[340]

그러나 한국인의 교육열은 그런 문제들을 하찮은 것으로 만들 만큼 뜨겁고 무섭게 불타오르게 되었다. 교육열은 한국인의 무서운 저력을 나타나게 만든 매개이자, 교육열 경쟁에 동참하지 않을 수 없는 서민의 삶을 피폐하게 만드는 요인이기도 했다.

340) 최호진, 〈나의 학문 나의 인생/최호진: 일제말 전시하에서의 학문편력과 해방후 경제학과 창설〉, 『역사비평』, 제13호(1991년 여름), 260~261쪽.

'문화의 둑'도 터졌다: '양키 문화' 논란

'춤바람' 문화

해방정국에서 터진 건 '언론의 둑'과 '출판의 둑'만은 아니었다. 미군의 주둔과 함께 이른바 '양키이즘'이 유입되고 환영받으면서 '문화의 둑'도 서서히 터져 나갔다. 기지촌 문화는 곧 사회 전반으로 파급되었다. 가장 눈에 띈 변화는 '춤바람'이었다. 춤바람은 미군의 댄스파티에서 시작되었다.

"미군이 주둔하면서부터 각 곳에 미군 병사들을 위로할 '재즈 밴드'가 필요했고 '댄스홀'이 생기면서부터 본격적인 댄스 음악이 유행하기 시작했다. …… 댄스홀이 생기더니 남녀가 서로 끼고 빙빙 도는 사교댄스가 유행하기 시작했다. '춤바람' 문화는 바로 여기에서 시작된 것이다. 댄스홀은 모두 미군을 대상으로 영업하는 곳이어서 미군과 함께가 아니면 들어가지 못했다. 서울 시내에는 호화스런 댄스홀이 여기저기 생겼는데, 그중에서 규모가 큰 곳은 정자옥 댄스홀(현 미도파 백화점 5층)과

조선인이 끄는 인력거를 타고 서울 시내 나들이를 가는 미군들.

미츠코시 댄스홀(현 신세계 백화점 5층)이었다.”[341]

　미츠코시 댄스홀을 포함하여 상당수 댄스홀은 조선총독부 재무국장 미즈타를 비롯한 일본인 관리들이 미군의 진주가 임박하자 그들로부터 일본인 여자들을 보호하기 위해 만든 것들이었다. 이들은 미군을 접대하기 위해 한국인 사업가를 시켜 한국인 여자를 고용한 댄스홀을 여러 곳에 만들게 했는데, 이게 바로 일본인들의 자금 유용과 관련된 ‘댄스홀 사건’이다. 일본인들이 만든 댄스홀에선 아침부터 댄스 음악이 흘러 나

341) 박영수, 『운명의 순간들: 다큐멘터리 한국근현대사』(바다출판사, 1998), 206~208쪽.

왔다.[342]

댄스홀은 악단을 필요로 했다. 일류급 연주인들은 좋은 대우를 받았다. "그때에 장국밥 한 그릇에 5원 하던 시절이었는데 이들은 8천 원에서 1만 원의 전속금을 받고 전속악단 멤버가 되어 해방 직후 직업음악인으로서는 가장 좋은 대우를 받기도 했다. 서대문에서 동대문까지 조랑말이 끄는 역마차의 차비가 10원 하던 시절이었으므로 연주인들은 일반인으로부터 선망의 대상이 되었다."[343]

댄스홀이 호황을 누리자 만주 신경이나 하얼빈 시 등에서 일하던 연주인들이 돌아왔고 중국 북경, 상해 등지에서 춤추던 직업 댄서들도 돌아왔다.[344]

장교구락부엔 외국에서 박사학위를 받은 클래식 연주자들도 출연하였지만, 사병클럽 전용 연주자들은 일정한 보수를 받는 것이 아니고 하루저녁 연주하는 데 미군 맥주 몇 박스 또는 위스키 몇 병을 받곤 했다. 그걸 남대문시장에 내다팔아 악단원들에게 현찰로 분배하는 식이었다.[345]

낙랑클럽의 활약

김도훈은 "해방과 더불어 밀려든 서양의 문물·생활양식·의상 등을 가장 먼저 수용한 계층은 미군 상대의 접객업소 여성들이었다"며, "양복이 해방 이전에는 제국주의자와 매국노의 상징이었다면, 해방 이후에는 빈민과 접객업소의 여성, 그리고 기존의 질서에 반항하는 계층을 상징하게 되었다"고 했다.

---

342) 정병욱, 〈해방 직후 일본인 잔류자들: 식민지배의 연속과 단절〉, 『역사비평』, 제64호(2003년 가을), 134~135쪽.
343) 황문평, 『한국 대중연예사』(부루칸모로, 1989), 303쪽.
344) 황문평, 위의 책, 303쪽.
345) 황문평, 위의 책, 335~336쪽.

"이러한 이유로 대다수 국민들은 급기야 양복에 대해 혐오와 멸시감마저 가지게 되었다. 그러나 해방은 과거의 수직적인 왕권사회가 수평적인 평등사회로 전환하는 계기였기에, 과거 신분계급에 의해 제약되었던 복식생활이 평등화되면서 복식은 신분표시의 수단이 아니라 개성과 집단의식의 표현이라는 현대의복의 개념이 차츰 받아들여지게 되었다."[346]

'양키이즘'의 유입엔 '위 아래'가 없었다. 전숙희는 "해방 이듬해인 1946년, 남한의 우파 정치인들과 친분이 두텁던 모윤숙이 주동이 되어 발족한 낙랑클럽은 미군 고급 장교와 한국 정치인을 상대한, 기지촌과는 비교할 수 없는 사교 클럽이었다"고 했다.

"고구려 시대 낙랑공주와 같은 고귀한 신분을 가진 여성들만이 선택되어 입회되었던 것이다. 미군을 만난다지만 상대는 미 군정청의 실력자들인 장성급, 고급 장교에 한정되었고, 남한에 들어와 있던 각 나라 외교관과 그런 외국인들로 하여금 남한에 호의를 갖게 만드는 역할을 했다. 그러다 보니 이화 출신을 중심으로 한 달 만에 100여 명이 낙랑클럽 회원으로 지원했다."[347]

전숙희는, 낙랑클럽은 미군들에게 "한국은 너희가 본 가난하고 무식한 사람들만 사는 나라가 아니다. 우리나라에는 이런 귀부인도 있고 이런 지식인들도 있다"는 걸 보여주기 위한 활동을 했다고 말했다.[348]

'귀국선'과 밀수

귀국동포들도 새로운 문화의 전령사 노릇을 했다.

---

346) 김도훈, 〈의관에서 패션으로〉, 한국역사연구회, 『우리는 지난 100년 동안 어떻게 살았을까 1: 삶과 문화 이야기』(역사비평사, 1998), 164쪽.
347) 전숙희, 『사랑이 그녀를 쏘았다: 한국의 마타하리 여간첩 김수임』(정우사, 2002), 117~118쪽.
348) 전숙희, 〈낙랑클럽이 한국을 알렸어요〉, 문제안 외, 『8·15의 기억: 해방공간의 풍경, 40인의 역사체험』(한길사, 2005), 110쪽.

"돌아오네 돌아오네 고국산천 찾아서 / 얼마나 그렸던가 무궁화꽃을 / 얼마나 외쳤던가 태극깃발을 / 갈매기야 울어라 파도야 춤춰라 / 귀국선 뱃머리에 희망도 크다"

귀국동포들의 심정을 담은 〈귀국선〉이 이재호 작곡, 손로원 작사, 이인권(혹은 손석봉)의 노래로 불리면서 큰 인기를 끌었지만, 귀국동포들이 문화에 미친 영향도 만만치 않았다. "해외동포들이 탄 귀국선은 우리 복식 문화를 크게 바꿔놓았다. 중절모와 감청색 양복, 야자수 남방, 그리고 구두를 신은 '마카오 신사'들이 여성들 눈길을 사로잡았다. 여성들 사이엔 '파마머리'라는 낯선 헤어스타일이 해를 넘겨가며 대유행했다. …… 귀국선은 교포들에게는 꿈과 희망을, 이 땅의 사람들에게는 낯선 유행을 안겨주었던 것이다."[349]

파마 한번 하는 데 쌀 한 말 값이라 파마는 처음엔 특권층만 할 수 있었다.[350] 잘나가는 여성의 유행은 파마머리인 반면, 잘나가는 남성의 유행은 포마드 머리였다. 당시 포마드를 만들었던 구용섭은 "해방이 되고는 머리를 많이 길렀지요. 그런데 기르다보면 밤가시처럼 삐죽삐죽 돋아 나잖아요. 그걸 잡아 붙이려면 포마드가 꼭 필요했던 거예요. 그래서 많이 팔린 거죠"라고 회고했다. 원료는 밀수에 많이 의존했다.

"당시에는 밀수가 굉장히 성행했어요. 일본에서 들어오는 물건들도 많았고, 옷감의 경우는 마카오 등지를 통해서도 많이 들어왔어요. 나라에서 단속을 한다고는 해도 해방 직후가 워낙 혼란한 시절이었기 때문에 쉽게 밀수품을 사서 쓸 수 있었죠. 그리고 여기서 구할 수 없는 재료들도 많았으니까 어떻게 보면 밀수한 사람들이 지금으로 따지면 무역업자나 마찬가지예요."[351]

---

349) 박영수, 『운명의 순간들: 다큐멘터리 한국근현대사』(바다출판사, 1998), 218~219쪽.
350) 김옥진, 〈파마는 특수층의 전유물〉, 문제안 외, 『8·15의 기억: 해방공간의 풍경, 40인의 역사체험』(한길사, 2005), 286~293쪽.

'이 땅의 사나이 목메어 운다'

이런 대대적인 서양 문화 유입에 대해 반발이 없을 리 없었다.

『자유신문』 1945년 10월 30일자는 사설을 통해 "현재 조선 특히 서울의 거리에는 아름답지 않은 풍속 문제의 발생이 없다고 할 수 없다"면서 "현재의 우리는 애욕의 환락가가 되어서는 안 되며 해방이 가져온, 여하히 새로운, 여하히 자유로운 남녀관계라 할지라도 그 남녀관계를 발생케 한 사회적 관계를 저버린 단순한 연애의 모색에 시종하는 것이라면 이를 허용할 수도 없는 것이다"라고 주장했다. [352]

또 『중앙신문』은 1945년 11월 27일자 사설 〈배워야 할 것과 말아야 할 것〉에서 "우리가 미국에서 배워야 할 것은 능률주의이다"라면서, "그러나 우리가 미국에서 배우지 말아야 할 것도 있다. 그 하나는 '할리우드 스타일'이다"라고 주장했다.

"'할리우드 스타일'은 미국이 낳은 것이다. 미국 문화의 본질이 그것에 그친다고 볼 수 없다. 그것은 미국 문화의 말초적 발현이오, 따라서 어디까지든지 말초적이다. 왜 이 문제를 여기에서 제기하느냐 하면 벌써 본정통(지금의 충무로)을 중심으로 골목에서 보이는 광경은 미국이 가진 말초 문화의 유치한 모양이 너무나 노골히 보이는 까닭이다. 외국 문화를 충분히 소화 못하고 표면적으로만 이식한다면 그것은 비록 독립국가라 할지라도 정신적 식민지를 인상시키는 것이다. 세계 문화에 공헌하려는 우리로서 우리가 마땅히 배워야 할 것과 배우지 말아야 할 것을 구분하여야 할 것이다." [353]

---

351) 구용섭, 〈화장품은 필수품이 아니라 사치품〉, 문제안 외, 『8·15의 기억: 해방공간의 풍경, 40인의 역사 체험』(한길사, 2005), 284~285쪽.

352) 송건호, 〈미군정하의 언론〉, 송건호 외, 『한국언론 바로보기』(다섯수레, 2000), 144쪽에서 재인용.

353) 송건호, 위의 글, 145쪽에서 재인용.

그런가 하면 대한독립촉성국민회 선전부에서는 겨레의 정조 옹호와 풍기 단속을 부르짖으면서 '외국인 승용차를 동승하는 여자', '껌을 씹으며 거리를 방황하는 여자', '괴상한 두발 화장을 하는 여자'를 지목하면서 미풍양속을 혼탁케 하여 민족의 체면을 팔아먹는 천박한 여성들은 민족적 감시로서 깨끗한 삼천리강산으로부터 말소시켜야 한다고 주장했다.[354]

반탁전국학생연맹이 46년 3월 9일 정동교회에서 개최한 기미독립선언 기념 전국학생현상 웅변대회에서 1등으로 뽑힌 보성전문의 함종빈의 〈이 땅의 사나이 목메어 운다〉는 제목의 웅변에서도 '서양 문물'에 대한 '통탄'은 빠지지 않았다.

"양춤을 비롯한 서양 문물이 물밀듯 들어와 우리의 자주 정신과 자주 문화를 위협하고 있는 실정이다. 이 나라의 앞날을 걱정하는 이 땅의 사나이 통탄하지 않을 수 없다."[355]

파마가 크게 유행하자 『조선일보』는 '괴상한 두발'이라며 해괴한 망국풍조로 개탄하였지만,[356] 망국은 두발 스타일 따위에 의해 일어날 일은 아니었다. 당시 가장 시급한 문제는 먹고사는 문제였다. 민생이 어려워지면서 급기야 "일제 시대보다 더 고통스럽다"는 말까지 나올 정도였다.

---

354) 우성흠 엮음, 『1947년생』(윤컴, 1998), 28~29쪽.
355) 한국반탁 · 반공학생운동기념사업회, 『한국학생건국운동사: 반탁 · 반공학생운동 중심』(대한교과서, 1986), 159쪽에서 재인용.
356) 『조선일보』, 1947년 1월 21일자; 박영수, 『운명의 순간들: 다큐멘터리 한국근현대사』(바다출판사, 1998), 218~219쪽에서 재인용.

"일제 시대보다 더 고통스럽다": 정치과잉

인구 폭발과 물가 폭등

"하루 종일 정거장 / 흐지부지 우체국 / 먹자판이 재판소 / 깜깜 절벽 전기회사 / 종이 쪽지 세무서 / 가져오라 면사무소 / 텅텅 볏다 배급소 / 고 두럼 장작 때구 냉수 먹세"

해방 직후 무능한 군정과 부패한 사회상을 풍자하는 유행어였다. 좀 더 자세히 설명하자면, 이런 이야기였다.

"차 한 번 타려면 종일을 기다려야 하는 정거장, 전보 한 장 제대로 안 전해 주는 우체국, 돈 주어야 이기는 재판, 불이 들어오는 날보다 안 들 어오는 날이 많은 전깃불, 돈 내라고 날아오는 많은 세무서의 고지서, 주 는 것은 없고 가져가기만 하는 면사무소, 백성은 굶주리고 있는데 배급 못 주고 있는 텅텅 빈 배급소, 춥게 살고 배 곯며 살고 있다."[357]

---

357) 한원영, 『한국현대 신문연재소설연구 하(下)』(국학자료원, 1999), 713쪽.

『조선일보』 1946년 8월 31일자는 하지에게 보낸 공개장에서 "한국인들은 지금 일본 식민지 시대보다 더 고통스러워하고 있다"라고 썼다.[358] 이는 경제의 파탄 상황을 가리킨 것이었는데, 이미 해방 직후부터 야기된 문제였다.

실업자는 흘러넘치는 가운데 매일 4천 명의 피난민들이 남한으로 유입돼 경제 사정을 매우 어렵게 만들었다. 1945년에서 49년 사이에 북한에서 이입해 온 인구는 적게 잡아도 120만 명 이상이었다.[359]

해외동포들도 속속 귀환하기 시작했다. 재일동포 150만 명, 재만동포 60만 명, 중국 기타 지역 거주 동포 10만 명 가량이 귀환했다. 해외 거주 402만 동포 중 절반 이상인 220만 명이 귀환한 셈이었는데, 재일동포의 85%인 130만 명, 재만동포의 절반인 30만 명, 중국 및 기타 지역 거주 동포의 거의 전부인 10만 명이 남한으로 귀환한 것으로 추정되었다. 해방 당시 남한 인구는 1천614만 명이었는데, 이는 1949년 2천17만 명에 이르러, 이 기간 중 연평균 인구증가율은 6.1%나 되었다.[360]

인구 폭발도 문제였지만, 당시 전반적인 민생을 괴롭힌 건 무엇보다도 물가 폭등이었다. 소매물가는 45년 8월부터 46년 12월 사이에 10배로 올랐으며 도매물가는 28배로 뛰었다. 여기에 범죄와 부정부패까지 극성을 부렸다.[361]

---

358) 그레고리 핸더슨, 박행웅·이종삼 옮김, 『소용돌이의 한국정치』(한울아카데미, 2000), 223쪽에서 재인용.
359) 그레고리 핸더슨, 박행웅·이종삼 옮김, 위의 책, 221~222쪽; 이효재, 『분단시대의 사회학』(한길사, 1985), 235~237쪽.
360) 정연태, 〈근대의 인구변동〉, 한국역사연구회, 『우리는 지난 100년 동안 어떻게 살았을까 2』(역사비평사, 1998), 43~44쪽.
361) 그레고리 핸더슨, 박행웅·이종삼 옮김, 위의 책, 221~222쪽.

일본인의 화폐 남발

이러한 물가폭등은 일본인들이 저지르고 간 화폐 남발이 주요 원인이었다. 해방 당시 유통되고 있었던 화폐는 조선은행권이었다. 이 돈에는 일본은행권과 바꾸어 준다는 글이 명시되어 있었고 화폐 단위는 일본의 엔이 그대로 사용되고 있었다(한국은행권은 1950년 8월에야 비로소 발행되었다). 이것을 이용하여 조선총독부는 종전 직후 37억 원에 달하는 통화를 남발하였고 그 여파로 인하여 미군정하에서 출발한 한국 재정은 극심한 인플레에 시달렸다.[362]

46년 1월 21일 현재 조선은행권 발행고는 88억 원으로서 8·15 직전 44억 원대의 2배에 달하였다. 47년 12월엔 323억 4천만 원으로 2년 남짓한 사이에 통화량이 8배 가까이 증가했다. 이런 통화팽창은 패전한 일본인들이 미군 진주가 지연된 기간을 이용하여 재한(在韓) 일본인들의 귀국자금을 마련하기 위해 돈을 마구 찍어낸 탓에 빚어진 일이었다. 한국 내의 20만 일본군과 79만여 명의 일본인이 부산항을 통해 현해탄 건너 일본으로 쫓겨 가는 동안 화폐는 그만큼 늘어났던 것이다.[363]

조선의 지도자들은 모두 정치에만 눈이 팔려 경제를 돌볼 생각은 전혀 하지 않고 있었다. 먼저 8·15 후에도 계속 남발되고 있던 조선은행권 발행을 통제하여 화폐개혁을 단행하거나 적어도 당시의 당면 문제였던 인플레이션을 억제하고 생산 위축을 풀기 위해 자금원의 유지·확보 조치가 필요했지만, 모두 다 경제는 나 몰라라 했다.[364]

362) 박영수, 『운명의 순간들: 다큐멘터리 한국근현대사』(바다출판사, 1998), 203~205쪽.
363) 오기영, 『민족의 비원 자유조국을 위하여』(성균관대학교출판부, 2002), 236~237쪽; 신인섭·서범석, 『한국광고사』(나남, 1986, 개정판 1998), 197~198쪽; 박영수, 위의 책, 203~205쪽.
364) 강만길 엮음, 〈8·15와 한국 자본주의의 종속적 재편〉, 『한국 자본주의의 역사』(역사비평사, 2000), 221~222쪽.

물론 이는 미군정의 정책부재가 겹쳐 악화된 것이었다. 일제가 퇴각하는 순간에도 수탈을 자행할 수 있었던 것은 미군정이 수립된 이후에도 여전히 일본인이 각 금융기관을 장악하고 있었기 때문이었다. 조선은행은 10월 13일에야 미 해군 소령이 총재로 임명되었고, 각 지점은 11~12월 경에야 접수가 완료되었다. 다른 금융기관도 11월 말에야 미군 또는 한국인이 총재로 임명되었다. 이런 문제를 제기한 것은 민주주의민족전선 선언문의 강령(1946. 2. 15)의 경우처럼 1946년을 넘기면서부터였다.[365]

남한 경제의 기형적인 구조

공장도 금융 못지않게 신경을 썼어야 했을 일이었지만, 이 또한 모두 다 나 몰라라 했다. 생산은 바닥을 헤맸다. 44년에 9천300여 개에 달하던 사업체(종업원 5인 이상의 규모)의 수는 46년에 5천200여 개, 종업원의 수도 30만 명에서 12만여 명으로 줄었다. 47년 9월에는 공업 취업자 수가 44년과 비교해 60%선으로 떨어졌으며, 47년 노동인구 1천만 명 중 취업자는 절반 수준에 지나지 않았다. 1948년 말의 생산은 전쟁 전 잠재 공업능력의 10~15%에 불과했다.[366]

이는 해방 후 일본인 소유 중심의 자본과 원료 공급체계의 단절, 일본인 중심의 기술자들의 귀국, 남북 분단으로 인한 부담에 기인한 것이었다.[367] 정병욱이 지적한 바와 같이, "일부에서 일제 시기 경험과 학습이 해방 후 한국 경제에 도움이 되었다고들 하지만, 핵심 업무나 기술에 접근하고 이를 습득할 수 있었던 한국인은 드물었으며, 그것이 바로 식민

---

365) 강만길 엮음, 〈8·15와 한국 자본주의의 종속적 재편〉, 『한국 자본주의의 역사』(역사비평사, 2000), 222~223쪽.
366) 공제욱, 〈8·15 이후 관료적 독점자본가의 형성〉, 『역사비평』, 제9호(1990년 여름), 69쪽; 그레고리 핸더슨, 박행웅·이종삼 옮김, 『소용돌이의 한국정치』(한울아카데미, 2000), 221쪽.
367) 공제욱, 위의 글, 69쪽.

지 체제일 것이다."[368]

일본 경제에 구조적으로 완전 예속되었기 때문에 남북 분단으로 인한 문제도 클 수밖에 없었다. 일본의 필요에 따라 형성된 기형적인 경제구조는 분단으로 인해 그 모습을 드러냈던 것이다. 이대근은 "남북 분단은 한마디로 각종 경제기반을 남과 북으로 완전히 분할시킴으로써 지역적·산업적 분업 관련을 송두리째 단절시켜 놓았"으며, "또한 그로 말미암아 처음부터 하나의 자주적이고도 통일된 국민경제 건설을 가로막았다"고 했다.[369]

그런 기형적인 구조에서나마 북한은 남한에 비해 유리한 입지를 차지하고 있었거니와 일본인 기술자를 최대한 활용하여 남한보다는 더 나은 경제 상태를 유지할 수 있었다. 북한엔 46년 11월 현재 868명(가족 2천95명 포함)의 일본인 기술자들이 잔류하였으며, 47년 5월까지 405명(가족 943명)이 남아 있었으며, 48년 7월에서야 마지막 철수를 하였다. 반강제적인 억류였지만, 일본인 기술자들은 월급 수준은 동급의 조선인 기술자의 1.5배, 식량 등 생활물자의 우선적 배급, 귀국시에 퇴직금의 지급은 물론 귀국선편의 제공 등을 요구조건으로 내걸고 협상을 벌였으며 요구조건을 상당히 관철시켰다.[370]

반면 미군정은 남한의 이데올로기 투쟁에만 관심을 기울인 나머지 일본인 기술자들을 붙잡아 둘 생각도 하지 않은 채 거의 다 귀국시키고 말았다.[371]

---

368) 정병욱, 〈해방 직후 일본인 잔류자들: 식민지배의 연속과 단절〉, 『역사비평』, 제64호(2003년 가을), 146쪽.
369) 이대근, 『해방후·1950년대의 경제: 공업화의 사적 배경 연구』(삼성경제연구소, 2002), 41쪽.
370) 이대근, 위의 책, 106~108쪽.
371) 그레고리 핸더슨, 박행웅·이종삼 옮김, 『소용돌이의 한국정치』(한울아카데미, 2000), 220쪽.

경제를 외면한 정치의 과잉

이 모든 문제의 한복판에 극렬한 정치투쟁이 자리잡고 있었다. 해방 후 5개월을 경과한 46년 1월 말 남한에서 운영되고 있는 공장은 40%에 불과하였고 그나마 생산력의 25% 수준에 지나지 않았다. 이는 전 공장의 단 10%만이 가동되고 있다는 걸 의미하는 것이었는데, 여기에 정치투쟁이 져야 할 책임이 작지 않았다. 46년 1월 19일 군정장관 아처 러치[372]는 다음과 같은 경고문을 발표하였다.

"건장한 조선 남녀들이 하루 종일 기를 들고 나서 있는 것을 볼 때 조선이 어떤 정도로 경제회복에 관심을 가지고 있는가를 의심하게 된다. 독립의 첩경은 경제회복이다. 진정 애국자이거든 빨리 직장으로 돌아가라."[373]

옳은 말일망정, 미군정에게 그렇게 훈계할 자격은 없었다. 46년 전반까지 미군정의 점령정책은 소위 '질병과 소요' 공식이었기 때문이다. 점령군의 안전을 위협하는 '질병과 소요'를 막을 수 있을 정도의 최소한의 점령 비용을 투입할 뿐 피점령국의 경제는 점령 측의 책임이 아니라는 것이었다.[374]

어찌됐건 당장 아쉬운 건 조선인들인지라, 경제엔 조선인들이 더 신경을 써야 할 일이었다. 오기영은 러치의 말이 "응당 나와야 할 조선인 지도자에게서 나오지 않고 미국인 군정장관의 입으로부터 조선을 위하여 조선인 지도자와 민중에게 경고하는 말이었다는 것이" 자신을 슬프게 만들었다며 이렇게 개탄했다.

---

372) 군정장관 아놀드는 114일 만인 46년 1월 4일 육군 소장 아처 러치에게 그 자리를 물려 주었으며, 러치는 47년 9월 11일에 사망해 9월 15일자로 육군소장 윌리엄 딘이 군정장관을 맡았다.

373) 오기영, 『민족의 비원 자유조국을 위하여』(성균관대학교출판부, 2002), 234쪽에서 재인용.

374) 박찬표, 『한국의 국가형성과 민주주의: 미군정기 자유민주주의의 초기 제도화』(고려대학교출판부, 1997), 161쪽.

"이것이 지도자들끼리의 태업이면 또 한번 나을 것을, 이들은 저마다 제 주장을 세우기 위하여 쩍하면 직장에 있는 근로인들을 가두로 불러내고 있다. 말인즉 화려하여 끌려다니는 민중을 제각기 제 민중이라 하고 우리의 주장을 민중은 이렇게 지지한다고 자랑하지마는 하루의 시위행렬에 참가하기 위하여 전후 삼사일의 태업이 있지 않으면 안 된다는 사실을 지도자들은 고려하지 않고 있다. …… 지도자의 분열은 당연히 민중의 분열을 결과하여 직장마다 좌우의 편싸움이 벌어지고 이래서 또 공장에는 먼지가 앉은 채 기계는 동록(銅綠)이 쓸었다."[375]

이어 오기영은 "사흘만 각 신문이 정치기사를 일제히 휴재(休載)하면 정치가는 반성할 것이요, 통일할 수 있을 것이다"라는 자신의 예전 발언을 상기시키면서 "과연 오늘의 조선인 지도자는 앞으로 무엇을 먹으며 정치를 하려는 것인가 의아하지 않을 수 없다"고 탄식했다.[376]

오기영이 더욱 개탄한 것은 "하물며 어제까지 산업진을 지키고 있던 이들마저, '나는 과거에 일본의 압박 때문에 여기 와서 은둔하였던 것이다'라는 의사를 행동으로 표시하여 모두 정치무대로 달아나 버렸다"는 사실이었다. 그는 "정치운동에, 문화운동에 과대한 인재의 공출은 그렇잖아도 인재가 부족한 조선으로 하여금 지나친 인재의 편재를 결과지었다. 그래서 한쪽에는 인플레가 나고 한쪽에는 디플레가 났다"는 자신의 과거 주장을 되뇌이면서 "소위 지도자연(然)하는 이들은 좀처럼 정치에의 묘미를 버리지 못하여 야인으로서는 도무지 이해할 수 없는 토의들만 하는 채 산업 부문은 의연히 '빈 집' 그대로였다"고 비판했다.[377]

정치의 과잉, 그건 그 어떤 명분에도 불구하고 분명 해방정국의 비극이었다. 그건 오랫동안 막혔던 둑이 한꺼번에 터지면서 나타난 현상인지

375) 오기영, 『민족의 비원 자유조국을 위하여』(성균관대학교출판부, 2002), 234쪽.
376) 오기영, 위의 책, 235쪽.
377) 오기영, 위의 책, 232쪽.

라 통제가 어려웠고, 통제를 시도할 주체도 없었다. 남은 건 욕망의 적나라한 대립과 투쟁뿐이었다. 그 욕망은 '애국심'으로 포장되었기에, 갈 데까지 가는 것 이외엔 다른 대안이 없었다.

1946년

제2장

좌우(左右) 갈등의 폭발

'신탁통치' 갈등은 전쟁이었다

'민족을 배신한 완전 반역행위'

"1946년은 단순히 1945년과 47년 사이가 아니다. 그것은 미군정 3년 사에 있어서 매우 중요한 역사적 전환기였다."[1]

1946년에 수많은 사건들이 일어났지만, 그중에서도 가장 중요한 건 역시 신탁통치 문제를 둘러싼 갈등, 아니 전쟁이었다. 바로 이 전쟁이 좌우(左右) 갈등을 심화시키면서 상호 타협을 불가능하게 만들었고, 그 결과 남북분단으로 치닫게 만들었기 때문이다.

1945년 말 반탁투쟁에 있어선 좌우의 구분이 없었지만, 초기 며칠간 조선공산당의 태도는 선명치 않았고 혼란스러웠다. 내부적으로 모스크바 결의안에 대한 찬반 의견이 엇갈렸다. 『해방일보』가 46년 1월 1일부터 5일까지 5일 간 발간되지 못한 것도 그런 혼란 때문이었을 가능성이 높다.[2]

---

1) 전상인, 『고개숙인 수정주의: 한국현대사의 역사사회학』(전통과현대, 2001), 16~17쪽.

모스크바 삼상회의의 결정을 지지하는 1946년 1월 3일의 좌익 시민대회. 조선공산당 중앙위원회는 탁치를 반대하는 서울시민대회를 열 계획이었는데 갑자기 찬탁으로 태도를 바꿨다.

조선공산당 중앙위원회는 1946년 1월 3일 민족통일자주독립촉성 서울시민대회를 열기로 했다. 서울시민대회는 탁치 반대를 위한 대회였기에 당원들은 '신탁통치 결사반대'라는 문구를 플래카드에 쓰고 있었다. 바로 그때에 북으로부터 연락원이 탁치를 지지하라는 내용이 들어 있는

2) 한상구, 〈한국현대사의 증언: 남로당 지방당조직 어떻게 와해되었나〉, 『역사비평』, 제4호(1989년 봄), 333쪽; 이강수, 〈삼상회의 결정안에 대한 좌파3당의 대응〉, 한국근현대사연구회 편, 『한국근현대사연구』, 1995년 제3집, 311~312쪽.

밀서를 갖고 도착했다. 그래서 대회는 갑자기 찬탁으로 바뀐 채 삼상회의의 결정을 지지하는 결의를 하였다. 그러나 뒤늦게 도착한 명령이 공산당 조직 말단에까지 충분히 전달되지 않았기 때문에 대회 당일 당원들이 반탁 플래카드를 들고 있다가 간부들에게 빼앗기고 찢기는 소동이 발생하기도 했다.[3] 공산당의 이런 돌변은 우익에 의해 '민족을 배신한 완전 반역행위'로 규정되었다.[4]

1월 5일 조선공산당 당수 박헌영은 내외신 기자회견을 통해 모스크바 삼상회의 결정 내용을 지지하며 조선은 현재 민주주의 변혁 과정에 있다고 말했는데, 이 내용은 다음날 『조선인민보』 등에 보도되었다. 그러나 평소 박헌영의 발언 수준에 그쳤기에 별다른 파장을 낳지 않았다.

그러나 이로부터 10일 후인 1월 15일, '미국의 소리' 샌프란시스코 방송이 박헌영이 『뉴욕타임스』의 특파원 리차드 존스턴에게 "자신은 소련 일국에 의한 신탁통치를 지지하며 장래에 조선이 소연방의 하나가 되기를 희망한다고 발언했다"고 주장하면서 큰 파문을 불러 일으켰다.[5]

박헌영 발언 파동

『동아일보』는 그 내용을 〈조선을 소련 속국으로-상항(桑港, 샌프란시스코) 방송이 전하는 박헌영 씨 희망〉이라는 표제를 달아 크게 보도했다. 한민당은 1월 15일 간부회의를 소집해 박헌영의 발언은 "조선의 독립을 말살하고 소련의 노예화를 감수하는 매국적 행위"라고 규탄하는 결의문을 채택하고, "박헌영을 타도하라"는 전단을 유포시켰다.[6]

---

3) 심지연, 『이강국 연구』(백산서당, 2006), 108쪽.
4) 연시중, 『한국 정당정치 실록 1: 항일 독립운동부터 김일성의 집권까지』(지와 사랑, 2001), 178쪽.
5) 한홍구, 『대한민국사』(한겨레신문사, 2003), 165~166쪽.
6) 한홍구, 위의 책, 166쪽; 브루스 커밍스, 김자동 옮김, 『한국전쟁의 기원』(일월서각, 1986), 293쪽에서 재인용.

더 나아가 한민당 등 51개 우익단체들은 '박헌영 타도' 국민대회와 성토강연회를 개최하였으며, 박헌영의 목에 30만 엔의 현상금까지 걸었다. 또 우익단체들은 미군정에 박헌영의 언동은 매국적 행위이므로 그 일파와의 면회, 방송성명 등 일체 정치활동을 금지할 것을 요구하는 한편, 각 신문·통신에 대해 박헌영 일파의 선전에 대한 취급을 불허할 것을 요구하기도 했다. 즉 이들은 박헌영이 이 문제에 대해 어떠한 해명을 하더라도 그것을 보도해서는 안 된다고 신문과 통신에 압력을 행사했던 것이다.[7]

조선공산당 기관지 『해방일보』 1월 16일자는 존스턴이 문제의 기사를 미국으로 타전했다는 소식을 듣고 박헌영이 1월 12일 존스턴을 찾아가 문책했다는 기사를 실었다. 『서울신문』 1월 17일자는 같은 회견에 참석한 미군 기관지의 기자인 현역 군인 로버트 콘월의 증언을 보도하였는데, 콘월은 박헌영이 "조선인이 조선인을 위해 다스리는 조선"을 원한다고 말했을 뿐 소련 일개국에 의한 신탁통치나 조선의 소련연방 편입 등의 발언은 듣지 못하였다고 말했다. 1월 18일 그 회견에 참석했던 국내의 12개 신문 및 통신사 기자 일동은 박헌영이 소련의 한 연방으로 조선이 참가하기를 희망한다는 발언을 한 사실이 없음을 확인하는 성명서를 발표했다.[8]

이에 대해 1월 19일 존스턴이 국내 기자들과 만나 조선공산당 쪽의 주장을 반박하는 회견을 가졌다. 그는 이 회견에서 기자들에게 "당신들은 영어를 잘 알아듣느냐"고 물었다. 기자들이 잘 모른다고 답하자 존스턴은 "박씨가 나오는 영어로 말하였으니 당신네들은 몰랐을 거 아니요"라

7) 한홍구, 〈또 다른 생존방식 '편가르기'〉, 『대한민국사』(한겨레신문사, 2003), 167쪽; 정용욱, 〈1945년 말 1946년 초 신탁통치 파동과 미군정: 미군정의 여론공작을 중심으로〉, 『역사비평』, 제62호(2003년 봄), 304쪽.
8) 한홍구, 위의 글, 167~168쪽.

고 말하면서 『뉴욕타임스』는 정확한 사실만 보도하는 신문이라고 주장했다. 『동아일보』는 1월 20일 〈『뉴욕타임스』에 오보는 없다〉라는 제하에 이 내용을 대서특필했다.[9]

존스턴은 박헌영을 다시 만났을 때에도 기사 정정은 『뉴욕타임스』에 하라고 말했는데, 이는 거짓말이었다. 문제의 기사는 『뉴욕타임스』에 실리지 않았기 때문이다. 존스턴은 한국인들이 기사 게재 여부를 확인할 수 없는 사정을 이용했던 것이다.[10]

미군정 쪽의 내부보고서도 박헌영은 즉각적인 독립을 주장했으며, 그의 발언은 "완전히 왜곡되어 보도"되었다고 기록했다. '정치동향' 이라는 보고서의 작성을 담당하던 중위 레오나드 버치는 문제의 기사 보도자료를 신문사에 돌린 군정청 홍보국장인 대령 뉴먼에게 존스턴의 보도가 잘못된 것이라는 정정기사를 써도 되느냐고 물었지만, 뉴먼은 그냥 내버려두는 것이 바람직하다고 말했으며, 하지도 뉴먼의 결정에 동의하였다.[11]

이 사건은 '미군정의 여론공작' 이었다. 미군정은 박헌영-존스턴 회견을 "여론공작 차원에서 적극 활용함으로써 국내의 반탁운동을 반소·반공운동으로 각인"시키는 효과를 거두었던 것이다.[12]

좌우(左右) 학생 충돌

1946년 1월 7일, 우익을 대표하는 학생들의 총연합체로서 '반탁전국학생연맹' 이 결성되어 위원장에 24세 청년 이철승을 선출하였다. 해방

9) 한홍구, 〈또 다른 생존방식 '편가르기'〉, 『대한민국사』(한겨레신문사, 2003), 168~169쪽.
10) 정용욱, 〈1945년 말 1946년 초 신탁통치 파동과 미군정: 미군정의 여론공작을 중심으로〉, 『역사비평』, 제62호(2003년 봄), 304쪽.
11) 한홍구, 위의 글, 169~170쪽; 김진국·정창현, 『www.한국현대사.com』(민연, 2000), 31쪽.
12) 정용욱, 위의 글, 304~305쪽.

후 반공학생운동의 기수가 되었던 '학련'이 탄생한 것이다. 이날 학생들은 서울운동장에서 1만여 명이 참가한 가운데 오전 10시부터 반탁시위대회를 열고 "우리는 오직 조선 사람이라는 자각으로 신탁을 반대하며 즉각적인 자주독립을 요구한다"는 결의문을 채택하였다.[13]

이승만은 비서실장 윤치영을 보내 대회를 격려해 주었지만, 이 대회는 자발적인 집회는 아니었다. 겨울방학 중인데 1만여 명을 모으는 게 쉬운 일이었겠는가. 서울시내 남녀 중학생들은 학교로 소집되었다. 김우종에 따르면,

"학교에 모두 집합해서 출석 점검을 한 후 4열 종대를 짓고 교사들의 지휘를 받으며 서울운동장으로 향하는 것이다. '아무도 도중에 도망칠 생각은 하지 마라. 서울운동장에 가서 출석을 부를 테니까' 일제 시대부터 이미 이런 일에는 익숙해져 있으니까 학생들은 어김없이 아침 8시까지 학교운동장에 집합해 출발했다. …… 당시는 중학이 6년제이니 꼬마들부터 지금의 고교생까지 다 함께 모인 셈이다. …… 영하의 추위에 귀가 얼고 코가 얼고 뺨도 허여멀겋게 핏기를 잃고 있어서 '신탁통치 결사 반대'를 외쳐도 입은 잘 열리지 않았다."[14]

한편 1월 9일에 좌익을 대표하는 학생들은 '재경학생 행동통일촉성회(학통)'를 결성하고, "민족의 완전한 자주독립의 길을 앞당기기 위하여 모스크바 삼상회담을 지지한다"는 내용의 성명서를 내고 시위에 들어갔다.[15]

1월 18일 오후 2시경 반탁학련은 서울시내 정동교회에서 수천 명의 학생이 참가한 가운데 반탁전국학생총연맹 주최로 반탁 및 반공 전국 학

---

13) 이재오, 〈1940년대 학생운동의 전개〉, 『해방후 한국학생운동사』(형성사, 1984), 73쪽; 한국반탁·반공학생운동기념사업회, 『한국학생건국운동사: 반탁·반공학생운동 중심』(대한교과서, 1986), 130쪽.
14) 김우종, 〈신탁통치 찬·반 파도에 휩쓸린 젊은 피들〉, 『한국대학신문』, 2000년 5월 1일, 7면.
15) 이재오, 위의 글, 73쪽.

생 성토대회를 개최하였다. 이들은 이 성토대회에서 박헌영의 '망언'을 규탄하면서 조국의 완전한 독립을 위하여 죽음으로써 항거할 것을 결의하였다.[16]

오후 5시경 성토대회가 끝난 후 남녀 학생 500명을 포함한 흥분한 군중은 미국 영사관과 소련 영사관에 몰려 들어가 결의문을 전달한 후에 조선호텔과 반도호텔을 거쳐 을지로의 조선인민보사 앞에 집결하여 문선(文選) 케스를 뒤엎고 인쇄기에 모래를 뿌리고 그날 찍은 신문을 모조리 불태우는 등 인민보사를 파괴하였다. 이어 인사동에 자리잡고 있는 조선인민당으로 몰려가 건물과 시설을 파괴한 후 안국동 네거리에 있는 서울시 인민위원회 및 부녀총동맹 사무소를 짓밟는 등, 좌익단체 본부들을 모조리 습격하였다.[17]

미군 헌병과 군정청의 경찰관들이 제지하자 반탁학련 데모대는 김구에게 반탁학생대회의 경과를 보고하기 위해 김구가 주도하는 반탁국민총동원위원회가 있는 서대문 경교장으로 향했다. 신문로에 이르렀을 때 좌익의 학병동맹원들과 충돌하였다. 이 충돌로 남녀 학생 40여 명이 부상을 입었다. 서대문경찰서와 종로경찰서는 합동으로 출동하여 10여 명의 반탁학생 간부와 학병동맹원들을 체포하였다. 그날 김구는 반탁학련 간부들의 경과보고를 듣고 격려의 말을 하였다.[18]

1월 19일 새벽 경기도 경찰부는 장택상의 지휘로 삼청동 학병동맹 본부를 포위하였다. 18일의 충돌에 대한 책임을 학병동맹에 묻겠다는 것이었다. 포위당한 학병동맹원들과 포위한 경찰 사이에 총격전이 벌어져, 결국 학병동맹원 세 사람이 죽고 세 사람이 부상당했으며, 경찰 측에도

16) 이재오, 〈1940년대 학생운동의 전개〉, 『해방후 한국학생운동사』(형성사, 1984), 73~74쪽; 한국반탁 · 반공학생운동기념사업회, 『한국학생건국운동사: 반탁 · 반공학생운동 중심』(대한교과서, 1986), 137쪽.
17) 이재오, 위의 글, 73~74쪽; 한국반탁 · 반공학생운동기념사업회, 위의 책, 140쪽.
18) 한국반탁 · 반공학생운동기념사업회, 위의 책, 142쪽; 이재오, 위의 글, 73~74쪽.

두 사람의 부상자가 나왔다.[19]

이 1·18사건은 "좌우 학생운동사상 대대적인 첫 유혈사태"로서 학생운동의 좌·우 대립에 경찰이 개입하여 총격을 가해 최초의 희생자를 낸 사건이었다.[20]

소련의 반격

소련은 조선이 신탁통치 문제로 양분돼 격렬한 갈등을 빚고 있는 걸 언론의 왜곡보도의 결과로 보았으며, 한국인들을 그러한 왜곡보도의 희생자들로 여겼다. 그래서 "소련 정부는 남조선에서 미군정의 통제하에 거짓 정보를 유포시키는 반동 신문들의 의도적인 보도를 폭로하기 위해 모스크바 결정의 조선 문제 논의에 관한 진실을 해명할 조치를 취하지 않을 수 없었다."[21]

그런 조치는 타스통신을 통해 나왔다. 1월 22일, 소련은 타스통신을 통하여 "미국 정부도 참여한 모스크바 회담의 결정에 반대하는 대중시위를 고무하는 태도를 취했다"고 미군정 당국을 비난했다. 다음날 스탈린도 미국 대사 에버렐 해리만을 불러 남한에서 벌어지고 있는 모스크바 회담의 왜곡사태에 대해 불만을 토로하였다.[22]

스탈린의 항의를 받았던 해리만은 급히 서울로 와서 하지에게 신탁통치는 '루스벨트의 생각'이었으며 모스크바에서는 소련이 아니라 오히려

---

19) 이재오, 〈1940년대 학생운동의 전개〉, 『해방후 한국학생운동사』(형성사, 1984), 73~74쪽.
20) 한국반탁·반공학생운동기념사업회, 『한국학생건국운동사: 반탁·반공학생운동 중심』(대한교과서, 1986), 142쪽; 이재오, 위의 글, 76쪽.
21) 박명림, 『한국전쟁의 발발과 기원 II: 기원과 원인』(나남, 1996), 139쪽; 정용욱, 〈신탁통치 파동과 하지: 하지와 김구, 박헌영〉, 『존 하지와 미군 점령통치 3년』(중심, 2003), 57쪽.
22) 송광성, 『미군점령 4년사: 우리나라의 자주·민주·통일과 미국』(한울, 1995), 132~133쪽; 정용욱, 위의 글, 78쪽; 브루스 커밍스, 김자동 옮김, 『한국전쟁의 기원』(일월서각, 1986), 294쪽.

미국이 신탁통치를 추진했고 모스크바 협정은 준수되어야 한다고 일러 주었지만, 미군정의 자세는 바뀌지 않았다.[23]

1월 25일, 소련은 타스통신을 통해 오랫동안 조선의 신탁통치를 주장한 것은 미국이고, 조선의 신속한 독립을 주장한 것은 소련이라는 내용의 성명을 발표했다. 또 미국은 조선의 신탁통치를 10년으로 하자고 제안했으나 소련은 5년만 하자고 제안했다는 것도 밝혔다. 하지는 1월 25일자 타스통신 보도를 남한 신문들이 보도하지 못하도록 검열하라고 명령했다.[24]

박헌영은 1월 26일 미군정 당국에 대해 허위보도를 일삼는 존스턴을 조선에서 추방할 것을 요구하는 공식 서한을 제출했지만 미군정은 이를 거부하였다. 하지는 1월 27일 미 국무성으로부터 모스크바 협상에 대한 소련 측 설명이 정확하다는 메시지를 받고서도 달라지지 않았다. 오히려 20여 일 후인 2월 18일 공보국 명의의 발표를 통해 존스턴을 비호함으로써 잊혀져 가는 이 문제에 다시 불을 지피려고 했다.[25]

그런 시도에도 불구하고 타스통신의 발표 효과는 컸다. 하지의 46년 2월 24일자 보고는 1월 초부터 모스크바 회의의 내막에 대한 타스통신의 발표가 있은 1월 말경까지는 "남한에서 공산주의의 쇠퇴기"였으나, 타스통신의 발표 이후 "공산주의자들은 다소 강세"를 보인다고 했고, 하지는 4월에도 남한에서 공산주의 운동이 강해지고 추종자가 증가하고 있다고 보고하였다.[26]

---

23) 브루스 커밍스, 김자동 옮김, 『한국전쟁의 기원』(일월서각, 1986), 294~295쪽.
24) 송광성, 『미군점령 4년사: 우리나라의 자주·민주·통일과 미국』(한울, 1995), 132~133쪽; 정용욱, 〈신탁통치 파동과 하지: 하지와 김구, 박헌영〉, 『존 하지와 미군 점령통치 3년』(중심, 2003), 78쪽.
25) 한홍구, 〈또 다른 생존방식 '편가르기'〉, 『대한민국사』(한겨레신문사, 2003), 169~170쪽; 브루스 커밍스, 김자동 옮김, 위의 책, 297쪽. 하지는 국무성의 메시지를 받은 다음날에 사료를 제출했지만 2월 2일에 유임하도록 설득받은 후 국무성에 욕설로 가득 찬 메시지를 보냈다고 한다.(커밍스, 297쪽)
26) 이강수, 〈삼상회의 결정안에 대한 좌파3당의 대응〉, 한국근현대사연구회 편, 『한국근현대사연구』, 1995년 제3집, 329쪽.

'찬탁=매국, 반탁=애국'

그렇지만 크게 보아 신탁통치 문제를 둘러싼 전쟁은 우익에게 유리하게 작용하였다. 진실과는 관계없이, 박헌영의 발언 파동은 향후 정국에 큰 영향을 미쳤다. 이로 인해 박헌영은 좌익들 사이에서까지도 '구제불능의 친소주의자'로 알려지게 되었지만,[27] 그런 딱지는 비단 박헌영 개인에게만 해당되는 게 아니었다.

한홍구는, 우익진영이 조선공산당 당수 박헌영이 장차 조선을 소련연방의 일원으로 삼겠다는 발언을 했다고 선전한 것은 전혀 근거가 없는 것이었지만 좌익진영의 위신을 크게 손상시켰다며, "신탁통치 논쟁, 그리고 박헌영의 조선의 소련연방 편입 주장 소동으로 인해 좌익진영이 입은 정치적 손실은 해방 직후의 사회주의자들의 대중적 지지기반이 사회주의 이념의 호소력보다는 사회주의자들이 지닌 민족이익의 대변자로서의 성격에 놓여 있었음을 보여준다"고 했다.

"즉 사회주의자들은 그들이 사회주의자였기 때문에 대중적 지지를 받았다기보다는 민족해방운동에 좀더 충실했던 세력이었으며 자주독립의 옹호자였기 때문에 대중적 지지를 받았던 것이다. 그러나 신탁통치 논쟁을 계기로 친일파를 포함한 우익은 민족 대 반민족의 구도로 전개되어온 식민지 시기 이래의 정치지형을 좌익 대 우익의 대립으로 바꿔놓는 데 성공했다. 이로써 우익은 사회주의자들이 거의 배타적으로 향유해 온 민족적 대변자로서의 위치에 타격을 가할 수 있었다."[28]

그랬다. 우익 친일세력은 신탁통치 갈등을 이용하여 전체적인 정치구도를 '찬탁=극좌·친소'라는 틀 속으로 몰아넣으며 자기들의 세력을 확

---

27) 브루스 커밍스, 김자동 옮김, 『한국전쟁의 기원』(일월서각, 1986), 294쪽.
28) 한홍구, 〈또 다른 생존방식 '편가르기'〉, 『대한민국사』(한겨레신문사, 2003), 172쪽.

대해 나갔으며, 어느덧 "반탁은 애국이며 즉시 독립의 길이요, 찬탁은 매국이며 식민지화라는 등식이 성립"되어 갔다.[29]

우익 친일세력의 속셈은 그렇다치더라도, 김구는 왜 그렇게 반탁투쟁에 매달렸던 건가?

서중석은 김구가 "소련이 신탁통치 실시를 주장하였다는 뉴스가 오보였고 새로운 임시정부의 구성이 중요하다는 사실을 안 뒤에도 계속 반탁투쟁을 벌인 것은 중경 임시정부 추대운동이 기본 이유였다"고 했다.[30]

고정휴는 "조선으로서는 모스크바 삼상회의의 합의 내용을 일단 문안 그대로 받아들이고 그 바탕 위에서 민족역량을 총결집하여 자주적인 통일민주국가 수립에 노력하는 것이 최선의 길이었다"며, "미 · 소 양국이 한반도를 분할 점령하여 군정을 실시하고 있는 상황에서 이 두 나라의 공식적인 합의안을 무시하고는 통일된 국가의 수립이 사실상 불가능했기 때문이다"라고 했다."[31]

그러나 김구는 이후로도 한동안 계속 반탁에 매달렸다. 반탁은 김구로 상징되었고, 김구는 반탁의 상징이 되었다. 그래서 반탁은 의심의 대상이 되질 못했고, 찬탁은 타도 이외에 다른 대접을 베풀기 어려운 매국적 행위로 간주되었다. 찬탁 세력에겐 찬탁의 옳고 그름을 떠나 진정성이 없었다. 남은 건 혈투뿐이었다.

---

29) 김삼웅, 〈1945년/모스크바 3상회의 결정서〉, 『사료로 보는 20세기 한국사』(가람기획, 1997), 185쪽; 강만길, 『20세기 우리역사』(창작과비평사, 1999), 192쪽.
30) 우사연구회 엮음, 서중석 지음, 『남 · 북협상: 김규식의 길, 김구의 길』(한울, 2000), 27쪽.
31) 고정휴, 〈8 · 15 전후 국제정세와 정치세력의 동향〉, 강만길 외, 『통일지향 우리 민족해방운동사』(역사비평사, 2000), 297~298쪽.

'4당 합의'와 '5당 회의'

민족통일전선 형성의 매개체를 자임한 여운형의 조선인민당은 중경 임시정부 측에 인공과 각당 각파를 합쳐 건국회의를 열고 거기서 참된 임시정부를 수립하자고 제안하였다. 그러나 임정 측은 아무런 반응을 보이지 않고 기존의 중경 임정 추대운동만 계속 전개하였다. 임정 측은 46년 1월 4일 김구 명의로 중경 임시정부를 계승하여 과도정권을 수립할 비상정치회의를 즉각 소집할 것을 발표하였다. 그러나 기존 주장과 다를 게 없어 좌익은 이에 호응하지 않았다.[32]

인민당은 통일전선 문제에 적극적이었던 공산당의 동의를 얻어, 실질적인 세력을 대표하는 한민당, 국민당, 공산당, 인민당의 4당 대표자로서 통일간담회를 열자고 제안했다. 이 제안이 받아들여져 1월 6일에 4당 대표가 비공식으로 만났고, 1월 7일에는 정식 간담회가 열렸다. 공산당 측에서 박헌영·이주하, 중경 임시정부 측에서 김원봉·장건상·김성숙 등 통일전선파, 인공 측에서 홍남표·이강국이 옵서버로 참여하였고, 한민당에서는 민족주의자인 김병로와 원세훈, 국민당에서는 신간회의 간부였던 안재홍·이승복·백홍균, 인민당에서는 이영성·김세용·김오성 등이 참여하였다.[33]

4당 회의 결과 한민당의 김병로가 집필한 4당 공동 코뮈니케가 발표되었다. 그 핵심 내용은 이런 것이었다.

"조선 문제에 관한 막사과(莫斯科: 모스크바) 3국 외상회의의 결정에 대하여 조선의 자주독립을 보장하고 민주주의적 발전을 원조한다는 정

---

32) 서중석, 『한국현대민족운동연구: 해방후 민족국가 건설운동과 통일전선』(역사비평사, 1991), 337~338쪽.
33) 서중석, 위의 책, 338쪽.

신과 의도는 전면적으로 지지한다. 신탁(국제헌장에 의하여 의구되는 신탁제도)은 장래 수립될 우리 정부로 하여금 자주독립의 정신에 기(基)하여 해결케 함."[34]

서중석은 "이 4당 합의는 역사적으로 중요한 의미를 갖고 있다"며 "합의의 내용도 중요하지만, 그보다 중요한 것은 이 합의가 해방 이후 좌우익 간에 있었던 최초의 중요한 합의였다는 점이다"라고 했다.

"그리고 이 이후에는 공산당과 한민당이 함께 합의한 일은 없었다. 모스크바 삼상회의 결의가 국제적으로 한국에 통일된 독립정부를 수립하자는 데 합의를 본 유일한 문서라면, 이 4당 코뮈니케는 국내의 주요 정당이 한국에 민족국가를 건설하는 데 합의를 본 유일한 문서였다."[35]

당시 신문들도 그런 의미에 주목하여 1면 톱으로 보도하고 호외까지 냈다. 그러나 다음날인 1월 8일 한민당은 김병로와 원세훈을 규탄하고, 신탁통치 반대의 정신을 몰각하였기 때문에 이 공동 코뮈니케를 승인치 않는다는 성명서를 냈다. 국민당도 비슷한 이유로 반대 의사를 표시하였다.[36]

1월 8일 앞의 4당에 중도우파의 성격을 가진 신한민족당을 가담시켜 5당 회의를 열었고, 1월 11일에도 5당 회의를 열었지만 신탁통치 문제로 산회하고 말았다. 1월 12일엔 서울에서 반탁시민대회가 열렸다. 다음날인 1월 13일 인민당은 "기성 정부 절대 고집은 통일의 암"이라고 지적하면서 "좌우 세력은 국가 건설의 현실적 요소임을 인정하고 5당 회의에 인민공화국과 중경 임시정부는 간섭하지 말라"는 성명을 발표하였다.[37]

1월 14일과 16일 5당 회의가 속개되었고, 인민당은 "삼상회의에서 조

34) 서중석, 『한국현대민족운동연구: 해방후 민족국가 건설운동과 통일전선』(역사비평사, 1991), 339쪽에서 재인용.
35) 서중석, 위의 책, 339쪽.
36) 서중석, 위의 책, 339쪽.
37) 서중석, 위의 책, 340쪽.

선의 자주독립국가 건설을 원조하는 것은 지지하나 탁치는 반대한다"는 타협안을 제시했으나, 결국 5당 회의는 실패로 돌아가고 말았다. 1월 15일부터 박헌영 발언 파동으로 나라가 들끓었던 것도 적잖은 영향을 미쳤겠지만, 결국 중경 임정 측의 법통 주장과 신탁통치 문제가 최대의 장벽임을 재확인하게 되었다.[38]

38) 서중석, 『한국현대민족운동연구: 해방후 민족국가 건설운동과 통일전선』(역사비평사, 1991), 340쪽; 조동걸, 『한국현대사의 이해와 논리』(지식산업사, 1998), 358~359쪽.

국방경비대 창설: 국군 창설을 위하여

조선국군준비대의 해산

미군정 당국자들은 45년 10월 경찰을 보완할 목적으로 국군을 창설하기로 결정했다. 이에 따라 11월 13일 군정 법령 제28호에 따라 경찰과 육군 및 해군 부서들로 구성된 군사국을 총괄, 통제할 '국방부'가 설치되었으며, 46년 1월 15일에 국방경비대가 창설되었다.

국방경비대는 태릉에 있던 일본군 지원병훈련소(현재의 육군사관학교)에서 660명의 병력으로 출발하였다. 커밍스는 45년 "10월 중순에 이르러서는 인민위원회, 농민동맹 및 기타 좌경조직들이 남한 각지에 산재하고 있다는 지방으로부터의 보고가 하지의 신경을 자극하였"기 때문에 "국방경비대의 창설은 점령 당국이 남한에서 부닥친 혁명적 조건에 대한 반응"이었다고 했다.[39]

---

39) 브루스 커밍스, 김자동 옮김, 『한국전쟁의 기원』(일월서각, 1986), 228쪽.

초창기 국방경비대의 모습. 말을 탄 장교의 모습이 이채롭다.

　　이러한 결정의 이면엔 당시 존재하던 많은 수의 비공식적 또는 사설
군사단체에 대한 미군정의 우려가 작용했다. 미군정은 특히 그런 단체들
중 가장 강력한 인공의 조선국군준비대에 주목했다. 46년 1월 미군정의
지시를 받은 국립경찰과 미 헌병부대는 서울에 있는 국군준비대의 본부
와 양주군에 있는 그 훈련학교를 습격하여 해산시켰다.[40]
　　이 습격엔 김두한이 이끄는 대한민청의 대원들도 가담했다. 김두한은
자신의 회고록에서 자신이 국군준비대 1천300명을 죽이고 시체에 휘발
유를 뿌려 화장했다고 자랑했지만, 한홍구는 이 주장이 김두한의 반공

---

40) 송광성, 『미군점령 4년사: 우리나라의 자주·민주·통일과 미국』(한울, 1995), 107~109쪽; 한국반탁·반
　　공학생운동기념사업회, 『한국학생건국운동사: 반탁·반공학생운동 중심』(대한교과서, 1986), 59쪽.

208＿＿한국 현대사 산책·1940년대편 ①

(反共) 과장벽에서 비롯된 것이라고 보았다. 당시엔 10명의 학살도 있지 않았고 있을 수도 없었다는 것이다.[41]

군사영어학교의 개설

한국 군대 창설의 당면 문제 가운데 하나는 언어 장벽이었다. 이를 해결하기 위해 미군정은 45년 12월 5일 군사영어학교를 만들었다. 미 군정청은 일본군 대좌 출신의 이응준, 만군 중좌 출신의 원용덕, 중국군 출신의 조개옥에게 위탁하여 생도 모집에 나섰다.

군사영어학교의 1기생인 60명의 장교 후보들은 3개의 집단에서 뽑았는데, 이들은 일본군 출신 20명, 일본 관동군 출신 20명, 임정 산하의 광복군 출신 20명이었다. 입교 40여 일 만인 1946년 1월 15일 이형근 · 채병덕 · 정일권 · 김종오 등 21명이 1차로 임관했다. 뒤이어 1월 22일 백인엽 외 3명, 2월 7일 정래혁 외 1명, 2월 9일 원용덕 외 3명, 2월 26일 백선엽 · 이한림 외 3명, 3월 23일 이후락 · 장도영 외 11명, 5월 1일 송요찬 · 강영훈 외 15명 등 46년 4월 30일 폐교시까지 모두 119명이 이 학교 출신으로 경비대 장교로 임관했다.[42]

군사영어학교에 들어간 광복군 출신들은 일본군 출신들을 싫어하였기 때문에 "소란스럽고 불평하는 소수파"가 되어 대부분 국방경비대의 고위직을 얻지 못하였다. 게다가 미군정은 경비대 장교는 투옥 경력이 없어야 된다고 규정함으로써 국내외에서 조선의 독립을 위해 투쟁한 용사들을 배제시켰기 때문에 국방경비대는 일본 식민지의 군사적 배경을

---

41) 한홍구, 〈한홍구의 역사 이야기: 황당한, 그러나 미워하기 힘든…〉, 『한겨레 21』, 2002년 11월 14일, 87면.
42) 박영수, 『운명의 순간들: 다큐멘터리 한국근현대사』(바다출판사, 1998), 201~202쪽; 양병기, 〈한국 군부의 역할과 공과〉, 이우진 · 김성주 공편, 『현대한국정치론』(사회비평사, 1996), 412쪽.

지닌 장교들의 집합 장소가 되고 말았다.[43]

국방경비대 총사령관 원용덕은 만주 군의(軍醫) 중좌 출신이었으며, 제1연대장 채병덕은 일본육사 49기, 제2연대장 이형근은 일본육사 56기, 제4연대장이자 경비대 총참모장 정일권은 만주군관학교, 나중에 창설된 제5연대장 백선엽은 만주군관학교 출신이었다. 국방경비대 창설의 산파역을 맡았던 미 군정청 국방부 고문 이응준도 일본육사 26기생으로 육군 대좌(대령) 출신이었다.[44]

그러나 나중엔 좌익이 대거 국방경비대에 들어감으로써 국방경비대의 성격이 달라지게 된다. 그래서 국립경찰과 경비대 사이의 무장충돌도 자주 발생하게 되었다. 46년 봄 중국에서 돌아와 경비대의 고문직을 맡은 이범석이 5개월 후 사임하면서 그 이유로 든 것도 경비대가 너무 '불그스름하다'는 것이었다.[45]

경비대는 경찰예비대?

46년 6월 15일, 미소공동위원회에서 소련 측이 명칭과 그 숨은 뜻에 대해 문제를 제기하자 미군정은 '국방경비대'를 '조선경비대'로 바꾸었다. 아울러 국방부는 경무부로, 군사국은 경비국으로 이름을 바꾸었다.[46]

이러한 이름 바꾸기가 말해 주듯이, '국방경비대'라는 명칭을 둘러싼 논란은 처음부터 뜨거웠다. 45년 12월 군사영어학교 1기생들이 주고받

---

43) 송광성, 『미군점령 4년사: 우리나라의 자주 · 민주 · 통일과 미국』(한울, 1995), 107~109쪽.
44) 이강수, 『반민특위연구』(나남, 2003), 39쪽.
45) 브루스 커밍스, 김자동 옮김, 『한국전쟁의 기원』(일월서각, 1986), 232, 235~236쪽.
46) 브루스 커밍스, 김자동 옮김, 위의 책, 109~110쪽; 송광성, 위의 책, 107쪽; 박영수, 『운명의 순간들: 다큐멘터리 한국근현대사』(바다출판사, 1998), 296~297쪽.

은 대화를 음미해 보자.

"군정청에서는 법령대로 건국정부의 국군이 될 모체를 만들기 위해 국방군을 창설하고 4만 5천 명의 장병을 모집하려고 했다네. 그런데 소련과 영국이 반대를 했다는 거야. 그래서 미국 정부는 국방군이 아닌 경찰예비대를 편성하기로 방침을 바꿨다는 걸세."

"뭐야? 경찰? 아니 그럼 우린 군인이 되는 게 아니라 경찰이 된단 말인가?"

"그런 셈이지. 임무 또한 국토방위가 아니라 국내 치안으로 한정이 된다고 하더구먼. 모집 인원도 4만 5천에서 2만 5천으로 대폭 줄이고."

"그렇다면 우린 뭐지? 경찰통역관이 된단 말 아닌가? 응? 경찰통역관 되려고 이 고생을 했단 말여?"

민기식이 화가 나서 어쩔 줄을 몰랐다. 여러 가지 소문이 꼬리를 물었지만 김종오가 들은 정보가 사실임이 나중엔 증명되었다. 이른바 우리 국군의 모태가 된 '국방경비대'가 창설된 것은 그로부터 한 달이 지난 뒤였지만 지원병을 모집할 때의 정식 명칭은 '국방경찰예비대'였던 것이다. 군정청은 이름 그대로 조선경찰예비대(Korea Constabulary Reserve)를 창설하기로 하겠다고 공표했으나 그것을 국역하는 과정에서 국군 창설을 주장하던 주도세력들이 우리의 자존심이 허락지 않는다 하여 '국방경찰예비대'라는 명칭에서 '찰'과 '예'만 빼버리고 '국방경비대'라고 명칭을 바꾸었던 것이다. 그거야말로 녹피(鹿皮)에 가로 왈(曰)이었다. 군정청에서 트집을 잡아도 국방경비대는 약칭이라 하여 빠져나갈 수 있었던 것이다.[47]

경비대가 경찰예비대인가 아닌가 하는 문제는 이후 경비대와 경찰 사이에 벌어진 치열한 갈등의 한 요인이 되었다. 국방경비대마저 당시 온 사회를 휩쓸던 좌우 갈등의 소용돌이를 피해 갈 수는 없었기에, 이는 두고두고 터져 나올 갈등과 분쟁을 예비해 둔 셈이었다.

---

47) 유현종, 『장편소설 백마고지: 김종오 장군 일대기』(을지출판공사, 1985), 91~92쪽.

"쌀이 아니면 죽음을 달라!"

미군정의 자유시장제의 파탄

1945년은 쌀 풍년이었다. 이제 더 이상 쌀을 일본으로 보내지 않아도 됐다. 해방의 기쁨은 쌀의 과소비로 나타났다. 45년 가을 추곡 수확량 가운데 절반 정도가 술·떡·엿을 만드는 데 사용되었다.[48] 그러나 그런 기쁨은 잠시였다. 쌀값이 무섭게 치솟기 시작했다. 그 주된 이유는 미군정의 잘못된 정책에 있었다.

미군정은 어리석게도 45년 10월 5일부터 조선의 실정에 전혀 맞지 않는 자유시장 정책을 실시하여 투기만 불러 일으켰다. 쌀의 도매 시세를 보면 1945년 11월에 석당(石當) 650원 하던 것이 이듬해 1월에는 5천600원으로 폭등했다. 심지어 일부 경찰과 군정 관리들까지 투기에 손을 대 쌀을 일본으로 빼내 팔아넘기는 일까지 벌어졌다.[49]

---

48) 전상인, 〈해방공간의 사회사〉, 박지향 외 엮음, 『해방 전후사의 재인식 2』(책세상, 2006), 150~151쪽.

조정래의 『태백산맥』은 "일정 시대부터 사업을 해온 손 큰 사람들은 뒤늦게 자유시장체제가 무엇인지를 알아내고 서로 다투어 매점매석에 뛰어들게 되었다"며, "한 달 사이에 세 배로 오르다가, 두 달 사이에 여덟 배로 뛰어올랐다. 쌀을 창고에서 잠을 재울수록 돈은 불어나고 있었다"라고 했다.

"거기에는 전문적인 사업가들만 몰려든 것이 아니었다. 돈푼깨나 가진 관리들이 거간꾼을 앞세워 돈을 풀어대고 있었고, 장사물리를 어느만큼 아는 지주나 부자들도 돈질을 해대고 있었다. …… 하루에도 몇 번씩 출렁거리는 쌀값은 상상보다도 훨씬 무서운 기세로 치솟아 오르고 있었다. …… 쌀값 오르기를 부채질하고 있는 입장에서도 겁이 날 지경이었다. 그런데도 쌀은 품귀현상을 일으키고 있었다. 품귀현상은 값을 오르게 했고, 멈춤이 없는 오름세는 새로운 품귀현상을 빚어내고 있었다."[50]

쌀 품귀현상으로 쌀을 구할 수 없게 된 서울 시민들은 46년 1월 초부터 서울시청 앞으로 몰려나와 쌀을 달라는 데모를 벌이기 시작했다. 이에 미군정은 46년 1월 25일 미곡 수집령(법령 45호)을 발포하여 미곡에 대한 전면적 통제에 들어갔다. 미곡 자유시장을 폐지하고 강제로 미곡의 수집, 즉 식량을 공출하겠다는 것이었다. 그렇게 공출한 쌀로 배급을 했는데, 배급량은 일제치하 전시 중 총독부가 준 배급량의 절반인 1일 1홉이었다.[51]

49) 박영수, 『운명의 순간들: 다큐멘터리 한국근현대사』(바다출판사, 1998), 203~205쪽; 브루스 커밍스, 김자동 옮김, 『한국전쟁의 기원』(일월서각, 1986), 268쪽; 윤대원, 『일하는 사람들을 위한 한국현대사』(거름, 1990), 44쪽.
50) 조정래, 『태백산맥 2』(해냄, 1995년 제2판), 17~18쪽.
51) 브루스 커밍스, 김자동 옮김, 위의 책, 268쪽.

3·1제 소작제 실시

미군정은 소작 문제도 제대로 다루지 못했다.

일제는 지주를 조선 농민의 착취수단으로 이용하였다. 반소작인(24%)을 포함하여 조선 농민의 4분의 3 이상이 지주에게 착취당했다. 1945년 현재, 농민의 약 83.5%가 소작인 또는 반소작인이었고, 쌀 경작지의 70%를 소작인이 경작했다. 더구나 소작 가구의 91%가 가구당 2정보 미만을 경작했고, 그들 중 70%는 가구당 1정보 미만이라는 작은 땅을 경작했다.[52]

이런 사정을 무시하고, 미군정은 처음엔 구질서를 그대로 유지하려고 했지만 계속 그런 정책을 유지했다간 군정 자체가 유지될 수 없다는 걸 깨닫게 되었다. 미군정은 소작료라도 낮추지 않으면 안 되겠다는 판단을 내렸다. 그런 판단하에 나온 것이 바로 1945년 10월 5일의 미군정 법령 제9호였다. 이는 "형태야 돈이건 실물이건 상관없이 소작료는 이제부터 자연적인 수확량의 삼분의 일을 넘지 못한다"는 것이었다.[53]

소작료의 상한선을 3분의 1로 정한 3·1제 소작제 실시는 당시 남한의 일반적인 소작료율이 50%를 넘는 상황이었기 때문에 획기적인 결정이긴 했다. 그러나 위반시 강제적 처벌을 할 수 있는 뒷받침을 하지 않았기 때문에 빛 좋은 개살구에 불과했다. 대부분의 지주들이 이 법령을 지키지 않았으며, 3·1제가 실시된 경우에도 전에 지주가 부담하던 관개시설 사용료 등 모든 비용을 소작인에게 전가시키거나 소작료율 제한 이외의 일체의 소작 조건을 종전대로 방치함으로써 소작인들의 사실상의 부담은 크게 개선되지 않았던 것이다.[54]

---

52) 송광성, 『미군점령 4년사: 우리나라의 자주·민주·통일과 미국』(한울, 1995), 170~171쪽.
53) 송광성, 위의 책, 170~171쪽.

미군정은 46년 2월 21일 신한공사(新韓公社)를 창설하였다. 이는 일제 시기의 동양척식주식회사를 바꾼 것으로 이미 45년 11월 12일부터 운영되고 있던 것에 새로운 이름만 붙인 것이었다. 신한공사는 과수원, 산림 등을 제외하고 토지와 소작농가 관리를 맡았는데, 이는 남한 전 경지면적의 13.4%와 전체 농가 호수의 27%를 차지하는 것이었으며, 신한공사 소유지의 쌀 생산은 남한 총생산의 25%에 달했다. 신한공사의 직원 수는 4천여 명으로 각 도당 대략 25~30개의 지소가 운영되었다. 직원들에게 징수량의 일부를 떼어주는 방식을 택했기 때문에 신한공사 직원들은 소작료를 받아내는 데 있어서 경찰보다 더 혈안이었다.[55]

소작농에 대한 가혹한 대응

초기에 미군정의 미곡 공출은 실패로 돌아가 계획량의 10%만을 수집하였는데, 이는 주로 지주들의 반대로 인한 것이었다. 미곡수집령에 따르면 지주는 소작료를 소작농으로부터 직접 현물로 받을 수 없고, 소작농이 직접 소작료에 해당하는 현물을 미곡수집소에 전달하고 지주는 단지 공출증만을 받을 수 있었다. 지주는 소작료를 낮추어 준다고 소작농을 유혹하여 소작농으로 하여금 현물을 바치게 함으로써 소작농의 불공출을 권장하였던 것이다.[56]

그러나 미군정은 소작농에 대해서만 가혹하게 대응했다. 미곡 공출에 경찰을 투입하였는데, 경찰관은 수집 할당량을 채우지 못했을 때 처벌받

54) 신병식, 〈토지개혁을 통해 본 미군정의 국가성격: '국가주의적 접근'〉, 『역사비평』, 창간호(1988년 여름), 186쪽; 송광성, 『미군점령 4년사: 우리나라의 자주 · 민주 · 통일과 미국』(한울, 1995), 170~171쪽; 황한식, 〈미군정하 농업과 토지개혁정책〉, 강만길 외, 『해방전후사의 인식 2』(한길사, 1985), 272쪽.
55) 신병식, 위의 글, 189쪽; 오연호, 『식민지의 아들에게: 발로 찾은 '반미교과서'』(백산서당, 1990), 60~61쪽. 신한공사는 토지 매각이 발표된 48년 3월에 해체되었다.
56) 신병식, 위의 글, 186~187쪽.

거나 파면을 당했기 때문에 공출을 거절하는 농민들에게 수갑을 채워 유치장에 가두고 음식도 주지 않는 등 가혹행위를 자행하였다.[57]

미곡 수집 과정에서 처벌받은 사람만도 8천600여 명에 이르렀다. 당시 공출에 저항했던 한 농민의 증언이다.

"미군정 당시에 주민들은 군정청에 협조 안했어요. 예를 들면 공출을 하는 데도 돌을 섞어 내거나 안 내기도 하고 물속에 숨기기도 했죠. 근데 미군정 책임자가 군수를 호송해서 면장도 잡아넣고 직접 나서서 집을 뒤졌어요."[58]

미군정은 그런 억압적 방식과 더불어 강력한 선전계획도 실시하였다. 모든 언론사들을 최대한 활용하였고, 포스터를 붙이고 비행기를 통해 삐라를 살포하였으며, 120명으로 이루어진 유세반까지 편성하여 농촌에 파견하였다.[59]

전상인은 엄청난 저항을 자초한 미군정의 식량 강제공출 정책은 불가피한 측면이 많았다며, "1946년 봄의 상황에서 만약 미국이 식량공출제를 실시하지 않았으면 아마도 민중봉기는 그해 가을 지방의 농촌에서가 아니라 그해 봄 서울과 같은 대도시에서 먼저 시작되었을 것이다. 식량 문제에 관한 한 도시와 농촌의 이해가 일치하지 않았던 것이다"라고 했다.[60]

57) 브루스 커밍스, 김자동 옮김, 『한국전쟁의 기원』(일월서각, 1986), 271쪽.
58) 이동원·조성남, 『미군정기의 사회이동: 배경, 특성, 그리고 그 영향』(이화여자대학교출판부, 1997), 37쪽에서 재인용.
59) 신병식, 〈토지개혁을 통해 본 미군정의 국가성격: '국가주의적 접근'〉, 『역사비평』, 창간호(1988년 여름), 188쪽.
60) 전상인, 『고개숙인 수정주의: 한국현대사의 역사사회학』(전통과현대, 2001), 397쪽.

'쌀 구하기' 전쟁

그러나 공출 목표의 미달과 턱없이 모자라는 배급량으로 인해 도시에서의 쌀 위기는 계속되었다. 5일치 분량이라는 게 하루 먹고 나면 그만인 정도였다.[61] 『조선인민보』는 식량 문제를 거론하면서 우익과 임시정부까지 격렬하게 비난하였는데, 이 신문 46년 2월 5일자는 식량 부족으로 굶주리는 민중의 고통을 언급한 뒤 이렇게 주장했다.

"임정의 대감들은 하계(下界)의 한국 인민의 생활을 모르는가. 안다면 그 해결을 위하야 구체적으로 활동하고 있는가. 모리배들을 동원하야 지방에 유세하고 공산주의자를 격렬분자라 하고 농민이 일을 안하고 있다고 애망한 농민을 모욕함으로써 해결할 방도를 강구할 수 있을까."[62]

이 신문은 미군정도 비난했다. 3월 26일자 사설은 "일본 제국주의의 폭학(暴虐)도 능히 조선 민중에게 최소의 호구량을 보장할 수 있었나니 조선 해방의 은인이며 조선 독립의 원군인 미군정 당국이 어찌 이에 무관심할 수 있으랴"라면서 미곡의 수집과 배급을 인민의 손을 통해 실시할 것을 주장하였다. 쌀을 달라고 서울시청 앞에 모여든 군중 가운데 부인 한 사람이 총에 맞아 부상한 사건을 보도한 4월 2일자 사회면 기사는 〈쌀 대신에 총부리 응수/어제 시청 앞에 유혈의 참극〉이라는 제목을 달았다. 미군정은 이 두 건을 포함한 5건의 기사를 문제 삼아 4월 하순 『조선인민보』 사장 홍증식과 편집국장 김오성을 군정 포고를 위반한 혐의로 구속했다.[63]

그러나 『조선인민보』의 주장은 결코 과장된 것이 아니었다. 당시 서

---

61) 파냐 이사악꼬브나 샤브쉬나, 김명호 역, 『1945년 남한에서: 어느 러시아 지성이 쓴 역사현장기록』(한울, 1996), 257쪽.
62) 정진석, 『언론과 한국현대사』(커뮤니케이션북스, 2001), 439쪽에서 재인용.
63) 정진석, 위의 책, 438쪽.

울역을 이용하는 승객 2만 명의 약 44%가 그들의 가족을 위해 지방으로 쌀을 구하러 가는 사람들이었다. 굶주린 군중들은 모리배 상인들이 목포에서 한강을 따라 운반해 오는 쌀을 기다리고 있었으며, 쌀을 살 수 없는 남편이 아내와 아이들을 죽이고 자신도 자살한 사건까지 일어났다.[64]

미군정 산하의 방송국 종사자들까지 굶주림을 호소하였는데, 『한성일보』 46년 4월 7일자 기사에 따르면, "쌀 기근의 소리는 서울방송국에까지! 중앙방송국 기술진은 지금 받고 있는 급료로는 도저히 생활을 유지할 수 없어 마음 놓고 방송업무에 종사할 수 없으니 급료를 인상하여 주거나 쌀을 매일 2홉씩 배급하여 달라고 총파업을 단행했다."[65]

미군 감독관이 방송 개선안을 적어내라고 하자, 서울방송국의 기자 문제안은 46년 5월 27일 의견서를 제출하면서 방송국 직원들의 호구지책(糊口之策) 문제도 거론하였다.

"나는 크게 부르짖는다. 내 어머니에게 쌀을 달라! 그렇지 않으면 나에게 죽음을 달라! 쌀만 내 어머니에게 풍부히 준다면 나는 조선방송 사업을 위해서 내 목숨을 아끼지 않으리라!"[66]

『전국노동자신문』 46년 7월 29일자에 따르면, 서대문과 광화문 체신국에서는 "쌀 사러 가기 때문에 결근이 매일 혹은 월요일마다 10명 내지 20명"이 나왔고, 서울중앙우편국의 경우 1개월 40~60명의 결근자가 나왔다.[67] 전국 각지에서 공출을 둘러싼 유혈사태도 끊이지 않았다.[68]

---

64) 유광호, 〈미군정시대 남조선의 농업실상과 농업정책〉, 정용욱 외, 『'주한미군사'와 미군정기 연구』(백산서당, 2002), 161~162쪽.

65) 이내수, 『이야기 방송사 1924~1948』(씨앗을뿌리는사람, 2001), 309~310쪽에서 재인용.

66) 이내수, 위의 책, 307쪽에서 재인용. "죽음을 달라"라는 표현이 문제가 돼, 문제안은 이 일로 7월 27일 아침 10시에 파면당했다. 그는 그날 오후 2시에 조선통신사 기자로 취직되었다. 문제안, 〈이제부터 한국말로 방송한다〉, 문제안 외, 『8·15의 기억: 해방공간의 풍경, 40인의 역사체험』(한길사, 2005), 34~35쪽.

67) 조순경·이숙진, 『냉전체제와 생산의 정치: 미군정기의 노동정책과 노동운동』(이화여자대학교출판부, 1995), 234~235쪽.

68) 46년 7월 3일 경북 왜관에선 미군용 공출 운반트럭 3대가 주민들의 습격을 받자 미군이 발포하여 주민 1명 사망, 46년 10월 5일 미군 17명이 호위하는 추곡수집대가 경북 선산을 떠날 때 쌀 반출에 항의하며 돌

그런 혼란한 와중에서도 미군정은 쌀 수집과 배급 절차를 통해 좌익을 통제하고 탄압했다.[69]

한국인에게 쌀은 생존의 신앙이자 한(恨)이었다. 일제 치하의 식민통치에 가장 한 맺힌 것 중의 하나도 바로 쌀과 관련된 것이었다. 그런데 해방된 땅에서 '쌀 구하기' 전쟁을 벌여야 했다니! 무지하고 오만했던 미군정에게 가장 큰 책임을 물어야 할 일이었지만, 민생 문제는 완전히 외면한 채 좌우 대립에만 몰두했던 한국 정치인들도 면책될 수는 없었다. 그들은 과연 어떤 식으로 쌀을 구했는지 이에 관한 기록이 없는 게 아쉽다.

을 던지는 군중들에게 발포하여 주민 2명 사망, 47년 1월 26일 전북 완주군 조촌면 장도리에서 미군 공출 독려대의 발포로 주민 1명 사망 등 46년과 47년에 모두 6명의 농부가 미군 공출 독려대가 발사한 총에 맞아 숨졌다. 오연호, 『더이상 우리를 슬프게 하지말라: 발로 찾은 주한미군범죄 45년사』(백산서당, 1990), 20~31쪽.

69) 박찬표, 『한국의 국가형성과 민주주의: 미군정기 자유민주주의의 초기 제도화』(고려대학교출판부, 1997), 121쪽; 브루스 커밍스, 김자동 옮김, 『한국전쟁의 기원』(일월서각, 1986), 470쪽.

따로 치른 3·1절 행사: 민주의원과 민족전선

굿펠로우와 이승만의 '재치있는 공작'

민중이 "쌀이 아니면 죽음을 달라!"고 외치는 가운데 정치권은 여전히 좌우 갈등으로 몸살을 앓고 있었다.

임정은 1946년 1월 20일 비상정치회의 제1차 주비회를 개최하였다. 우익진영은 좌익이 불참한 가운데 2월 1일 독립촉성중앙협의회와 비상정치회의 주비회를 통합하여 비상국민회의를 결성하였다. 비상국민회의는 46년 2월 13일 이승만, 김구, 김규식, 여운형, 조소앙, 안재홍 등 28명의 최고정무위원직을 선출하였다.

1946년 2월 14일 "미군 총사령관이 한국의 과도정부 수립을 준비하는 노력에 자문기관으로 협력"한다는 성격을 표방한 남조선대한국민대표민주의원(민주의원)이 출범하였다. 의장은 이승만, 부의장은 김구와 김규식이었다. 이 기구는 반탁을 주도적으로 펼치고 있던 우익 지도자들을 포섭하기 위해 미군정이 만든 것으로, 비상국민회의 최고정무위원 28명

1946년 2월 14일, 이승만 의장과 김구 · 김규식 부의장을 중심으로 하는 민주의원(民主議院) 결성식 장면. 이 기구는 미군정의 자문기관 역할을 맡았다.

전원이 민주의원의 의원으로 임명되었다.

　여운형은 불참을 선언하였다. 그럴 만도 했다. 이는 사실상 '바꿔치기'였기 때문이다. 비상국민회의 최고정무위원회를 민주의원으로 이름을 바꿔 미군정 사령관을 보좌하는 자문기관으로 만든 거나 다를 바 없었다는 것이다.[70]

　도진순은 이를 하지의 정치고문 프레스턴 굿펠로우와 이승만이 벌인 '재치있는 공작'의 결과였다고 했다.[71] 굿펠로우의 여운형 영입 공작은 '정치적 사기극'에 가까운 것이었다는 주장도 있다. 여운형을 속였다가 여운형이 그 실체를 알고 참여하지 않았다는 것이다.[72]

---

70) 김재명, 『한국현대사의 비극: 중간파의 이상과 좌절』(선인, 2003), 36쪽.
71) 도진순, 『한국민족주의와 남북관계: 이승만 · 김구 시대의 정치사』(서울대학교출판부, 1997), 68쪽.
72) 정용욱, 『존 하지와 미군 점령통치 3년』(중심, 2003), 109쪽; 박인규, 〈'민주의원'과 굿펠로: "남한최초 과정(過政) 내가 세웠다"〉, 『경향신문』, 1995년 1월 26일, 11면.

그러나 한민당은 만세를 불렀다. 『동아일보』는 민주의원 개원을 큰 활자로 〈새 천지에 새 광명의 날: 민족적 영예의 감읍의 순간〉이라는 제목으로 대서특필하였다. 김성수는 사적으로 100만 원(6만 7천 달러에 해당)을 민주의원에 기부하였다. 미군정은 일본인들이 남기고 간 최고급 승용차 50대를 의원들의 출퇴근용으로 배정하였다.[73]

대한경제보국회도 민주의원에 200만 원을 기부하였다. 대한경제보국회는 45년 12월 12일 황해도 출신의 대지주 김홍량을 비롯한 재력가들이 "경제를 통해 애국을 하겠다"는 취지로 결성한 모임이었는데, 그 탄생의 주역은 이승만이었다. 이승만의 초청장을 받은 재력가들이 이승만의 숙소인 돈암장에서 첫 모임을 갖고 경제보국회를 결성한 것이다. 이승만은 이미 45년 11월 말 또는 12월 초 돈암장으로 재력가 20여 명을 불러모아 "새로운 정부가 수립되려는 모든 국가 지도자들은 경제적으로 부유한 시민들의 지원을 받는다. 조선에서는 이러한 지원이 매우 부족하다"면서 경제보국회 결성을 독려했다는 것이다.[74]

경제보국회는 이승만·김구·김규식 등 해방정국의 '3거두'를 비롯한 우익 정치인들에게 정치자금을 제공하였는데, 이들 중 가장 큰 혜택을 받은 건 이승만이었다. 이승만은 46년 5월 경제보국회로부터 1천만 원의 정치자금을 제공받았다.(당시 쌀 한 가마니 값은 4천~5천 원)[75]

73) 서중석, 『한국현대민족운동연구: 해방후 민족국가 건설운동과 통일전선』(역사비평사, 1991), 344쪽.

74) 김재명, 〈정치헌금: 대한경제보국회 등 통해 1년간 3천만원 모금〉, 『월』, 1996년 9월, 72~73쪽.

75) 김재명, 위의 글, 73쪽; 정병준, 〈이승만의 정치고문들〉, 『역사비평』, 제43호(1998년 여름), 173쪽. 정병준은 나중에 "이승만이 김구를 제치고 정치적 헤게모니를 잡는 과정에서 정치자금이 중요한 역할을 했다"며 "스스로의 사업가적 기질과 미군정의 후원 아래 상당한 정치자금을 운용했던 이승만과 달리 만성적 자금난에 시달렸던 김구는 활동이 위축될 수밖에 없었다"고 말한다. 한윤정, 〈정치자금으로 본 해방정국: 돈줄 막힌 김구 화교무역으로 활로 모색〉, 『경향신문』, 2002년 2월 2일, 7면.

"미국놈 믿지 말고 소련놈에 속지 말라"

미군정은 민주의원을 남한 민중을 대표하는 기구로 선전하였지만, 반대파들은 일제하 중추원에 비유하였다.[76] 커밍스는 이즈음 "임정은 이미 해체되어 있었으며 김구의 심한 체면 손상은 이승만 밑에서 제2인자의 역할을 할 수밖에 없게 된 것이었다"라고 했다.[77]

아닌 게 아니라 임정 내에서도 큰 논란이 벌어졌다. 임정 내 좌파인 민혁당의 반발이 거세 "격앙된 양측 국무위원들 사이에서 찻잔을 서로 집어던지고 이놈 자식, 저놈 자식 하며 욕설이 오가는 등 국무위원회 석상은 난장판이 되었다."[78]

김성숙은 임정의 주석(김구), 부주석(김규식), 국무위원들(조완구, 조소앙, 김붕준)이 최고정무위원 28명 가운데 섞여 외국 군정사령관의 자문기관원으로 소속된다는 것은 민족 대중에 대한 배신이며, 임정의 기치 아래 투쟁하다가 숨진 동지들의 영령에 대한 '철면피한 배신'이라고 비판했다. 그는 "만약 임정이 민주의원에 참여하려면 먼저 임정의 자진 해산을 만천하에 공포해야 할 것"이라고 주장했다.[79]

김원봉, 장건상, 성주식 등도 김성숙의 주장을 거들고 나섰지만, 이런 반대의견은 소수에 지나지 않았다. 결국 임정 내 좌파는 임정을 떠나고 말았다. 생각해 보면 이상한 일이었다. 임정 법통론을 완강하게 고집한 쪽은 김구의 한독당 계열이었는데도 불구하고, 그 문제에 대해 신축적이었던 민혁당이 아닌 한독당 측이 미군정의 자문기구에 불과한 민주의원을 포용했다는 것이 말이다.

---

76) 엄인호, 『김원봉 연구: 의열단, 민족혁명당 40년사』(창작과비평사, 1992), 325~326쪽.
77) 브루스 커밍스, 김자동 옮김, 『한국전쟁의 기원』(일월서각, 1986), 302쪽.
78) 엄인호, 위의 책, 326쪽.
79) 김재명, 『한국현대사의 비극: 중간파의 이상과 좌절』(선인, 2003), 36~37쪽.

민주의원은 우익 중심이라 대표성을 갖기 어려운 데다, 회의체의 모양을 갖추긴 했으나 의결기관이 아니라 자문기관이라 법을 만들 수 없었다. 민주의원의 업적(?)을 굳이 들자면 3월 1일을 공휴일로 정한 것과 차량 통행을 좌측에서 우측으로 변경한 것 정도였다. 민주의원은 46년 11월에 과도입법의원이 창설될 때까지 자문기구로 존속하게 되지만, 하지로선 "또 한번 망신을 당한 것이었다."[80]

당시 거리에는 다음과 같은 속담이 나돌았다.

"하지 하지 하고 하지 않는 것이 하지 중장이다."

"미국놈 믿지 말고 소련놈에 속지 말라, 일본 일어난다. 조선 조심해라!"[81]

민주주의민족전선의 결성

민주의원 지도부 구성은 이승만과 김구에 의해 이루어졌기 때문에 좌익은 배제되었다. 좌익은 바로 다음날인 2월 15일 종로 YMCA에서 민주주의민족전선(민전)을 결성하는 것으로 대응했다. 민전은 당시 남한에서 활동하고 있던 조선공산당, 조선인민당, 독립동맹(나중에 남조선신민당으로 개명), 전평, 전농, 조선문학가동맹 등 29개 좌익 계열의 정당·사회단체가 망라한 조직으로서, "인공의 직접적 후계자였다."[82]

민전은 '모스크바 삼상회의 총체적 지지'를 주장하며 친일파·민족반역자·파시스트·민족분열자 등을 배제한 민주주의 민족통일체임을 선언하고, 조선의 완전 자주독립, 민주주의 공화제 실시, 파시즘 근절, 남녀평등, 토지·농업 문제의 시민적 해결, 여덟 시간 노동제와 최저임

80) 브루스 커밍스, 김자동 옮김, 『한국전쟁의 기원』(일월서각, 1986), 305쪽.
81) 박영수, 『운명의 순간들: 다큐멘터리 한국근현대사』(바다출판사, 1998), 215~216쪽.
82) 브루스 커밍스, 김자동 옮김, 위의 책, 307쪽.

금제 실시, 중소 상공업의 자유 발전과 국가보호지도, 식량 및 생활필수품 적정 배급 등을 행동 슬로건으로 제시했다.[83]

임정을 떠난 김원봉, 김성숙, 장건상, 성주식 등 4인은 민전에 참여하였으며, 민전의 공동의장엔 여운형, 허헌, 박헌영, 백남운, 김원봉이 추대되었다. 허헌은 개회사에서 임정 측에서 주도하는 비상국민회의를 염두에 두고 임정 법통론을 비난하였다.

허헌은 "법통(法統)이라는 유행어가 있는데 이는 옳지 못하다"며, "무엇이 법통이며 법통을 주장하는 자는 누구인가요. 김구 씨 일파가 법통을 주장하는 것은 부당한 것입니다"라고 말했다. 허헌은 조선조의 왕이나 당시 중요 정치지도자가 망명하였다가 다시 입국하였다면 법통이라고 해도 무방할 것이나, 김구 일파는 한 사람 한 사람이 개인적으로 망명한 것이며, 이들이 비록 임시정부를 만들었지만 임정의 조직으로 투쟁하지는 않았다는 점을 지적했다. 허헌은 언론에서도 무의식적으로 쓰고 있는 법통이라는 말은 잘못된 것이므로 시정해 줄 것을 촉구하였다.[84]

하지는 여운형의 조선인민당이 민전에 참여한 것을 인민당이 "소련 지령하의 공산당에 완전히 팔려간" 증거로 해석하면서, 이것은 "여운형이 완전한 공산주의자라는 최초의 확증"을 제공했다고 주장했다.[85]

하지의 주장과는 달리, 여운형은 '극소수 반동'을 제외하곤 손을 잡아야 한다는 입장을 견지했으며, 공산당을 '극소수 반동'으로 보지 않은 것뿐이었다. 그러나 민전은 여운형의 뜻대로 돌아가진 않았다.

83) 김삼웅, 〈1946년/민주주의민족전선 좌우합작 5원칙〉, 『사료로 보는 20세기 한국사』(가람기획, 1997), 189~190쪽.
84) 심지연, 『허헌 연구』(역사비평사, 1994), 110쪽.
85) 브루스 커밍스, 김자동 옮김, 『한국전쟁의 기원』(일월서각, 1986), 306쪽.

좌우익 따로 치른 3·1절 기념행사

민주의원과 민전 사이의 갈등은 3·1절에 표출되었다. 우익의 기미독립선언기념전국대회는 서울운동장, 좌익의 3·1기념전국위원회는 남산공원에서 열렸다. 3월 1일 아침 남대문, 을지로 입구에서는 좌우 세력 사이에 군중 유치 경쟁이 치열하게 벌어졌다. 좌익 예술단체는 창경원에서 시민위안회를 열었는데, 만담가 신불출, 무용가 최승희, 배우 황철과 문예봉 등이 출연해 인산인해를 이뤘다. 반탁학련 학생들은 남산 입구와 창경원 주위에서 트럭에 올라탄 채 마이크로 이렇게 호소했다.

"여러분은 속고 있다. 이것은 찬탁을 주장하는 민족반역자 공산당들이 모이는 곳이니 어서 발을 돌리시어 서울운동장에 갑시다. 그곳에서는 우리 지도자인 이승만 박사와 김구 선생님이 여러분을 기다리고 있습니다. 그곳에서 그분들의 고귀한 말씀을 들읍시다. 거기서 3·1정신을 기립시다."[86]

늘 중앙이 문제였다. 부산과 대구 등 지방에서는 3·1절 합동 기념식이 거행되었는데 말이다.[87] 그러나 이후 중앙 정치세력의 전국 조직화 작업이 강화되면서 중앙의 대립과 갈등은 지방으로까지 확산돼 '갈등의 혼연일체화' 현상이 일어나게 된다.

86) 한국반탁·반공학생운동기념사업회, 『한국학생건국운동사: 반탁·반공학생운동 중심』(대한교과서, 1986), 156쪽에서 재인용.
87) 서중석, 『한국현대민족운동연구: 해방후 민족국가 건설운동과 통일전선』(역사비평사, 1991), 353~354쪽.

김일성 암살 미수와 북한의 토지개혁

북조선 임시인민위원회 수립

1946년 1월 3일 평양에서는 공산당 쪽이 주도한 '모스크바 의정서' 지지 대행진이 벌어졌다. 소련 점령군은 1월 6일부터 북한 전역에서 대규모 군중집회를 조직해 나가면서 모스크바 결정을 반대하는 사람은 반동분자로서 숙청해야 한다는 새로운 지침을 발표했다.[88]

소련 측은 46년 1월 2일, 4일, 5일의 3차에 걸쳐 조만식에게 새로 수립될 정부의 대통령 자리까지 제시하면서 모스크바 협정을 지지할 것을 요청했다. 김일성도 12월 말 빈번하게 조만식을 방문하였으며, 조만식의 오랜 제자인 최용건은 19번을 찾아가 설득하였지만, 조만식은 끝내 모스크바 의정서에 대한 지지를 거부하였다.[89] 조만식은 결국 1월 5일부터

---

88) 김학준, 『북한 50년사: 우리가 떠안아야 할 반쪽의 우리 역사』(동아출판사, 1995), 102~104쪽.
89) 박명림, 『한국전쟁의 발발과 기원 II: 기원과 원인』(나남, 1996), 141~142쪽. 박명림은 남한에서 조만식과 비유될 수 있는 사람은 김구일 것이나, "이승만의 반탁이 반공과 연결된 것이었다면 김구의 반탁은 임정의

조선공산당 북조선분국 창설대회에 모습을 드러낸 김일성.

연금 상태에 처하게 되었다.[90]

소련 점령군사령부는 2월 8일 북조선임시인민위원회를 발족시켜 북한에서 사실상의 단독 정부로 기능케 했다. 위원장에는 김일성, 부위원장에는 김두봉, 서기장에는 강양욱(김일성 외할아버지의 6촌 동생으로 목사)이 선출되었다.[91]

이로써 김일성은 조선공산당 북조선분국의 책임비서로 당을 장악한

헤게모니 장악과 직결된 것이었다"고 지적하면서 조만식과 김구의 차이에 대해 이렇게 말한다. "정치적 부활과 생존의 무기로 활용하려 한 한민당과 친일파를 제외하더라도 이승만의 것이 반공주의와, 김구의 것이 정권장악과 연계된 것이라면 반탁민족주의의 전형은 조만식이 가장 가까웠다. 그는 대통령을 제의받았음에도 탁치를 거부하였다. 김구가 임정의 법통을 인정받았음에도 불구하고 탁치를 거부하였을은지에 대해서 우리는 확언할 수 없다. 당시의 자료들이 말하는 바에 따를 때 김구는 임정 법통을 인정받았다면 탁치 결사반대를 거둬들였을 것이다."(144쪽)

90) 김일성은 2월 24일 조선민주당 대회를 열어 최용건을 위원장 자리에 앉힘으로써 조선민주당을 소련 점령통치를 뒷받침하는 위성 정당으로 전락시켰다. 이후 조선민주당 인사들은 대거 월남의 길에 올라 서울에 조선민주당 간판을 걸게 되었다. 조만식은 나중에 평양형무소에 수감되었으며, 한국전쟁의 와중인 50년 10월 평양형무소에 수감됐던 다른 민족진영 인사들과 함께 북한군에 의해 총살당했다. 김학준, 『북한 50년사: 우리가 떠안아야 할 반쪽의 우리 역사』(동아출판사, 1995), 103~105쪽; 브루스 커밍스, 김자동 옮김, 『한국전쟁의 기원』(일월서각, 1986), 498쪽.

91) 김학준, 『북한 50년사: 우리가 떠안아야 할 반쪽의 우리 역사』(동아출판사, 1995), 105~106쪽.

동시에 북조선임시인민위원회의 위원장으로서 행정부를 장악하게 되었다. '조선공산당 북조선분국'은 3월부터 슬그머니 '북조선공산당'으로 개칭되었다.[92]

임정의 김일성 암살 미수

3월 1일 북조선임시인민위원회는 평양역 앞에서 3·1운동 27주년 기념식을 열었는데, 여기서 김일성에 대한 폭탄테러 미수사건이 일어났다. 집회가 진행되는 도중 연단을 향해 수류탄이 던져졌는데, 집회의 경비를 담당한 소련군 부대장 노비첸코 소위가 수류탄을 되잡아 던지려다가 그의 손에서 폭발한 것이다. 노비첸코는 이 폭발로 오른팔이 잘려나가고 한쪽 눈을 다치는 중상을 입었지만, 김일성은 무사했다.[93]

이 테러 미수사건은 임시정부와 밀접한 관계를 맺고 있던 염동진이 이끄는 백의사(白衣社)라고 하는 전문 테러단체가 김구와 신익희의 지시에 따라 저지른 것이었다. 백의사는 3명의 테러 요원을 평양으로 보냈는데, 그날 폭탄을 던진 사람은 남한에서 올라간 김형집이라는 열여덟 살 소년이었다. 나머지 요원들은 최용건과 김책의 집에도 폭탄을 던졌으나 성공하지 못했고, 강양욱의 집에 던진 폭탄은 강양욱의 아들과 딸을 죽게 만들었다.[94]

암살단은 임정 내무부장(신익희) 명의로 2월 15일에 발급된 '승차편의 공여에 관한 의뢰장'과 신임장을 갖고 있었다.[95] 이 테러가 임정의 지시

---

92) 김학준, 『북한 50년사: 우리가 떠안아야 할 반쪽의 우리 역사』(동아출판사, 1995), 110쪽.
93) 노비첸코는 북한에서 '3월 1일의 영웅'으로 불렸고 49년에는 3급 국가훈장을 받았다. 그는 92년 4월 김일성의 80회 생일에도 초대되었으며, 이때에 『로동신문』의 1면에 김일성과 함께 찍은 커다란 사진이 실렸다. 박명림, 『한국전쟁의 발발과 기원 II: 기원과 원인』(나남, 1996), 157~158쪽; 김학준, 위의 책, 106~107쪽.
94) 김학준, 위의 책, 107쪽; 박명림, 위의 책, 157쪽.
95) 박명림, 위의 책, 158쪽.

에 따른 것이라는 증거를 확보한 북한은 김구와 더불어 이승만을 격렬하게 비난하였다.

"만고에 용서할 수 없는, 조선민족을 조선놈 자기들 손으로 살해하는 '팟쇼테로' 강도단의 철천의 죄악은 조선민족과 국가를 사랑하는 인민의 가슴속에 영영히 씻을 수 없는 슬픔과 원한과 분노를 남기고 있다. 이 '팟쇼테로' 강도단은 어디서 왔으며 누구의 도당들이냐?"[96]

북한은 김구와 이승만을 "조선 봉건세력과 외국 팟쇼세력과 제국주의 잔재세력 친일파의 삼위일체"이자, "이완용을 배운 조선의 매국노"로 규정짓는 강한 적개심을 드러냈다. 조선공산당은 김구의 귀국시 그들의 기관지를 통해 김구를 '민족혁명의 지사', '반제에 일생을 바친 고결한 지사'로 예찬했었지만, 이 테러사건 이후 김구는 북한에서 불구대천의 원수로 낙인찍혔기에 이후 남한 내에서의 좌우 갈등도 만만치 않을 것임을 예고한 것이었다.[97]

토지개혁과 공산당 강화

1946년 3월 북조선임시인민위원회는, '조선의 정치 및 경제생활에서 일본 제국주의 유산'을 완전히 청산하고 일본인 소유 재산과 식민지 및 봉건적 법률을 제거하기 위해 20개 조항의 정강을 발표하였다. 이 정강에 따라서 북조선임시인민위원회는 근본적인 개혁을 통한 북조선 사회의 재구조화를 추진하였다.[98]

그 결과, 북조선임시인민위원회는 3월 5일 토지개혁령을 발표했다. 이를 통해 4만 4천 명의 지주들로부터 몰수된 토지는 북한 전체 농지 면

---

96) 박명림, 『한국전쟁의 발발과 기원 II: 기원과 원인』(나남, 1996), 158쪽에서 재인용.
97) 박명림, 위의 책, 159~160쪽에서 재인용.
98) 송광성, 〈조선을 분단〉, 『미군점령 4년사』(한울, 1993), 271쪽.

적의 50% 이상이었는데, 그 땅은 북한 전체 인구의 약 50%, 전체 농촌 인구의 70%에게 무상으로 재분배됐다.[99]

커밍스가 지적한 것처럼, "북조선의 토지개혁은 중국이나 북베트남에 비하여 덜 난폭하게 수행"되었다. 이는 주로 대지주들이 남쪽으로 이주하였기 때문이며, 또 북조선에서 즉각적으로 집단농장화가 시작되지 않았기 때문이기도 했다.[100]

북한의 토지개혁은 남한에도 큰 영향을 미쳤다. 커밍스에 따르면,

"발표가 있은 후, 남한의 신문들은 이를 톱기사로 보도했으며, 사설들은 남부에서도 유사한 개혁을 할 것을 주장했고 비판은 거의 없었다. 그후 북한과 같은 토지개혁을 요구하는 시위가 남부 각도에서 산발적으로 일어났다. 당시 남한 신문들을 숙독하면 한국의 추진력은 북으로부터 나오고 있다는 남부인들의 생각이 얼마나 강했는가를 알 수 있다."[101]

조선공산당 북조선분국의 당원은 45년 12월 말 현재 6천여 명에 지나지 않았으나, 토지개혁을 통해 농민을 흡수한 결과 46년 8월 말에는 13만 4천여 명으로 늘어났다. 이런 탄력을 받아 친일파에 대한 숙청작업도 본격적으로 추진되었다.[102] 그러나 북한은 점점 같은 호흡을 해야만 하는 사회로 변해 갔다.

99) 김학준, 『북한 50년사: 우리가 떠안아야 할 반쪽의 우리 역사』(동아출판사, 1995), 108쪽.
100) 송광성, 〈조선을 분단〉, 『미군점령 4년사』(한울, 1993), 272쪽.
101) 브루스 커밍스, 김자동 옮김, 『한국전쟁의 기원』(일월서각, 1986), 523~524쪽.
102) 김학준, 위의 책, 108쪽.

"싸움꾼이 됩시다": 38선 고착화

미소공위를 앞둔 반소반공(反蘇反共) 선전

미군정은 1945년 9월 17일 '정당은 오라' 성명을 통해 일종의 정당신 고제를 택한 지 5개월여 만인 46년 2월 23일 법령 제55호 '정당등록법'을 발표하였다. 그 주요 내용은 3인 이상의 집단이 어떠한 형태의 정치 활동을 하려면 군정청에 등록을 해야 한다는 것인데, 등록은 당원 명부에서부터 재정 상태에 이르기까지 정당에 관한 모든 정보를 요구하였다.

정당의 모든 걸 당국에 정확하게 보고하게 함으로써 좌파정당의 비밀 활동을 규제하는 동시에 등록의무 불이행을 이유로 정당 해체가 가능토록 하였다. 등록하지 못한 조직은 회합이나 시위에 필요한 허가를 얻기도 어려웠다. 4월까지 134개 정당 및 단체가 등록하였는데, 이는 미군정이 3월 20일로 예정된 미소공동위원회 개최 전에 공산주의 활동에 관한 보다 나은 정보를 얻고 궁극적으로 좌익들을 단속하기 위한 것이었다.[103]

한민당이 "이 법령이 발표된 것은 당연하다"라는 성명을 낸 반면, 『조선인민보』(2월 27일자)가 "일본인들의 치안유지법보다 더 고약한 것"이라고 비판한 것도 바로 그런 이유 때문이었다.[104]

미군정은 3월부터 행정의 한인화(Koreanization) 정책을 시작하였다. 이는 기본적으론 미국 정부의 해외파견 미군의 본국귀환 및 동원해제 과정에 따른 것이었으며, 1차 미소공동위원회에서 논의될 임시정부 수립에 대비하기 위한 사전 준비이기도 했다.[105]

한민당은 미소공위 개최를 앞두고 치열한 반소반공(反蘇反共) 선전을 전개하였다. 『동아일보』는 이미 46년 2월 11일자에서 얄타 협정 내용을 보도하였음에도 불구하고 3월 13일에는 〈폭로된 얄타비밀〉이라는 왜곡·과장 기사를 대서특필하였다. 이 기사는 소련 군대가 38선을 향하여 집중되고 있으며, 북조선의 부녀자들은 소련 갱단의 피습 대상이 되고 있다고 보도하였다. 그런데 이 기사는 워싱턴에서 활동하는 이승만의 최측근 임병직이 보낸 것으로 돼 있었다.[106]

『동아일보』 3월 16일자는 한민당의 김준연이 '소련에 반성을 촉구' 한 방송 요지와 미 국무성의 친소세력을 규탄하는 기사를 실었다. 미소공동위 소련 측 대표가 입경하기 하루 전인 3월 17일자는 처칠의 반소(反蘇) 발언을 1면 중앙에 싣고, 소련의 팽창정책에 고민하는 약소민족에 관한 기사를 실었다.[107]

---

103) 박찬표, 『한국의 국가형성과 민주주의: 미군정기 자유민주주의의 초기 제도화』(고려대학교출판부, 1997), 136~137쪽; 브루스 커밍스, 김자동 옮김, 『한국전쟁의 기원』(일월서각, 1986), 318~320쪽.
104) 브루스 커밍스, 김자동 옮김, 위의 책, 319쪽에서 재인용.
105) 46년부터 점령군 및 군정 요원의 감축이 시작돼 46년 10월엔 점령 초기의 절반 이하 수준으로, 45년 10월 7만 7천600명이었던 병력은 46년 10월엔 3만 7천900명으로 감소되었다. 박찬표, 위의 책, 171~174쪽.
106) 서중석, 『한국현대민족운동연구: 해방후 민족국가 건설운동과 통일전선』(역사비평사, 1991), 358~359쪽.
107) 서중석, 위의 책, 359쪽.

미소공위의 실패

1946년 3월 20일, 모스크바 삼상회의 내용을 실현하기 위한 1차 미소공동위원회가 덕수궁 석조전에서 개최되었다.

미소공위 개막 하루 전인 3월 19일 이승만은 민주의원 의장직을 사퇴했다. 표면상 이유는 건강 문제였지만, 사실은 미군정이 미소공위 개최를 앞두고 철저한 반소(反蘇)주의자이며 신탁통치안을 격렬히 비판해 온 이승만을 정치 일선에서 배제할 필요를 느꼈기 때문이었다. 미군정은 의장 대리에 김규식을 앉혔다.[108]

미군정은 이승만을 이화장(梨花莊)에 반(半)연금 상태로 묶어두었다. 정문에는 미군 헌병을 세워두고 출입자들을 하나하나씩 체크했으며, 미군정청과 직통으로 연결되는 미군용 전화도 이화장에서 떼어갔다.[109]

이즈음 우파 정당들의 통합운동에 나선 한독당은 3월 22일 국민당과의 통합 선언을 하였으며, 김구는 이승만에게 한독당의 중앙집행위원장을 맡아 줄 것을 요청하였다. 그러나 이승만은 '초당적인 국민운동'을 내세워 이를 거부하였으며, 자신의 세력 약화를 우려한 한민당 역시 통합에 부정적인 태도를 취했다. 그 결과 4월 18일 한민당을 제외한 채 국민당, 신한민족당, 급진자유당, 대한독립협회, 자유동지회 등이 한독당으로 통합되었다.[110]

바로 그날 미소공동위원회는 공동성명 5호를 발표하였는데, 그 내용은 지금까지 반탁투쟁을 해왔어도 삼상회의 결의에 지지를 표명하면, 과

---

108) 정해구, 〈분단과 이승만: 1945~1948〉, 『역사비평』, 제32호(1996년 봄), 266쪽; 김재명, 〈김규식: 한 온건 지식인의 실패한 이상주의〉, 『한국현대사의 비극-중간파의 이상과 좌절』(선인, 2003), 321쪽.
109) 김재명, 위의 글, 321쪽; 송남헌, 〈민족통일독립운동의 선도자〉, 우사연구회 엮음, 『몸으로 쓴 통일독립운동사: 우사 김규식 생애와 사상 ③』(한울, 2000), 57쪽. 당시 한국 민간인 중 미군 군용 전화가 가설된 집은 이승만과 김규식의 집뿐이었으며, 이승만 집의 전화를 끊은 건 3월 20일이었다.
110) 정해구, 위의 글, 267쪽.

제2장 좌우(左右) 갈등의 폭발·1946년___**235**

거의 반탁행위를 불문에 붙이고 임시정부를 수립하는 데 협의 대상으로 삼겠다는 것이었다.

이에 좌익과 우익의 합작파는 즉시 찬성을 표하였지만, 김구는 완강히 거부했다. 김구는 "공동위원회와 협력하여 정부를 수립하는 것은 신탁통치에 굴복하는 것이고, 탁치에 굴해 가면서라도 정권을 잡아야 한다는 것은 곧 나라를 팔아먹는 것"이라고 주장했다.[111]

하지는 4월 22일 공동성명 5호 선언에 서명하기를 촉구하는 담화를 발표하였다. 그는 신탁통치는 4국이 동의하기만 하면 전혀 받지 않을 수도 있고, 받는다고 해도 5년 이내에 한정된다는 점을 강조하였다. 하지의 정치고문 굿펠로우는 지방을 순회 중인 이승만을 방문하였고, 4월 23일 이승만은 공동성명 5호에 찬의를 표명하였다.[112]

그래도 여전히 민주의원의 일부 의원들이 지지를 거부하자, 하지는 4월 27일에 특별성명을 발표하여 공동성명 5호에 대한 지지와 신탁통치에 대한 찬반 의견은 무관하다고 말했다. 그러나 이는 소련 측과 상의를 하지 않은 일방적인 발표로 공동성명 5호 선언에 서명하는 취지와도 어긋나는 것이었다.[113]

결국 하지는 강경파를 설득하려는 그런 노력 덕분에 김구의 지지까지 받아냈지만, 문제는 여전히 남아 있었다. 공동위원회와 협의할 주요 정당·단체들을 선정하는 문제였다. 이 문제에 대해 미소(美蘇) 간 의견 불일치와 더불어 소련 측이 하지의 단독 특별성명을 문제삼아 양쪽의 입장이 팽팽히 맞섬으로써 미소공위는 5월 8일 무기휴회로 들어가고 말았다.[114]

---

111) 유병용, 〈미소공동위원회와 단독정부 수립〉, 한국정신문화연구원 현대사연구소 편, 『한국현대사의 재인식 2: 정부수립과 제헌국회』(오름, 1998), 143쪽에서 재인용.
112) 유병용, 위의 글, 144쪽.
113) 유병용, 위의 글, 144~145쪽.
114) 유병용, 위의 글, 145~146쪽; 노경채, 〈미소공동위원회와 좌우합작운동의 전개〉, 강만길 외, 『통일지향 우리 민족해방운동사』(역사비평사, 2000), 326~328쪽; 브루스 커밍스, 김자동 옮김, 『한국전쟁의 기원』(일월서각, 1986), 312쪽.

소련군의 약탈과 강간?

무기휴회의 원인은 결국 반탁 문제였다. 미국으로선 손발이 맞지 않는 민주의원을 원망하지 않을 수 없었다. 커밍스에 따르면, "미국 측에서 소련에게 그들의 신탁통치에 반대하는 민주의원과 협력할 때의 이익을 주장하고 있는 동안에도 민주의원 지도자들은 소련에 대하여 그들의 자문을 거절할 충분한 이유들을 계속 제공해 주었다."[115]

한민당 기관지인 『동아일보』도 거들었다. 북한에 취재진을 잠입시킨 『동아일보』는 4월중 이북 동포들의 참상을 소개하면서 김일성과 소련을 비난하는 기사들을 연재하였다. 예컨대, 함흥 취재반의 기사 내용은 이런 것이었다.

"8월 25일 소련군이 진주하고 군정이 실시되어 야간통행이 금지되고 공산당이 대회를 소집하고 약탈, 협박, 강간, 절도가 횡행하고 총살당하는 자가 생기고 보안대원이 직권을 남용하여 재물을 박탈하는 일이 연달아 발생하고 공산당의 주장으로 인민위원회가 구성되고 하는 동안 민중은 해방의 기쁨도 독립의 희망도 일시에 춘몽으로 돌아가고 모두 공포 속에 휩싸였다."[116]

『동아일보』의 일련의 기사들이 잘 말해 주듯이, 이즈음 반소(反蘇) 선전엔 북조선 부녀자들의 수난이 빠지지 않고 등장하였다. 이는 북에서 내려온 사람들에 의해 '포르노'로 각색되기까지 하였다. 최정호의 회고에 따르면, 이북에서 월남한 이북(李北)이란 사람이 낸 『이북통신』이란 잡지는 "소련군의 북한 부녀자에 대한 강간·윤간 기사며 심지어 소련

---

115) 브루스 커밍스, 김자동 옮김, 『한국전쟁의 기원』(일월서각, 1986), 320쪽.
116) 동아일보사, 『민족과더불어 80년: 동아일보 1920~2000』(동아일보사, 2000), 289쪽 재인용. 4월 28일에 열린 제2회 전국신문기자대회는 소련 군인들의 약탈행위를 보도한 우익신문들을 겨냥해 "우호 친선과 신의를 중상 모략하는 반동신문들을 폐간하라"고 주장했다.

여자 군인들에게 붙들려 하늘이 노래지도록 집단적인 '사랑'을 받고 살아나온 어느 북한 장정 등의 얘기"를 실어 큰 인기를 누렸다.[117]

커밍스는 이 시기에 관한 서방 측의 저술은 소련의 북한에서의 약탈을 널리 강조한 반면 1946년 초부터 그러한 행위가 상대적으로 없어졌다는 것은 언급하지 않았다고 지적했다. 또 커밍스는 서방 측 저술은 소련의 한인에 대한 인종차별을 멋대로 말하였지만, 약탈과 인종차별에 대해 미국인들은 그보다 나았는가를 반문하는 것이 유익할 것이라고 했다.

"비록 소련이 북에서 저지른 것과 같은 규모에 이른다고 할 정도는 아니지만 미군도 남한에서 여러 종류의 약탈을 자행했다. 뿐만 아니라 미군 점령 3년 동안에 강간의 보고들은 계속되었으며, 1945년에는 경성제국대학(곧 국립 서울대학교로 개칭되었음)의 일부 건물이 미군의 병영으로 징발되어 그 결과로 도서관과 연구실에 많은 약탈과 파괴가 행해졌다. 또한 미군이 38도선을 넘어오는 난민들의 금품을 몰수했다는 증거는 그것이 상습적이었음을 암시할 정도로 많다. 이러한 행위가 미군 점령의 성격이라고 할 수는 없다. 그러나 한국인들에 대한 인종차별주의는 도처에 퍼져 있었다."[118]

"여러분도 나와 같이 싸움꾼이 됩시다"

이승만이 내세웠던 '초당적인 국민운동'은 독촉국민회를 중심으로 한 지방조직의 강화로 나타났다. 4월 16일부터 전국 각지를 순회하기 위해 서울을 떠났던 이승만은 5월 11일 기자회견에서 이렇게 말했다.

"자율적 정부 수립에 대한 민성(民聲)이 높은 모양이며 나도 이 점에

117) 최정호, 〈김일성과 1946년의 북한 '단독' 인민정권〉, 『우리가 살아온 20세기 1』(미래M&B, 1999), 221~222쪽.
118) 브루스 커밍스, 김자동 옮김, 『한국전쟁의 기원』(일월서각, 1986), 483~484쪽.

대하여는 생각한 적은 있으나 발표는 아직 못하겠다. 지방을 순회한 소감을 말하면 희망 이상의 민족 사상 통일이 되어 있으며 하루라도 빨리 정부가 수립되기를 갈망하고 있음을 힘차게 생각하였다."[119]

다음날인 5월 12일 독립촉성국민회의 주도로 서울운동장에서 개최된 독립전취(戰取)국민대회도 '38선 철폐'와 '자율정부 수립'을 내세웠다. 대회가 끝나자 수만 군중이 시내에서 시위하면서 "부셔라 공산당", "소련을 타도하라"는 구호를 외쳤다. 우익 청년들은 여러 대의 트럭에 분승하여 그날 오후 6시 전후를 기해 소련 영사관 앞에서 소련을 비난했으며 『조선인민보』, 『중앙신문』, 『자유신문』 등 모스크바 결의안을 지지하는 신문 3사를 습격해 사무실을 파괴하였다. 공산당, 서울 민청, 전평 건물도 습격하여, 일부 공산주의자들은 수도경찰청 등에 피신하기까지 하였다.[120]

이승만은 5월 19일 독립촉성국민회 인천지부 주최로 인천공설운동장에서 6만(당시 인천 인구 20만)의 청중 앞에서 "나는 본래 싸움을 좋아하는 싸움꾼이오. 그래서 50여 년 간을 싸워 왔소. 우리가 왜적에게 눌려지내온 것은 우리가 싸울 줄 모르기에 그렇게 된 것이오. 이제 우리는 우리나라를 찾기 위해서 싸워야 하겠소. 여러분도 나와 같이 싸움꾼이 됩시다"라고 말했다.

"공산당은 우리나라를 팔아먹으려 하오. 우리는 이들과 싸우지 않으면 아니 되오. …… 공산당들은 저들이 조국이라고 부르는 소련으로 가서 살라고 쫓아 버립시다. 우리 대한 사람만은 대한 사람끼리 보존합시다."[121]

---

119) 허용범, 〈이승만 정읍발언: "남방만이라도 임시정부 조직하야…" 남한 단독정부 수립의지 최초표명〉, 『한국언론 100대 특종』(나남출판, 2000), 28쪽에서 재인용.
120) 정해구, 〈분단과 이승만: 1945~1948〉, 『역사비평』, 제32호(1996년 봄), 269쪽; 최준, 『한국신문사』(일조각, 1987), 354~355쪽; 브루스 커밍스, 김자동 옮김, 『한국전쟁의 기원』(일월서각, 1986), 323쪽; 서중석, 『한국현대민족운동연구: 해방후 민족국가 건설운동과 통일전선』(역사비평사, 1991), 488쪽.

공산주의자들을 소련으로 내쫓을 수만 있었다면 그것도 좋은 방법이 긴 했으나, 그건 어떤 방식으로건 불가능한 일이었다. 따라서 이승만의 그런 호전적인 자세는 '38선 철폐'가 아닌 '38선 고착화'의 길로 나아가는 걸 의미하는 것이었다. 5월 22일 미군정은 38선을 폐쇄하고 38선 이북 지역 여행에는 특별허가가 필요하다고 발표했다. 이제 드디어 분단의 그림자가 실감나는 수준으로 서서히 드리워지기 시작했다.

---

121) 한국반탁·반공학생운동기념사업회, 『한국학생건국운동사: 반탁·반공학생운동 중심』(대한교과서, 1986), 178~179쪽에서 재인용.

정판사 위폐사건과 좌익의 '지하화(地下化)'

미군정 방첩대의 '인천 공작'

1946년 5월 4일 미군정은 군정법령 제72호 '군정에 대한 범죄'를 공포하여 유언비어의 유포나 포스터, 삐라 등의 방법으로 질서를 교란하는 행위를 처벌할 수 있는 조항을 마련하였다.

이 법령의 첫 번째 적용 대상은 『인천신문』이었다. 미군정 방첩대 (CIC)는 인천시청 적산과장(敵産課長)의 부정행위에 대해 『인천신문』이 5월 5일부터 3일 간 연속해 보도하자 5월 7일 『인천신문』을 급습해 사장 이하 60여 명을 전격 연행하였으며, 편집국장 등 5명의 간부들에 대해선 실형을 받게 하였다.[122]

이즈음 인천의 좌익을 깨기 위한 방첩대의 '인천 공작'은 인천 민전

---

122) 최준, 『한국신문사』(일조각, 1987), 359~360쪽; 김상도 외, 〈다시 쓰는 한국현대사: 그림자 조직 미 CIC〉, 『중앙일보』, 1995년 4월 11일, 8면.

의장으로 활동하고 있던 조봉암 전향사건으로까지 이어졌다. 당시 방첩대는 남한의 모든 주요 정치인들에 대해 전화 도청을 하고 있었는데, 그렇게 해서 얻은 정보를 언론플레이에 최대한 활용하였다. 조봉암의 경우엔 방첩대가 민전 인천 지부를 습격해 그곳에서 발견한, 박헌영에게 보낸 조봉암의 편지가 언론플레이의 도구가 되었다.

그 편지는 박헌영과 조선공산당 노선에 대한 비판을 담고 있었는데, 방첩대는 이 편지를 『동아일보』에 넘겨 주었다. 이 편지가 공개되자 조선공산당은 조봉암의 당원 자격을 박탈하였고, 방첩대는 이 기회를 틈타 5월 말 조봉암을 체포하여 10일 간의 회유공작 끝에 전향 성명서를 발표케 함으로써 조선공산당에 막대한 타격을 주었다.[123]

조선공산당은 위폐 1천200만 원을 찍었나?

5월 8일 미소공위가 무기휴회로 들어가자, 미군정은 "좌우합작위원회를 구성하고 선출된 과도입법의원을 계획함으로써 극우파에서 벗어나려는 시도"를 하게 되었고, 우파의 문제를 우파 내부에서 찾기보다는 좌파의 영향 탓으로 돌려 "남한 좌파의 뿌리를 뽑는 것을 목표로 한 정책 결정의 형태"를 보이게 되었다.[124]

그런 정책의 냄새를 짙게 풍기는 것이 바로 5월 15일에 터져 나온 정판사 위조지폐사건이었다. 정판사는 원래 일제 시대에 근택인쇄소라는 이

---

123) 김상도 외, 〈다시 쓰는 한국현대사: 그림자 조직 미 CIC〉, 『중앙일보』, 1995년 4월 11일, 8면. 미군정의 전향공작은 점점 공격성을 더해 갔다. 조봉암 전향공작의 경우엔 공산주의 노선과 절연하는 것만으로 끝났으나, 47년 10월 민전 경기도 부위원장 박일원의 전향공작시엔 고문을 가하는 등의 강압적인 방법으로 『남로당 총비판』(47년 10월)이라는 책까지 내게 만들었다. 이 사건을 계기로 남로당은 "당 밖의 백만의 적보다 당내의 한 사람의 적이 더 무섭다"는 레닌의 조직원칙을 상기시키는 지시를 전체 당 조직에 내려보내면서 당원에 대한 전향공작을 경계하게 되었다. 안소영, 〈해방후 좌익진영의 전형과 그 논리〉, 『역사비평』, 제24호(1994년 봄), 294~296쪽.
124) 브루스 커밍스, 김자동 옮김, 『한국전쟁의 기원』(일월서각, 1986), 320쪽.

름으로 조선은행권을 인쇄하던 곳이었는데, 해방이 되자 조선공산당이
재빨리 접수해 당 본부 간판을 걸고 기관지인 『해방일보』를 발행하였다.

이 사건의 전말은 이랬다. 46년 5월 4일 한 위조지폐단이 뚝섬에서
검거되었는데, 경찰은 위조지폐단의 석판기 7대와 인쇄판을 압수하고
김창선, 이재광 등 26명의 용의자를 체포했다고 발표했다. 해방 후 위조
지폐사건은 자주 일어났지만, 이 사건은 김창선이라는 인물 때문에 정치
적 문제로 비화되었다. 김창선은 조선공산당 당원이었으며 조선공산당
의 기관지인 『해방일보』를 인쇄하는 조선정판사에서 평판(平版) 담당 기
술자로 근무하고 있었기 때문이다. 정판사 직원 14명이 검거되면서 이
사건은 엄청난 시국사건으로 치닫기 시작했다.[125]

5월 15일 미군정은 이 사건을 공산당의 위조지폐사건으로 발표했다.
미군정의 발표에 따르면, 8·15해방 이후 조선공산당은 당 자금, 선전운
동 자금 등을 마련하기 위하여 각 방면에서 자금 조달 방법을 모색하여
오던 중 조선정판사에 지폐 원판이 있다는 것을 알고 공산당원인 박낙종
을 내세워 정판사를 접수한 이후 여섯 차례에 걸쳐 위조지폐 1천200만
원을 찍어냈다는 것이다.[126]

5월 16일 조선공산당 중앙위원회는 정판사 위조지폐사건에 조선공산
당이 개입하였다는 미군정의 발표를 정면으로 부정하고, 이는 단순한 위
조지폐사건을 좌익세력의 탄압을 위하여 조작, 확대한 것이라는 항의성
명을 발표하였다.

125) 한국정치연구회 정치사분과 지음, 〈정판사 위조지폐사건〉, 『한국현대사이야기주머니 1』(녹두, 1993), 45쪽.
126) 한국정치연구회 정치사분과 지음, 위의 글, 45~46쪽.

정판사 위폐사건은 '정치적 사건'

그러나 조선공산당의 부인과 항의에도 불구하고 미군정은 5월 18일 조선공산당 본부를 수색하고 공산당의 기관지인 『해방일보』를 무기 정간시켰다. 7월 29일 첫 재판이 열렸을 때 공산당원들은 법원 구내에서 돌팔매질을 하는 등 소요를 일으켜 시위대가 2명이나 숨졌다. 법정은 범인으로 체포된 공산당원 16명에게 최고 무기징역에서 최저 10년형을 선고했다. 변호사 윤학기는 "이 재판은 죽은 재판이며 연극이나 활동사진을 보는 것 같다"는 발언이 문제가 돼 미군정 치하에서 징계를 받은 첫 변호사가 되었다.[127]

미군정기의 최대 의혹사건이라 할 수 있는 조선정판사 사건은 사건 발표 때부터 많은 의혹이 제기되었으며, 이후에도 여러 문제가 드러났지만 이 사건을 계기로 조선공산당의 활동이 불법화되면서 더 이상 진위가 가려지지 못하고 유야무야되고 말았다.[128]

이 사건을 '정치적 사건'으로 보는 서중석은 "조선정판사의 인쇄시설을 이용하여 소량의 위조지폐를 만든 것은 사실 같지만, 이 사건에 조선공산당의 간부가 간여된 것으로는 보이지 않는다"며, "당시 조선공산당이 돈이 궁핍했다는 자료도 발견되지 않고 있으며, 위폐를 찍어 사회혼란을 조장하려 했다는 부분도 설득력이 없다"고 했다.

"조선공산당은 미소공동위원회의 실패에 당황하고 있었으며, 이 시기에는 매우 온건한 노선을 걷고 있었다. 그것은 전평의 활동에서도 드러난다. 미소공위 휴회 후의 제반 상황을 종합하여 볼 때, 이 사건은 정치적 사건으로 봐야 할 것이다. 또한 당시 검찰과 사법부의 간부들은 편파

---

127) 김정형, 〈역사속의 오늘: 미군정, 조선정판사 위폐사건 전모 발표〉, 『조선일보』, 2003년 5월 15일, C5면.
128) 한국정치연구회 정치사분과 지음, 〈정판사 위조지폐사건〉, 『한국현대사이야기주머니 1』(녹두, 1993), 49쪽.

조선정판사 위폐사건 관련 재판 광경.

적으로 현상유지 세력을 비호하고 현상변화 세력에 제동을 걸려고 하였
으며, 이 점은 정치적 사건인 경우에 더욱 두드러지게 드러날 수밖에 없
었을 것이다."[129]

　한 가지 분명한 사실은 이 사건을 계기로 좌익진영은 공개적으로 탄
압의 대상이 되었고, 해방 이후 견지하여 오던 전술을 정당방위를 위한

---

129) 서중석, 『한국현대민족운동연구: 해방후 민족국가 건설운동과 통일전선』(역사비평사, 1991), 501쪽. 한국
　　정치연구회도 "당시의 상황과 이후에 전개된 역사적 사실에 근거해 볼 때 정판사사건은 매우 '정치적 사건'
　　이었으며, 미군정과 우익의 검찰과 경찰이 이 사건을 충분히 활용하여 자신들의 정치적 입장을 강화하였다
　　는 것은 분명하다"고 주장했다. "위폐사건이 발표될 당시 조선공산당은 돈이 궁핍했다는 자료도 발견되지
　　않고 있으며, 위폐를 찍어 사회혼란을 조장하려 했다는 주장도 설득력이 별로 없었다. 당시 공산당은 미소
　　공동위원회의 결렬에 매우 실망하고 있었으며, 대체로 온건한 노선을 걷고 있었다." 한국정치연구회 정치사
　　분과, 『한국현대사 이야기 주머니: 한국정치사 73장면』(녹두, 1994), 49~51쪽.

역공세라는 '신전술'로 바꾸면서 급진화·지하화되기 시작하였다는 것이다.[130]

신문 발행 허가제로 좌익언론 통제

미군정은 46년 5월 29일엔 군정법령 제88호 '신문 기타 정기간행물 허가에 관한 건'을 공포하였는데, 이 법령의 골자는 발행의 허가제로서 일제 때로 원상 복귀한 것이었다. 이 법령의 공포 이후 좌익 계열의 새로운 정기간행물 신청은 허가되지 않았다. 그래서 좌익 계열은 기존 간행물의 판권을 새로 사서 제호만을 고쳐서 발행하는 식으로 대응하였다.[131]

반면 우익지는 더욱 기세등등하였다. 특히 극우지인 『대동신문』은 폭력 선동도 마다하지 않았다. 46년 5월 16일 이 신문은 여운형 피습사건을 기린 〈민족혼을 가진 청년에게! 청년지사 박임호 군의 뒤를 이어라〉라는 장문의 기고를 게재하였다. 이는 공공연하게 지상(紙上)으로 살인을 교사(敎唆)한 것이었다. 이 신문은 무기정간 처분을 당하였지만, 정간 처분은 3주 만에 풀려 6월 6일에 복간되었다.[132] 『대동신문』의 경우처럼, 신문이 노골적으로 드러내놓고 폭력행위를 교사할 정도였으니 당시 상황이 어떠했을지는 짐작하기 어렵지 않다.

미군정은 정판사사건과 신문 발행 허가제에 이어 조선공산당의 배후 거점으로 판단한 서울 주재 소련 총영사관을 폐쇄시키기로 결정했다. 소련 총영사관의 직원들은 46년 7월 2일 모두 서울을 떠났으며, 영사 자리는 공석인 가운데 영사관을 이끌었던 부영사 샤브신은 평양으로 옮겨 갔다.

---

130) 한국정치연구회 정치사분과 지음, 〈정판사 위조지폐사건〉, 『한국현대사이야기주머니 1』(녹두, 1993), 50~51쪽.
131) 최준, 『한국신문사』(일조각, 1987), 358쪽.
132) 최준, 위의 책, 358~359쪽; 한원영, 『한국현대 신문연재소설연구 上』(국학자료원, 1999), 33쪽.

김규식과 여운형의 좌우합작운동

김규식의 '좌익 기피증'

1946년 5월 8일 미소공위가 무기 휴회에 들어가자 미군정은 좌익에 대한 탄압을 강화하는 동시에 중도 좌우파들을 대상으로 한 좌우합작을 구상하게 되었다. 좌우 갈등 지역에서는 합작을 통해 갈등을 해소한다는 게 그 무렵 미국의 대외정책이었기 때문이다. 미군정은 좌우합작의 주역으로 김규식과 여운형을 염두에 두었으며, 이를 추진하기 위해 하지는 자신의 정치 고문인 레오나드 버치에게 교섭의 권한을 부여했다.[133]

버치의 계급은 중위였지만 철학박사이자 하버드 법대 출신의 변호사로 당시 정국에 큰 영향력을 행사한 인물이었다. 스스로 '세계에서 가장

---

133) 브루스 커밍스, 김자동 옮김, 『한국전쟁의 기원』(일월서각, 1986), 328쪽. 그러나 정용욱은 "일반적으로 버치 중위가 미국의 좌우합작 공작을 전담한 것으로 알려져 있으나, 이것은 그가 한국인들과 주된 접촉 창구였음을 의미할 따름"이며, "미군정에서 중도정책을 전반적으로 관리·조정하던 곳은 '아놀드 일당', 즉 미소공위 미국 대표단과 산하의 정치고문단이었다"라고 말한다. 정용욱, 『미군정 자료연구』(선인, 2003), 130쪽.

미군정하의 혼란기에서 여운형과 함께 좌우합작의 역할을 담당했던 김규식.

지위가 높은 '육군 중위'임을 자처했던 버치는 "명민한 두뇌의 소유자로 책략과 술수에 능했고 안하무인격의 성품"을 가졌다는 평가도 있다.[134]

애초 김규식은 강한 '좌익 기피증'을 갖고 있었기 때문에 좌우합작운 동에 비관적이었다. 김규식은 좌우합작운동에 참여했던 강원용에게 자 신의 '좌익 기피증'에 대해 다음과 같이 말했다.

"자네가 공산당이 뭔지 몰라서 그래. 내가 알기로는 공산주의는 천하 에 몹쓸 것이야. 특히 한국에서는 공산주의를 받아들이면 안 돼. 내가 중 국과 러시아에서 러시아 사람들을 많이 사귀어 봤는데, 원래 그들이 참 선량한 사람들이거든. 그런데 레닌이 공산혁명을 일으킨 후에 그들이 아 주 잔인해져서 700만 명이나 숙청을 당하지 않았나? 알바니아에서 공산

134) 정용욱, 〈『주한미군사』와 해방직후 정치사연구〉, 정용욱 외, 『'주한미군사'와 미군정기 연구』(백산서당, 2002), 41쪽; 정경모, 『찢겨진 산하: 김구·여운형·장준하가 말하는 한국현대사』(한겨레신문사, 2002), 290쪽.

혁명이 났을 때도 하룻밤에 6만 명을 죽인 일이 있었으니 공산주의란 것이 그렇게 잔인하고 가혹한 것이거든. 그런데 우리 민족이 내 생각에는 상당히 잔인한 민족인데 게다가 공산화가 되면 어떤 일이 벌어지겠나?"[135]

김규식 설득에 나선 이승만

그런 생각을 갖고 있던 김규식이었기에 그를 좌우합작운동에 끌어들이는 건 결코 쉬운 일이 아니었다. 버치가 표면에 나선 미군정 측의 노력은 집요했다. 이승만까지 동원했다. 미군정의 요청을 받은 이승만은 삼청장으로 김규식을 방문해 50만 원쯤의 자금까지 내놓으며 좌우합작에 나서 줄 것을 부탁했다는 것이다.

"이것은 나 개인의 생각이 아니고 미국의 정책이 이렇게라도 해야 통일 임정 수립에 도움이 된다고 하니 아우님이 한번 나와 주시오."[136]

대단한 애연가였던 김규식은 기다란 대나무 담뱃대(속칭 대통)로 즐겨 담배를 피웠는데, 이승만의 부탁을 듣자 대통담배를 탁탁 털면서 이렇게 말했다.

"형님(김규식은 이승만을 형님이라고 불렀다)은 대통령 못하면 못살 사람이고 나는 대통담배를 못 피우면 못살 사람이니 나를 대통이나 피우게 내버려 두시오."[137]

그러나 김규식은 결국 승낙을 하면서 이런 말을 했다고 한다.

"내가 나무에 올라선 다음에는 형님이 나무를 흔들어서 나를 떨어뜨

---

135) 강원용, 『빈들에서: 나의 삶, 한국 현대사의 소용돌이 1-선구자의 땅에서 해방의 혼돈까지』(열린문화, 1993), 206쪽에서 재인용.
136) 송남헌, 〈민족통일독립운동의 선도자〉, 우사연구회 엮음, 『몸으로 쓴 통일독립운동사: 우사 김규식 생애와 사상 ③』(한울, 2000), 62쪽; 김재명, 〈김규식: 한 온건 지식인의 실패한 이상주의〉, 『한국현대사의 비극-중간파의 이상과 좌절』(선인, 2003), 324쪽.
137) 강원용, 위의 책, 206쪽에서 재인용.

릴 것도 압니다. 또 떨어진 다음에는 나를 짓밟을 것이라는 것도 압니다. 그러나 나는 독립정부를 세우기 위해서 나의 존재와 경력의 모든 것을 희생하겠소. 내가 희생한 다음에 그 위에 형님이 올라서시오."[138]

실제로 이승만은 김규식에게 좌우합작운동에 참여하라고 종용한 뒤, 얼마 되지 않은 6월 3일 정읍 발언을 통해 남한만의 단독선거를 통한 단독정부 수립을 주장하게 된다. 이승만은 왜 김규식에게 좌우합작운동에 참여하도록 부탁했던 것일까?

이승만이 정치적 경쟁자 하나를 매장시키려는 노회(老獪)한 정치적 술수를 쓴 것이라는 주장이 있다. 그러나 이승만이 김규식에게 "독립을 위해 미국 사람이 해보라는 것을 여하간 한번 해봐야 안 된다는 것이 증명이 될 것 아니겠느냐"는 말까지 했다는 것으로 미루어 볼 때에,[139] 꼭 그렇게만 보긴 어려울 것 같다. 이승만은 사실상 김규식에게 그런 용도로 수고해 달라고 부탁한 것이며, 또 김규식은 그걸 알고서도 이승만의 부탁을 받아들인 것으로도 볼 수 있을 것이다. 김규식에게 그런 소모적 용도로 수고해 달라는 부탁을 했다는 이승만의 발상이 놀랍긴 하지만 말이다.

버치의 여운형 설득 공작

버치의 여운형 설득도 만만치 않은 일이었다. 버치는 여운형을 민전 및 조공과 분리시키려고 애를 썼지만, 여운형은 한사코 거부했다. 그래서 버치는 여운형의 인민당에 타격을 입히는 공작을 추진해, 46년 5월 여운형의 동생 여운홍을 비롯한 여러 사람들을 인민당에서 탈당시키고

---

138) 송남헌, 〈민족통일독립운동의 선도자〉, 우사연구회 엮음, 『몸으로 쓴 통일독립운동사: 우사 김규식 생애와 사상 ③』(한울, 2000), 70쪽에서 재인용.
139) 송남헌, 위의 글, 70쪽에서 재인용.

자금을 지원하여 사회민주당을 창립케 했다. 커밍스에 따르면,

"여운홍과 사민당의 기교가 여운형을 난처하게 만들기는 했으나 그를 민전 및 조공과 결별시키지는 못했다. 그리하여 버치는 공산주의자들이 여운형의 약점을 잡아 그를 협박하고 있다고 판단하였다. …… 그 약점 이란 아마도 여운형이 전쟁 중 수차에 걸쳐 일본을 방문한 데 있을 것이 라고 추측했다. 그리하여 일본 정부 기록을 조사하고 과거 한국에 있었 던 일인 관리들을 심문하고자 일단의 미국 관리들이 일본으로 파견되었 다. 여운형은 사냥개의 이빨만큼이나 깨끗하다는 것이 드러났다."[140]

결국 여운형은 민전 및 조공과 결별하지 않은 채로 좌우합작운동에 참여하게 되었다. 미군정은 왜 그렇게 좌우합작에 열성을 보였던 걸까? 후일 미 군정청의 경제고문으로 있으면서 미소공위의 미국 측 대표단원 이었던 로버트 키니는 다음과 같이 회고했다.

"미군정은 중도파들을 지지하였는데, 그 이유는 만일 우리가 중도파 를 제외하고 이승만과 김구 등 극우세력을 지지한다면 중도파들은 공산 당과 합류, 큰 세력을 유지할지 모르며, 또 우리가 중도파를 지지해도 민 족주의 우익세력은 공산당과 합작할 리가 없기 때문이다."[141]

46년 5월 25일의 첫 회합

좌우합작을 시도하기 위한 첫 회합은 46년 5월 25일 밤 신당동에 있 는 버치의 집에서 열렸다. 우익 측으로 김규식과 원세훈, 좌익 측으로 여 운형과 황진남 등 네 사람과, 미국 측으론 버치와 선교사이며 배제학교 교장인 아펜젤러가 참여하였다. 5월 30일에는 같은 장소에서 원세훈과

---

140) 브루스 커밍스, 김자동 옮김, 『한국전쟁의 기원』(일월서각, 1986), 330쪽.
141) 『동아일보』, 1972년 4월 6일자; 김재명, 〈원세훈: 올곧은 민족정신 지닌 시베리아의 투사〉, 『한국현대사 의 비극-중간파의 이상과 좌절』(선인, 2003), 123~124쪽에서 재인용.

민전 의장단인 허헌이 제2차 회합을 가졌다.[142]

미군정은 좌우합작을 위한 경비를 지원하였다. 600만 원을 하춘식 명의로 된 조선은행 가명통장에 입금하였는데, 하춘식이라는 이름은 하지의 '하', 춘곡 원세훈의 '춘', 김규식의 '식'을 따서 합성한 가명이었다. 이 돈은 김규식이 관리하면서 좌우합작위원회 비용으로 사용하였다.[143]

김규식(1881년생)과 여운형(1885년생)은 서로 형님, 아우하는 사이로 오래전부터 막역한 독립운동 동지들이었기에 대화가 잘 통했다.[144] 그러나 이들의 세력은 약했거니와 권모술수에도 능하질 못해 이후 좌우 양쪽으로부터 호된 공격을 받아 비틀거리게 된다.

---

142) 송남헌, 〈민족통일독립운동의 선도자〉, 우사연구회 엮음, 『몸으로 쓴 통일독립운동사: 우사 김규식 생애와 사상 ③』(한울, 2000), 74쪽.

143) 우사연구회 엮음, 심지연 지음, 『송남헌 회고록: 김규식과 함께 한 길』(한울, 2000), 75~76쪽.

144) 이정식, 〈여운형·김규식의 좌우합작〉, 동아일보사, 『현대사를 어떻게 볼 것인가 1』(동아일보사, 1987), 188~189쪽.

이승만의 단정론과 김구의 의리

이승만의 정읍 발언

1946년 6월 초, 한반도는 콜레라의 습격으로 몸살을 앓고 있었다. 콜레라가 퍼져 나가면서 곳곳의 교통 왕래가 끊길 정도였다.[145] 이즈음 지방유세 여행을 다니던 이승만은 공산주의를 비판하면서 공산주의를 콜레라에 비유하였다.[146]

6월 3일 이승만은 전라북도 정읍에서 가진 유세에서 남한만의 단독정부 수립을 주장했다. '단독정부'라는 말은 쓰지 않았지만 그 내용은 사실상 단독정부 수립을 역설한 것에 다름 아니었다.

---

145) 1910년 이래 최악의 콜레라로서 9월까지 1만 명에 가까운 사망자가 생겼다. 전상인, 〈해방공간의 사회사〉, 박지향 외 엮음, 『해방 전후사의 재인식 2』(책세상, 2006), 162쪽. 북한을 방문했던 소련 작가들은 46년 8월 7일까지 남한에서는 콜레라로 죽은 사람이 5천297명인 반면 북한에서는 8월 말까지 1천5명에 지나지 않았다며, 이를 미국과 소련의 의료지원 차이로 해석했다. A. 기토비차・B. 볼소프, 최학송 역, 『1946년 북조선의 가을: 소련 작가들의 해방직후 북조선 방문기』(글누림, 2006), 206~207쪽.

146) 로버트 T. 올리버, 박일영 옮김, 『대한민국 건국의 비화: 이승만과 한미관계』(계명사, 1990), 72쪽.

"이제 우리는 무기 휴회된 공위(共委)가 재개될 기색도 보이지 않으며 통일정부를 고대하나 여의케 되지 않으니 우리는 남방만이라도 임시정부 혹은 위원회 같은 것을 조직하여 38 이북에서 소련이 철퇴하도록 세계 공론에 호소하여야 될 것이니 여러분도 결심하여야 될 것이다. 그리고 민족통일기관 설치에 대하여 지금까지 노력하여 왔으나 이번에는 우리 민족의 대표적 통일기관을 귀경한 후 즉시 설치하게 되었으니 각 지방에 있어서도 중앙의 지시에 순응하여 조직적으로 활동하여 주기 바란다."[147]

이승만은 정읍에 뒤이어 6월 4일 전주, 6월 5일 이리, 6월 6일 군산에서도 거듭 이 같은 주장을 폈다. 좌우를 막론하고 이승만에 대한 비난이 빗발쳤지만, 대중의 이승만 지지는 최고조에 이르렀다. 정병준에 따르면,

"이승만이 군산을 방문하기 위해 전북 지경리~군산 간 약 여덟 개 마을을 지날 때 모든 마을 주민들이 이승만을 환영하기 위해 길을 덮었고, 이리에서는 8천 명의 군중들이 빗속에서 이승만의 도착을 두 시간이나 기다려야 했다. 지방 순회를 통해 이승만의 개인적 인기는 귀국 이래 최고조에 도달해 있었다."[148]

이상한 건 김구의 태도였다. 이즈음 김구는 미군정에서 배제돼 가고 있었다. 46년 5월 22일 미 국무부 점령지구 담당 차관보 존 힐드링은 "김구를 지지하는 것이 장기 말을 잘못 쓴 것임을 인정해야 할 때가 왔다"고 했으며, 주한 미 영사이자 하지의 정치고문인 윌리엄 랭던은 "우리는 대체로 김구를 무시하고 있는데 그는 자신의 정치적 실수로 말미암아 정치적인 무대에서 거의 떨어져 나갔다"고 말했다.[149]

미군정의 그런 태도 변화가 김구에게 어떤 영향을 미쳤는지는 알 수

147) 김삼웅, 〈1946년/남한단정 수립 주장 이승만 정읍발언〉, 『사료로 보는 20세기 한국사』(가람기획, 1997), 191~192쪽에서 재인용.
148) 정병준, 『우남 이승만 연구: 한국 근대국가의 형성과 우파의 길』(역사비평사, 2005), 559쪽.
149) 정용욱, 『미군정 자료연구』(선인, 2003), 216쪽에서 재인용.

없으나, 김구는 이승만의 단정론에 대해 한동안 사실상 성원을 보내는 자세를 취했다. 이승만의 단정론이 나왔을 때 김구는 탈장증으로 용산 성모병원에 입원하고 있었다. 김구의 제자인 상공회의소 강익하가 찾아와 300만 원의 수표를 내놓으면서 이렇게 말했다.

"선생님께서 정치자금으로 쓰시라고 전국 경제인들이 갹출한 돈이니 받으십시오. 이 박사께는 따로 500만 원을 전달하기로 했습니다."

김구는 거절하면서,

"국사를 하는 데 쓰일 돈이라면 나보다도 이 박사께 드려 외곬으로 쓰이는 것이 나을 걸세. 내가 필요한 게 있으면 이 박사께 가서 얻어 쓰지."

개인적으로 쓰라고 다시 주어도 받지 않아 강익하는 결국 그 돈을 이승만에게 갖다 바쳤다는 것이다.[150] 며칠 후엔 김구의 이승만에 대한 절대적 지지 선언이 나오니, 이 이야기를 의심하기도 어렵다.

이승만과 미군정의 갈등

이승만의 단독정부론에 대해 가장 신속한 지지 의사를 밝힌 건 한민당이었다. 한민당은 "일부에서는 무슨 역적질이나 한 것같이 선전하니 그 이유를 이해할 수 없다"며 이승만을 옹호하고 나섰다. 뿐만 아니라 한민당은 장덕수를 중심으로 이른바 '선거대책 예산'이라고 명명된 단독정부 수립에 대비한 선거대책 마련에 들어갔다. 이 전략은 240명의 한민당 후보자들을 내세워 정국의 안정을 도모하고, 조직을 강화해 전국 각 동과 리에 이르기까지 한국민주당의 근거를 확립해 공산당의 침투를 저지하는 것을 주요 내용으로 삼고 있는데, 이를 위해 선거예산으로 1인당 100만 원씩 총 2억 4천만 원을 계산해 놓기까지 했다.[151]

---

150) 손세일, 〈이승만과 김구: 해방정국의 두 지도자상〉, 김삼웅 엮음, 『패배한 암살』(학민사, 1992), 55쪽.

이승만은 46년 4월부터 사설정보기관을 설치하여 한국은 물론 미국에서 각종 정보를 수집하고 있었다. 이는 미군정 참모부와 CIC(Counter Intelligence Corps: 방첩부대)도 전혀 눈치채지 못한 극비작업이었다.[152]

한반도의 운명과 관련된 정보력에서 이승만이 미군정을 앞섰던 걸까? 그건 알 길이 없지만, 이즈음 이승만과 미군정 사이의 관계가 악화 일로를 치닫고 있었음은 분명한 사실이었다. 이승만이 너무 앞서가고 있었던 건지도 모를 일이었다. 하지는 46년 6월 2일 귀국한 이승만의 측근인 임병직에게 이렇게 불평했다.

"이승만 박사는 한국에서 가장 위대한 정치가이며 유일한 지도자인지는 모르겠으나, 이 박사의 지나친 반소 태도는 미국으로 하여금 한국을 계속 지원하는 것을 곤란하게 하고 있다."[153]

하지는 6월 4일엔 이승만의 고문인 로버트 올리버에게도 이승만이 공산주의에 대한 공격을 자제할 걸 요청했다. 올리버는 하지 및 군정장관 아처 러치와 가진 그날의 회동에 대해 자신의 비망록에 이렇게 기록했다.

"그들은 모두 리 박사가 과대망상으로 거의 제정신이 아니라고 말한다. 사실상 하지 장군은 어떤 정신병 의사로 하여금 리 박사와 다소 은밀하게 면담을 가지도록 일을 진행시킨 바도 있다. 그들은 그가 개인적으로 이야기를 나눌 때에는 매우 유쾌하고 좋은 사람이지만 공식 회합에서는 아주 난폭한 사람이 되어 소련과 한국의 공산주의자들을 비난함으로써 자기들의 직무를 더욱 더 난처하게 하고 있다고 말한다. 하지는 리 박사가 군정에 쓸모 있는 역할이 끝났다고 생각하며 자기가 리 박사를 공개적으로 비난함으로써 그를 망신시켜야 할는지도 모르겠다고 말한다."[154]

---

151) 연시중, 『한국 정당정치 실록 1: 항일 독립운동부터 김일성의 집권까지』(지와 사랑, 2001), 220, 247쪽.
152) 김혜수, 〈1946년 이승만의 사설정보조사기관 설치와 단독정부수립운동〉, 한국근현대사연구회 편, 『한국 근현대사연구』, 1996년 제5집, 204~239쪽.
153) 연시중, 위의 책, 259쪽.
154) 로버트 T. 올리버, 박일영 옮김, 『대한민국 건국의 비화: 이승만과 한미관계』(계명사, 1990), 73~74쪽.

김구의 개인적 의리 때문인가?

그러나 이승만은 '정신병 의사'까지 생각하고 있었던 미군정의 그런 부정적인 인식에도 아랑곳하지 않은 채 더욱 가열차게 자신의 계획을 밀어붙였다. 지방순회를 마치고 서울로 돌아온 이승만은 조직 강화에 나섰다.

6월 11일, 독촉국민회 전국대표대회가 정동교회에서 개최되었다. 이승만은 이날 연설에서 "소련 사람을 내보내고 공산당을 이 땅에 발 못 붙이게 하자"고 역설하면서, "최고사령부라 할까, 최고의 명령을 내리는 기구를 조직할 터이니 이 명령에 복종함을 맹세"할 것을 요구하였다.[155]

놀라운 건 김구의 화답이었다. 김구는 이 대회에서 "우리는 죽음으로 써 이승만 박사께 복종하기를 맹세합시다"라고 외쳤다.[156]

이승만은 중앙에 통일을 위한 총본부를 설치하여 각 정당과 사회단체를 총괄하겠다고 밝혔는데, 그 '총본부'의 이름은 '민족통일총본부'로 바뀌었다.[157] 6월 29일, 이승만은 국민운동의 총본부 조직으로 민족통일 총본부(민총)의 설치를 발표하였고, 이후 본격적인 단독정부 수립운동을 전개해 나갔다. 민총의 총재는 이승만, 부총재는 김구였다.

훗날 강원용은 "이때 어떻게 김구가 단정 얘기를 들고 나온 이승만과 손을 잡았는지는 지금도 이해되지 않는다"고 말했는데,[158] 아닌 게 아니라 두 사람의 관계는 이해하기 어려운 면이 많았다.

---

155) 한태수, 『한국정당사』(서울, 1961), 78~79쪽: 김정원, 『분단한국사』(동녘, 1985), 86쪽에서 재인용.
156) 서중석, 『한국현대민족운동연구: 해방후 민족국가 건설운동과 통일전선』(역사비평사, 1991), 492쪽: 김혜수, 〈1946년 이승만의 사설정보조사기관 설치와 단독정부수립운동〉, 한국근현대사연구회 편, 『한국근현대사연구』, 1996년 제5집, 212쪽.
157) 김혜수, 위의 글, 212~213쪽.
158) 강원용, 『빈들에서: 나의 삶, 한국 현대사의 소용돌이 1-선구자의 땅에서 해방의 혼돈까지』(열린문화, 1993), 208쪽.

김구는 이데올로기에 대한 자기 정체감이 약했으며, "유학·동학·불교·기독교 등을 두루 편력하는 사상적 방황을 경험하"긴 했지만 "전통적 가치인 유학적 또는 의병적 신의를 중시하는 완고함을 지닌 행동지향형의 인물이었다"는 점이 그걸 설명해 줄 수 있을지도 모르겠다.[159]

김구는 한 살 위인 이승만을 깍듯이 '형님'이라고 부르고 이승만이 나가던 교회까지 따라 나갈 정도로 '형님'에게 극진한 대접을 하였는데, 두 사람 사이의 그런 인간관계 또는 김구의 개인적인 의리와 신의에 대한 집착이 작용했던 건 아닐까?[160]

어찌됐건, 피를 나눈 형제 못지않게 정(情)을 주고받았던 의형제 사이의 애증관계가 아니었다면, 김구의 행동은 달리 이해하기 어렵다. 다만 한 가지 분명한 건 김구의 그런 지원으로 이승만은 우익진영의 선두주자로 나서게 되었다는 사실이다. 한민당계가 운영한 한국여론협회의 조사 결과인지라 전적으로 믿을 건 못되지만, 46년 7월 서울 중심가의 통행인 6천600여 명을 대상으로 던진 "초대 대통령을 누가 해야 하는가"라는 설문에서 이승만 29%, 김구 11%, 김규식 10%, 여운형 10%, 박헌영 1%인 것으로 나타났다.[161]

---

159) 도진순, 『분단의 내일 통일의 역사』(당대, 2001), 262~263쪽.
160) 별로 믿기지 않는 얘기지만, 최근 러시아에서 입수된 소련 군정 문서에 따르면, 김구가 이승만에 대한 복종을 맹세하자고 외치기 3개월 전인 46년 3월 12일엔 김구가 이승만을 넘어뜨리고 그 위에 올라앉는 등 두 사람 사이에 격렬한 몸싸움까지 있었다고 한다. 이승만은 김구를 "테러분자들의 두목"이라고 부르고, 김구는 이승만에게 "나는 테러기술을 배웠지만 당신은 할 줄도 모르면서 살인을 하고 있지 않소"라는 등 극렬한 독설까지 퍼부었다니, 어디까지 믿어야 할지 모르겠다. 김범수, 〈'해방정국' 소련 군정 문서 첫 번역〉, 『한국일보』, 2004년 2월 21일, A19면. 나중에 다루겠지만, 김구의 이승만에 대한 개인적 의리는 김구가 이승만과 완전히 갈라선 48년 2월 21일의 시점에서도 이승만과의 관계를 묻는 기자의 질문에 곤혹스러워하면서 여전히 "우리는 작은 문제들에 대하여 의견이 같지 않을 수가 있으나 전체적으로는 우리는 모두 함께 공동보조를 취하오"라고 말한 데에서도 잘 드러난다. 로버트 T. 올리버, 박일영 옮김, 『이승만 비록』(한국문화출판사, 1982), 185~186쪽.
161) 구종서, 〈보수우익 세력의 형성과정〉, 한배호 편, 『한국현대정치론 I: 제1공화국의 국가형성, 정치과정, 정책』(나남, 1990), 95쪽.

우익 청년단체의 전성시대

대한민청, 김두한, 염동진

해방정국에서 좌우 정치지도자들이 주도하는 파쟁극에 꼭 빠지지 않고 등장하는 게 있었으니, 그건 바로 청년단체들이었다. 좌익은 29개 단체를 통합하여 46년 4월 25일 청년단일전선을 목표로 70만 명의 회원을 가졌다는 조선민주청년동맹을 결성하였지만, 이들은 미군정과 경찰의 후원을 받지 못하고 오히려 탄압의 대상이 되었기 때문에 우익 청년단체보다는 열세에 놓여 있었다.[162]

우익 청년단체는 45년 12월 21일 대한독립촉성전국청년총연맹으로 일단 정리되었다가, 46년 봄 대한민주청년동맹(대한민청)으로 통합되었다. 1946년 4월 9일 종로 YMCA 강당에서 300여 명의 청장년이 모인 가운데 결성된 대한민주청년동맹의 명예회장은 이승만·김구·김규식,

---

162) 서중석, 『한국현대민족운동연구: 해방후 민족국가 건설운동과 통일전선』(역사비평사, 1991), 334쪽.

회장은 유진산, 감찰부장은 김두한이었다.

김두한은 전문 테러조직인 백의사(白衣社)라는 비밀단체의 조직원이기도 했다. 백의사는 독립운동가였다가 나중에 일제의 밀정 노릇을 한염동진(본명 염응택)이 자신이 중국에서 몸담고 있기도 했던 중국의 난의사(蘭衣社)를 본떠 만든 것이었다. 1902년 평양에서 태어난 염동진은 백의사 첩보원들을 북한으로 보내 요인 암살 및 토지개혁 반대 선동 등의활동을 하게 하였으며, 백의사 단원들을 경찰, 국방경비대, 노동계 등에도 들여보내 반공운동을 전개토록 하였다. 염동진이 45년 11월 말 서울에 와서 가장 먼저 한 일들 중의 하나가 당시 조선공산당 전위대장으로포섭돼 있던 김두한을 우익으로 전향시킨 것이었다.[163]

고은의 〈염동진〉이라는 제목의 시에 따르면,

"1945년 겨울 / 서울 종로 2가에 염동진이 나타났다 / 아니 / 나타나지않고 / 스며들었다 / 염동진 / 그가 누구인지 / 어디서 왔는지 / 누구의 동지인지 / 어디로 갈 것인지 몰랐다 / 수군거리기를 / 중국 북부에서 독립운동을 했다 한다 / 수군거리기를 / 가족 전부가 / 공산당에게 학살당했다한다 / 극우 테러본부 백의사 우두머리 / 잠자리에서도 / 검은 안경 벗지않는 / 장님 / 잠자리에서도 권총을 챙겼다 / 백의사 / 청년 유진산은 머리였고 / 청년 김두한은 주먹이었다 / 모자 벗은 머리에서 / 포마드 냄새가진했다 / 냉혈인간 / 그의 말은 칼끝 / 그의 생각은 찰나였다 / 그의 하루하루는 / 누구를 죽이는 일 / 누구를 없애버리는 일이었다 / 단독정부가 들어선 뒤 / 홀연 사라졌다 / 그러나 그의 극우 테러는 백주에 호열자로 퍼져나갔다"[164]

---

163) 안기석, 〈백의사 총사령 염동진: 김일성, 간담 서늘케 한 전설적 백색 테러리스트〉, 『신동아』, 2001년 10월, 316~323쪽.
164) 고은, 『만인보 20』(창비, 2004), 110~111쪽.

일제가 뿌린 테러의 씨앗

이제 곧 전평 주도하의 9월 총파업시 맹활약을 하게 될 대한민청은 해방정국에서 가장 폭력적인 면모를 보여주었다. 당시 28세 청년 김두한은 테러의 정당성을 확신하였는데, 훗날 자신을 '백색 테러리스트'로 규정하면서 "이때에 힘을 통한 멸공 이외에는 누란의 위기에 선 조국을 구출할 방법이 없다고 확신했기 때문에 무자비한 피의 대공투쟁을 전개"하게 되었다고 주장했다. 아닌게아니라 정말 무자비했다. 그래서 좌익계 활동가들에게는 "경찰에 걸리면 살아도 청년단에 걸리면 죽는다"는 말이 나돌 정도였다.[165]

류상영은 대한민청의 배후와 운영 방식에 대해 "유진산은 한국민주당을 비롯한 호남지방 재산가들의 지원을 끌어내어 본부 운영자금으로 충당했으며 감찰부장 김두한은 때로는 협박·공갈을 구사하여 자금을 충당했다"고 했다.

"당시 장택상 수도경찰청장의 은밀한 활동비 지원도 있었고 백낙승 등 특정 실업가들로부터 거액의 자금을 보조받기도 했다. 대한민청의 조직상의 한 특징은 종로·명동 일대에서 활약하던 폭력조직 대부분이 대원으로 망라되었다는 사실이다. 이러한 특징은 당시 우익 청년조직의 전형적인 모습을 보여주는 것이라 할 수 있는데, 왜냐하면 중앙에서뿐만 아니라 조직력이나 인원 충원 면에서 좌익에 비해 취약할 수밖에 없었던 지방의 경우 우익조직이 쉽게 동원할 수 있는 사람들은 곧 이들 룸펜 폭력배들이었기 때문이다."[166]

165) 류상영, 〈8·15 이후 좌·우익 청년단체의 조직과 활동〉, 최장집 외, 『해방전후사의 인식 4』(한길사, 1989), 91쪽; 김은남, 〈영웅이 될 뻔한 청부 테러리스트〉, 『시사저널』, 2002년 9월 26일, 120면.
166) 류상영, 위의 글, 89~90쪽.

한홍구는 "권력과 주먹패가 본격적으로 야합하기 시작한 것은 이때부터이지만, 단초는 이미 일제 강점기에 열려 있었다"고 했다.

"일제는 조선인 청년들을 전쟁에 동원하는 과정에서 많은 청년들이 일본어도 모르고 학교도 제대로 다니지 못해 조직생활을 해본 경험이 없어 군인이나 전쟁 노무자로 동원하는 데 어려움이 있자, 이를 해결하기 위해 청년단이나 청년훈련소를 조직하여 조선인 청년들을 황국 청년으로 교육하는 데 주력했다. 이는 파시스트 권력이 뒷골목 세계에까지 일정한 공식성을 부여하며 체제내화한 것으로, 해방 뒤의 백색테러나 한국전쟁 전후의 민간인 학살 등과 같은 불행한 사건들의 씨앗은 이때부터 뿌려진 것이라 할 수 있다."[167]

전국학생총연맹과 이철승

1946년 7월 31일 전국학생총연맹(전국학련)이 결성되었다. 이날 결성대회에는 이승만, 조소앙, 김성수, 정인보 등이 참석하여 축사와 격려사를 했다. 서중석은 "우익의 최고지도자로서 우익 청년·학생운동단체의 정신적 지주였던 이승만과 김구는 반탁학생연맹의 후신인 전국학생총연맹을 가장 믿음직한 활동단체의 하나로 아끼고 사랑했다고 하며, 각종 우익 청년·학생단체를 지원하고 그 소속원들을 격려하였다"고 말했다.

"김구와 조소앙은 청년·학생단체의 소속원들이 체포되면, 장택상 수도경찰청장 등에게 전화를 걸어 석방시켰다. 이들 단체에 대한 자금의 지원은 '인촌의 주머니가 바로 이철승의 주머니'라는 말이 있었던 데서도 알 수 있듯이, 김성수와 '전국학련의 금고'로 자처한 전용순이 가장 많이 하였고, 이승만·박흥식 등도 지원하였다. 이철승은 꼭두새벽이면

---

167) 한홍구, 〈한홍구의 역사 이야기: 황당한, 그러나 미워하기 힘든…〉, 『한겨레 21』, 2002년 11월 14일, 87면.

일어나 김성수 댁을 거쳐 전용순 댁에 가서 활동자금을 타내고, 김구 댁인 경교장, 조소앙·신익희 등 임정 요인들이 묵고 있는 한미호텔을 방문하는 것이 일과였다. 이밖에 정인보, 장덕수, 엄항섭, 김도연, 안호상, 이선근, 박순천, 김활란, 임영신 등이 물심양면으로 전국학련 등에 대해 지원하였다고 한다. …… 조병옥은 청년·학생단체 소속원들이 지방에 내려가 좌익단체를 때려부술 때 '정치감각'이 모자란 현지 경찰이 이들을 구속하면, 이들이 얼마나 중요한 일을 해내고 있느냐고 호통을 치며 석방하게 하였다. 검찰에서도 이들을 적극 비호했다. …… 이들은 또 미군정청의 구호물자와 배급품 지원을 받았다."[168]

전국학련은 김두한의 대한민청과 밀접한 협력관계를 유지하였다. 김두한은 자서전에서 자신이 47년 근로인민당의 당사까지 빼앗아 전국학련에 넘겨주었다고 주장했다.

"나는 근로인민당 본부를 습격하기 위해 행동대를 조직하고 서울지구 조직원 2천 명을 동원시켜 무난히 점령했다. 그들이 달고 있던 근로인민당의 간판을 떼어 불살라 버리고 집기 이외의 모든 서류도 불살라 버렸다. 그리고 나서 당사를 '전국학련'에게 넘겨주었다. 전국학련은 이철승 씨에 의해 주도되고 있었다. 나는 우익계 학생을 키워주는 것이 공산당을 막는 유일한 지름길이라고 단정하고 학련의 책임지도원으로 있으면서 우익 학생을 키워주었다."[169]

서북청년회와 선우기성

해방정국의 우익 청년단체 가운데 가장 두드러진 활동을 했던 서북청

168) 서중석, 『한국현대민족운동연구: 해방후 민족국가 건설운동과 통일전선』(역사비평사, 1991), 333~334쪽.
169) 김두한, 『김두한 자서전 1』(메트로신문사, 2002), 191쪽.

년회(서청)는 46년 11월 30일 대한혁신청년회, 함북청년회, 황해회청년부, 북선청년회, 평안청년회 등 이북 출신 청년회를 통합하여 결성되었다. 위원장은 46년 2월에 월남한 선우기성이었으며, 활동자금은 서북 출신 실업가들과 군정청 고위 관리들, 그리고 이승만 계열의 독립촉성국민회의에 의존하였다.[170]

훗날 제주 4 · 3항쟁 진압시 서청의 활동이 말해 주듯이, 서청은 종교적 수준의 반공 의식으로 무장하고 있었다. 서청의 간부인 문봉제의 회고에 따르면, 서청 사무실은 한민당 본부가 들어 있는 동아일보 사옥에 있었는데, 동아일보 사옥 옥상에서는 '성분 심사' 등으로 매타작이 하루가 멀다시피 있었고, 그때마다 '살려달라'는 비명과 기절이 엇갈리는 생지옥이 연출되었다.[171]

훗날 선우기성이 자신의 저서에서 "서청! 하면 울던 아기도 울음을 그친다"는 유행어가 나돌았다고 회고할 정도로 서청은 모든 사람들에게 공포의 대상이었다.[172] 고은의 〈선우기성〉이라는 제목의 시는 서청과 선우기성의 활약을 이렇게 묘사했다.

"해방 뒤 38선 이북은 일제잔재 청산이 있었다 / 행정에 필요한 / 일제 하급 공무원은 / 우선 활용했으나 / 악질 친일파로 숙청당한 사람들 많고 많았다 / 숙청을 피해 / 38선을 넘은 사람들 많았다 / 1946년부터 38선은 생사의 경계였다 / 넘어와 / 북의 공산당에 이를 갈았다 / 남의 현실에 환멸이었다 / 혼란 / 굶주림 / 무직 / 올 데 갈 데 없었다 / 안되겠다 뭉쳐보자 / 평남 청년회 / 평북 청년회 / 함북 청년회 / 함남 청년회 / 황해 청년회 들

---

170) 류상영, 〈8 · 15 이후 좌 · 우익 청년단체의 조직과 활동〉, 최장집 외, 『해방전후사의 인식 4』(한길사, 1989), 98~99쪽.
171) 서중석, 『한국현대민족운동연구 2: 1948~1950 민주주의 · 민족주의 그리고 반공주의』(역사비평사, 1996), 138쪽에서 재인용.
172) 제주4 · 3사건진상규명및희생자명예회복위원회, 『제주 4 · 3사건 진상조사보고서』(제주4 · 3사건진상규명및희생자명예회복위원회, 2003), 143쪽에서 재인용.

통합 / 1946년 11월 30일 / 서북청년회가 결성되었다 / 오직 이승만 박사에게 충성을 바쳤다 / 나는 선우기성이 아니라 / 이승만 박사의 손가락이다 / 오늘도 이승만의 주먹 두 개를 쥔다 / 서북청년회 지도자 선우기성 / 조국의 완전자주독립 전취 / 균등사회의 건설 / 세계평화의 건설 / 서북청년회 3대 강령 / 오죽이나 이상적이냐 / 자주와 / 평등 / 평화가 오죽이나 이상적이냐 / 철저한 반공노선 / 회원 6천명 / 첫 투쟁은 좌익단체 습격 / 백색테러가 시작되었다 / 유혈 낭자 / 군정청 경무부장 조병옥의 지원을 받았다 / 미군 첩보보조원으로 / 38선도 넘나들었다 / 김일성 별장도 습격했다 / 선우기성 / 점점 살벌해졌다 인간보다 비인간이 더 치열했다 / 38 이남이 떨어댔다 / 모든 도시들 / 모든 촌락들 / 선우기성의 밤뿐 아니라 / 뭇사람들 겁먹은 눈에 다 드러나는 / 선우기성의 대낮이 벌벌 떨어댔다"[173]

선우휘의 서청 옹호론

그러나 반공주의자들은 선우기성과 서청의 폭력을 '필요악'으로 간주하였다. 훗날 남한의 대표적인 반공주 논객으로 명성을 떨치게 되는 선우휘는 선우기성이 일가 형님뻘 되는 관계로 서청을 자주 드나들었는데, 선우휘는 자신의 자전적 소설인 『노다지』에서 주인공 수인의 입을 빌려 서청을 다음과 같이 옹호, 아니 예찬하였다.

"일찍이 날로 어지러워 가는 이북 고향 땅을 등지고 이남으로 내려와 거처도 없이 떠다니고 있는 그들이었다. 그러나 그들과 마주앉으면 한결 마음이 가라앉았다. 물론 그들의 폭력행사에 동조하는 것은 아니다. 그러나 수인은 예전처럼 그들의 폭력행위를 부정적으로만 보지는 않게 되었다. 하는 수 없는 일이라고 체념했다. 어쩌면 자기는 그들이 휘두르는

---

173) 고은, 『만인보 18』(창비, 2004), 168~170쪽.

폭력 덕택에 안주하고 있는 게 아닌가 하는 회의조차 드는 요즘이다. …… 그들에게는 본능으로만 사는 야생동물과도 흡사한 감각이 있었다. 그 본능적인 감각으로만 사는 것도 위험천만한 삶인 것은 틀림없었다. 그러나 이치에만 매달려 이치만 내세우는 '입만 산 사람들'이 무의식적으로 잊어버린 것, 어쩌면 의식적으로 내팽개친 인간 삶의 중요한 '그 무엇'을 잃지 않고 있다고 볼 수 있었다. 그래서 그 무엇인가가 발동하면 누구 못지않게 사물의 핵심을 정확히 꿰뚫어보고 정확히 대응하는 것이다. …… 그것은 어떠한 세속적인 욕망도 당하지 못할 더 없는 아름다움임에 틀림없었다."[174]

지식인 혐오와 행동에 대한 강박은 파시즘의 공통된 특성이다. 무솔리니의 간결한 정의를 따르자면, "파시즘은 행동이다."[175] '입만 살아 움직이는 지식인'보다 실천하는 '서청 단원'들이 차라리 더 순수하다며 그들의 폭력을 미학적으로 승화시키는 이런 논리는 비단 선우휘뿐만 아니라 당시의 모든 반공주의자들에게 깊이 침투돼 있는 것이었다.

조선민족청년단과 이범석

미군정도 청년단체를 활용할 필요를 느껴 46년 중반 비밀리에 약 500만 달러와 미군 장비를 지원하고 훈련 고문으로 미군 대령 한 사람을 특파하여 46년 10월 9일 조선민족청년단(족청)을 결성케 하였다. 이는 하지가 맥아더에게 "점령군 및 경찰을 증대시키고 지원할 목적으로 우익 청년군을 구성"해야 한다고 제안하여 이루어진 것이었는데, 이는 이미 필리핀에서 성공한 청년조직을 모델로 한 것이었다. 문제의 소지를 없애

---

174) 한수영, 〈한국의 보수주의자: 선우휘〉, 『역사비평』, 제57호(2001년 겨울), 80~81쪽에서 재인용.
175) Richard Thurlow, 『Fascism』(Cambridge: Cambridge University Press, 1999), p.1.

사열을 받는 조선민족청년단. 앞에 말을 탄 이가 단장을 맡았던 이범석이다.

기 위해서였는지 자금은 군정청이 아닌 도쿄의 맥아더 사령부로부터 나
왔다. 맥아더 사령부는 차량 지원에서부터 제복에 이르기까지 모든 걸
지원해 주었다.[176]

족청의 단장은 46년 6월 중국에서 귀국한 이범석이었다. 이범석은 중
국의 조선광복군 2지대 사령관을 지내면서 미국 정보원들과 적극적으로
협력했던 인물이었다. 족청은 김활란(이화여대 총장), 백낙준(연희대 총장),
최규동(서울대 총장), 현상윤(고려대 총장) 등으로 이사회를 구성하고, 수
원에 있는 옛 일본육군병원 건물에 족청 중앙본부를 설치함과 아울러 이
곳에 훈련소를 마련하였다. 소련의 항의를 피하기 위해 비밀을 유지하는
가운데, 수원 훈련소에선 47년 7월까지 약 7만 명이 훈련을 받았다. 교
육 목적은 장래의 군대였으며, 실제로 훗날 상당수가 국군으로 편입되었
다.[177]

---

176) 류상영, 〈8·15 이후 좌·우익 청년단체의 조직과 활동〉, 최장집 외, 『해방전후사의 인식 4』(한길사,
    1989), 74, 94쪽; 그레고리 핸더슨, 박행웅·이종삼 옮김, 『소용돌이의 한국정치』(한울아카데미, 2000),
    224~225쪽; 김정원, 『분단한국사』(동녘, 1985), 90쪽; 안호상, 〈안호상 박사 회고록: '족청' 해산〉, 『문
    화일보』, 1995년 3월 23일, 19면.
177) 그레고리 핸더슨, 박행웅·이종삼 옮김, 위의 책, 224~225쪽.

족청은 다른 반공 청년단체들과는 좀 달랐다. 미군정의 직접적인 지원을 받았지만 '비정치, 비군사, 민족지상, 국가지상'을 내세우면서 폭력적인 반공활동에는 소극적이었다. 다른 반공 청년단체들은 좌익세력이 족청을 합법적인 은신처로 이용하고 있다고 비난하기도 하였다.[178]

족청의 이론적 근거를 제공해 준 인물은 안호상이었다. 안호상은 나치 시대의 독일 예나 대학 졸업생으로 헤겔 학도였으며 공개적으로 히틀러 유겐트를 찬미한 인물이었다. 족청의 단지(團旨)는 '민족지상 국가지상'이었으며, 당원 신조는 "우리는 반만년의 자랑스러운 전통과 배달민족의 피와 흙 속에서 생겨난 이 나라의 새 생명이다. 민족지상 국가지상의 이념을 신봉하고 이 목적을 달성하기 위해 최후까지 심신을 바친다"는 것이었다.[179]

김학준은 "족청의 이러한 이념적 지향은 일부에서 큰 논란을 불러일으키기도 했다. 국수주의적이고 심하게 말하면 전체주의적인 발상이라는 비판이었다. 그러나 망국의 쓰라림을 뼈저리게 겪고 겨우 광복을 얻었는데도 통일국가를 세우지 못한 채 연합국 점령 아래 민족 내분이 격심하던 당시에는 호응도가 높았다"고 평가했다.[180]

정치지도자들과 우익 청년단체의 유착

우익 청년단체들은 대부분 이승만과 김구를 지지했다. 미군정이 파악한, 47년 2월 현재 이승만과 김구를 지지하는 우익 청년·학생단체 현황은 다음과 같았다.(괄호 속은 조직원 수)

---

178) 박태균, 『조봉암 연구』(창작과비평사, 1995), 150쪽.
179) 그레고리 헨더슨, 박행웅·이종삼 옮김, 『소용돌이의 한국정치』(한울아카데미, 2000), 224~225쪽; 김학준, 『해방공간의 주역들』(동아일보사, 1996), 197~198쪽.
180) 김학준, 위의 책, 198쪽.

이승만 계열의 대한독립촉성전국청년총동맹(296만 명), 한민당 계열의 대한독립청년단(11만 3천400명), 한독당 계열의 광복청년회(11만 명), 조선건국청년회(2만 명), 조선청년당 계열의 한국청년회(1만 4천300명), 서북청년회(600명), 대한민주청년동맹(5천 명), 조선민주당 계열의 평양청년회(1천 명), 그리고 월남인 그룹으로 구성된 서북학생연맹(1천900명) 등이었다.[181]

우익청년단체 조직원 수가 총 323만여 명에 이를 정도로 엄청나게 많았던 건 당시 한국 사회를 휩쓸고 있던 대규모 실업과 경제난 때문이었다.[182] 정치단체나 정치지도자들도 청년들을 필요로 했기 때문에, 양쪽의 이해관계가 맞아떨어졌던 것이라고 볼 수 있다. 많은 청년단체들이 정치인들로부터 자금을 일부 제공받는 동시에 경찰의 비호하에 폭력을 일삼으면서 사회 각계에서 기부금을 받아내는 것으로 연명하였다.

폭력성이 강한 테러의 경우엔 높은 소득을 올릴 수도 있었다. 그런 테러단원의 소득은 기업체에서의 임금 소득보다 훨씬 높았다. 46년 8월 전평 조합원에 대한 대한노총의 테러에 가담한 청년 테러단원은 하루 300~500원을 받고 동원되었다. 이때 전 산업 남성 노동자의 하루 평균 임금은 61원이었다.[183]

『신천지』 1946년 8월호에 실린 오기영의 〈실업자〉라는 글도 청년단의 발호가 비참한 실업의 고통과 그런 사정을 정치인들이 이용한 탓에 나타난 현상이라고 했다.

"괘씸한 것은 '내가 정치가요……' 하는 점잖은 양반들이 이들 실업자를 정당한 방법으로 구제할 생각은 아니하고 밥을 미끼로 하여 자기

181) 도진순, 『한국민족주의와 남북관계: 이승만 · 김구 시대의 정치사』(서울대학교출판부, 1997), 155쪽.
182) 그레고리 핸더슨, 박행웅 · 이종삼 옮김, 『소용돌이의 한국정치』(한울아카데미, 2000), 224쪽.
183) 조순경 · 이숙진, 『냉전체제와 생산의 정치: 미군정기의 노동정책과 노동운동』(이화여자대학교출판부, 1995), 310쪽.

대신 제 욕심대로 폭력주의를 행사하는 것이다. 테러에도 색별(色別)이 자연(自然)한 듯하여 백색테러니 적색테러니 하지마는 실상은 폭력 행사자 자신에게는 이런 사상적 근거보다도 배고픈 원인이 좀더 정당한 원인이라 보아야 옳을 성싶다. 배고픈 사람에게 한 때 밥을 주니 은혜요, 게다가 동지의 명예와 애국자의 공명(功名)까지 곁들여 주면서 '저놈이 나쁜 놈이다, 쳐라' 하니, 안 치는 사람보다는 치는 사람이 많은 것도 사리(事理)에 그럴 듯하다."[184]

그랬다. 청년단의 폭력 행사는 겉으론 이데올로기 투쟁의 양상을 강하게 띠었지만, 그 실상은 배고픔을 해결하기 위한 방편의 성격이 강했다. 오기영은 그런 약점을 이용한 정치인들에 대해 "뱃속을 들여다보면 내 테러는 애국심에 불타는 의거(義擧)요, 저편의 테러만은 배격하자는 것일 거니 사리가 여기 이르면 가위 언어도단이다"라고 비판했다.

"이런 인물이 정치무대에서 날뛰는 날까지는 암만 민중이 속을 태워도 통일은 무망(無望)이요 독립도 피안의 신기루다. 이따위 정치가는 자기의 정치적 실업을 겁내서 정작 민중의 실업을 고려하지 않는 것인데, 하기는 내 코가 석자면 하가(何暇)에 남의 걱정을 하리요마는, 그런지라 이따위 정치가는 모조리 면직처분을 하지 않으면 안 된다."[185]

그러나 누가 면직처분을 할 수 있을 것인가? 그것이 문제였다.

경찰서에 나붙은 이승만 사진

해방정국에서의 정치력이라고 하는 것은 청년단체와 더불어 경찰력을 얼마나 장악하고 있느냐에 따라 큰 영향을 받는 것이었는데, 이 점에

---

184) 오기영, 〈실업자〉, 『진짜 무궁화: 해방경성의 풍자와 기개』(성균관대학교출판부, 2002), 16쪽.
185) 오기영, 위의 책, 17쪽.

선 이승만이 가장 유리한 고지를 차지하고 있었다.

특히 이승만의 경찰 사랑은 지극했다. 그는 경찰권을 쥐고 있는 조병옥과 장택상에게 가장 친밀한 태도를 보였으며, 경찰 회의가 있을 때마다 반드시 회의에 참석한 경찰간부 전원을 초대하여 만찬을 같이하고 치하하였다.[186]

이승만과 경찰의 관계가 워낙 밀월인지라 미군정이 불만을 터뜨릴 정도였다. 당시 미군정의 민간 행정관이었던 존슨은 "그것은 '우리들의' 경찰이다. 그런데 그들은 김구와 이승만을 지지하고 있다. 전국적으로 경찰서의 벽에는 이승만의 사진이 나붙어 있다. 분명히 이승만은 경찰에 침투하고 있으며 이 나라를 그런 식으로 장악하려고 시도하고 있다"고 불평했다.[187]

존슨은 이승만의 경찰 사랑이 정치자금 문제와도 연결돼 있었을 거라는 의혹마저 제기했다.

"공무원들은 급료를 충분히 받지 못하고 있다고 느꼈으며 사실이 그러했다. 물건은 귀하고 따라서 값이 비쌌다. 경찰은 특별한 방법으로 이 문제와 싸웠다. 경찰은 전국적으로 '경찰후원회'를 조직하고 상인 등에게 기부금을 '요구'하곤 했다. 우리는 경찰관들의 실질 소득이 다른 공무원들의 그것보다 더 많다는 것을 발견했다. 그리고 이때에는 모든 경찰서에 이승만의 사진이 나붙기 시작한 것 또한 물론 사실이었다. 이것을 종합해서 생각하면 이들 자금 중의 일부가 이 박사에게 들어갔을 것이라고 가정해도 좋을 것이다."[188]

과연 경찰이 이승만에게 정치자금까지 제공했는지는 알 수 없으나, 이승만과 경찰의 밀월관계는 이후 내내 지속된다.

---

186) 서중석, 『한국현대민족운동연구 2: 1948~1950 민주주의 · 민족주의 그리고 반공주의』(역사비평사, 1996), 137쪽.
187) 김정원, 『분단한국사』(동녘, 1985), 89쪽.
188) 김정원, 위의 책, 100쪽.

'국립서울종합대학안' 파동과 '교육출세론' 확산

교육 영역의 정치화

미군정의 좌익 탄압은 교육 영역도 예외로 두진 않았다. 미군정은 46년 3월 30일 '무허가 학교 폐쇄령'을 공포하여 민족적이고 진보적 성향의 학교, 학원, 강습회를 폐쇄하였다. 또 미군정은 전국적으로 확산되던 문맹퇴치운동마저 금지시켰는데, 이는 좌익이 문맹퇴치를 "정치 이데올로기를 삼투시키기 위한 기초공작"으로 이용하는 것에 대한 대응이었다.[189]

이에 서울의 17개 학교 학생들이 궐기하여 "무허가 학교 폐쇄령 반대!" "친일 악질 반동교원 추방" 등의 구호를 내걸고 투쟁을 전개하였다. 이 투쟁에 참가한 학생 수는 미 군정청 발표만으로도 4만 명 이상에 달했다.

---

189) 김진균·홍승희, 〈한국사회의 교육과 지배이데올로기〉, 한국산업사회연구회 편, 『한국사회와 지배이데올로기: 지식사회학적 이해』(녹두, 1991), 228~229쪽; 이우용, 『해방공간의 민족문학사론』(태학사, 1991), 90쪽.

무허가 학교라는 이유로 강제 폐쇄를 당한 서울 법정대학의 학생들은 4월 6일 미 군정청 청사 앞에서 항의 성명문을 낭독하고 연좌농성을 벌였지만, 미군정은 학생 600명 전원을 검거하는 등 강경 대응하였다. 미군정은 '군사점령의 목적에 적극적으로 반대하고 있는 모든 교사들'에 대한 해임에도 열성을 보여 미군정 3년 간 남한에서 해직된 교육자 수는 1천100명에 이르렀다.[190]

1946년 7월부터 1947년 2월까지 7개월 간에 걸쳐 한국 사회를 뜨겁게 달군 이른바 '국립서울종합대학안(국대안)' 파동은 교육 영역이 그렇게 이념적·정치적 논란의 주요 이슈로 등장한 상황에서 벌어진 일이었다.

1946년 7월 13일 미 군정청 기자실에 문교부장 유억겸이 문교부 차장 오천석을 대동하고 나타났다. 오천석의 설명으로 전격 발표된 것이 바로 국대안이었다. 이 안은 경성대학(법문학부, 이공학부, 의학부)과 서울 및 근교에 있는 9개 전문학교(경성의학전문, 경성치과전문, 경성법학전문, 경성광산전문, 경성고등공업학교, 경성고등상업학교, 경성사범학교, 경성여자사범학교, 수원농림전문)를 통합하여 하나의 종합대학교로 설립하고자 하였다. 이는 엄청난 논란과 그에 따른 격렬한 투쟁을 불러일으켰다.

8월 22일 미군정은 군정법령으로 국대안법을 확정 공포하면서 총장과 교무처장을 임명하였는데, 국대안도 문제였지만 이들이 모두 미국인이라는 사실이 감정적 거부감을 낳게 하는 데 크게 기여하였다. 서울대 초대 총장으로 임명된 사람은 이미 경성대 총장을 지낸 해리 엔스테드로 해군에서 군목을 맡았던 대위였으며, 교무처장은 연희전문의 호레이스 언더우드였다. 엔스테드가 법학박사라곤 하지만, 일개 해군 대위가 최초이자 최고의 국립대학 총장이 된다는 건 조선인들의 자존심을 상하게 만

190) 한국현대사연구회 엮음, 『알기쉬운 한국현대정치사』(공동체, 1988), 102~103쪽; 김진균·홍승희, 〈한국 사회의 교육과 지배이데올로기〉, 한국산업사회연구회 편, 『한국사회와 지배이데올로기: 지식사회학적 이해』(녹두, 1991), 228쪽.

들기에 충분한 일이었다.[191]

겉으로 내건 화려한 명분을 빼고 실질적인 이야기를 하자면, 미군정의 국대안은 국립 단과대학들을 모두 독립기관으로 운영하는 데 따르는 재정적 부담을 줄이고 교직원들의 임의적 학교관리와 학사운영을 규제하기 위한 불가피한 조치라는 것이었다.[192]

국대안에 대한 반대 논리

반면 국대안에 대한 반대 논리는 크게 보아 다섯 가지였다.

첫째, 시기상조론이었다. 아직 완전 독립도 되지 않은 상태에서 '국립대학'이라는 게 무슨 의미가 있는 것인지, 통일정부 수립 이후에 조선적 입장에서 신중히 검토하여 입안해야 할 중대사를 경솔하게 졸속으로 처리하는 게 아니냐는 논리였다.

둘째, 현실 부적합론이었다. 이는 조선인민당이 내놓은 주장으로, 전문학교를 나오면 지체없이 현장에 뛰어들어 국가 건설에 이바지해야 할 절박한 상황에서 모두 대학으로 만든다는 것은 조선 실정에 맞지 않는다는 논리였다.

셋째, 일제 잔재 청산론이었다. 친일파를 배제하고 일제 시기에 형성된 제도를 폐지하여야 할 것인데, 국대안은 전혀 그렇지 못하다는 논리였다.

넷째, 학문자유 통제론이었다. 국대안은 총장 및 교수의 지위가 이사회에 종속되는 동시에 교수 재임용제를 실시하는 걸 포함하고 있었는데, 이는 학문 및 사상과 이념의 자유를 탄압할 소지를 안고 있다는 논리였다.

---

191) 김우종, 〈국립 서울대학교 설립 파동의 확산〉, 『한국대학신문』, 2000년 4월 17일, 5면.
192) 오욱환, 『한국사회의 교육열: 기원과 심화』(교육과학사, 2000), 230쪽.

다섯째, 방법적 결함론이었다. 국대안의 구상과 결정 방식은 관련 학교와 사전 협의를 전혀 거치지 않는 등 비민주적이고 독단적인 행정의 산물이라는 논리였다.[193]

국대안에 반대하는 학생들은 46년 9월 등록을 거부하고 동맹휴학(맹휴)에 들어가면서 친일교수 배척, 경찰의 학원 간섭 정지, 집회 허가제 폐지, 국립대 행정권 일체를 조선인에게 이양할 것, 미국인 총장을 한국인으로 대체할 것 등을 요구하였다. 그러나 시간이 흐를수록 국대안 반대운동은 정치적 상황과 긴밀히 관련되어 좌·우익 대결의 구도로 비화되었다.[194]

여기에도 한민당의 입김이 크게 작용하였다. 한준상은 "국대안에 대한 강력한 반발이 사회 각계각층에서 드세지자 교육권력 동맹의 대부격이었던 김성수가 운영하는 『동아일보』는 국대안의 필요성과 의의를 열거하며 국대안을 지지하기 시작하였다"라고 했다.[195]

그리하여 결국 이철승과 김두한의 우익 청년단체들까지 가세해 국대안 파동은 이데올로기 투쟁으로 변질되고 말았다. "'국대안은 미 제국주의자들이 교육을 통해 한국을 식민지화하기 위해 만들어낸 것"으로, "미제가 조선의 민족혼을 말살하려는 흉계"라는 식의 주장을 떠들어댄 좌익 학생들의 과잉 대응도 좌우 대결을 부추기는 데에 일조하였다.[196]

---

193) 최혜월, 〈'국대안' 파동〉, 역사비평 편집위원회, 『논쟁으로 본 한국사회 100년』(역사비평사, 2000), 173~174쪽; 김우종, 〈국립 서울대학교 설립 파동의 확산〉, 『한국대학신문』, 2000년 4월 17일, 5면.
194) 최혜월, 위의 글, 174쪽.
195) 한준상, 〈미국의 문화침투와 한국교육: 미군정기 교육적 모순 해체를 위한 연구과제〉, 박현채 외, 『해방전후사의 인식 3』(한길사, 1987), 590쪽.
196) 박용만, 〈국대안 반대 동맹휴학: 국민학생까지 동조, 동맹휴학에 들어갔다〉, 월간조선 엮음, 『한국현대사 119대사건: 체험기와 특종사진』(월간조선사, 1993), 66~67쪽.

김두한의 '국대안 살리기' 조작 음모

좌우 극단주의자들의 이데올로기 투쟁을 잠시 접어두고, 좀더 현실적인 분석을 해보자면, 국대안 파동엔 이런 교육적인 판단과 이해득실의 문제가 도사리고 있었다.

반대 쪽은 대학 통합으로 학생 수가 증가하면 상대적으로 교수 수가 감소하는 격이 되어 교육이 질적으로 저하되고 통합과정에서의 관권 개입으로 대학 자율성이 훼손된다는 걸 문제삼았다. 지지 쪽은 반대운동을 기득권 고수에만 관심을 두는 엘리트 집단의 이기적 행동이라고 보았다. 반대론자들이 자기가 소속된 학교가 폐지되면서 지금까지 누려왔던 기득권을 상실하고 수준이 낮은 전문학교를 흡수함에 따라 맞게 될 사회적 평판의 하락을 우려할 뿐이며 국가재건과 교육발전에 대해 무관심하다는 것이었다.[197]

미군정 보고서들은 대부분의 교수들이 동창들에 대한 사명감 때문에 국대안에 반대한다고 보았다. 통합될 대학들이 관료들에 의해 위태로워질 것에 대한 염려, 일본식에 익숙한 교수들의 미국식에 대한 저항, 교수의 권한이었던 것이 이사회로 넘어가는 것에 대한 반발 등도 주요 이유로 여겨졌다. 교수들은 46년 9월에 일단 전원 사직을 한 후에 자격에 대한 엄격한 심사 후에 재임용될 것이라는 소식은 반대 서명운동을 불러일으킨 주요 원인이었다. 경성대 교수들과 전문대학 교수들 모두 다 불만이었는데, 전자(前者)는 지위의 평준화가 불만이었고, 후자는 그간 누려온 권위가 새로운 환경에서 위협받을 수 있다는 게 불만이었다.[198]

국대안 반대운동은 46년 7월부터 전개되어 47년 2월에 그 절정을 이

---

197) 오욱환, 『한국사회의 교육열: 기원과 심화』(교육과학사, 2000), 230쪽.
198) 이길상, 〈미군정기 교육연구와 『주한미군사』의 사료적 가치〉, 정용욱 외, 『'주한미군사'와 미군정기 연구』(백산서당, 2002), 265~266쪽.

276___한국 현대사 산책 · 1940년대편 ①

뤘다. 여기에 찬물을 끼얹기 위한 그 어떤 음모가 꾸며졌던 걸까? 47년 2월 13일 서울 중앙 예배당에는 이철승을 비롯한 전국학련 학생 1천여 명이 모인 가운데 '맹휴 진상 폭로대회'가 열리고 있었다. 이 자리에 김두한이 나타나 무슨 종이를 흔들어 대며 열변을 토했다. "내가 어제 남로당 허헌의 집을 습격해 뒤졌더니, 소련 군정 당국이 보낸 비밀문서가 있길래 찾아 가지고 왔소." 요컨대, 국대안 반대운동이 소련의 사주를 받아 저질러진 것이라는 주장이었다. 이 주장이 널리 퍼지고, 『대동신문』이 같은 내용의 기사를 써댐으로써, 국대안 반대운동은 큰 타격을 입게 되었다.[199]

그러나 김두한이 흔들어 댄 종이는 가짜 문서였다. 당시 남로당 지하 총책이었던 박갑동은 98년 12월 이철승과 가진 대담에서 이렇게 말했다.

"지령이 내려왔다는 얘긴데…… 소련의 지령이 어찌 허헌의 집에 있을 수 있습니까? 남북의 기밀선은 박헌영에게 있었고 박헌영의 월북 후에는 남로당이 기밀 연락을 소련이나 김일성으로부터 직접 받았던 것이 아니라 북한에 있던 박헌영이 남로당 해주 연락소에서 서울의 김삼룡에게 전달하고 있었습니다. 또 지령은 독특한 암호로 되어 있어 다른 사람들이 봐도 무엇인지 모르게 되어 있었어요."[200]

그 후 이철승도 "김두한이 가져온 소련의 비밀 지령문이 가짜였다는 사실은 나중에 알았다"고 말했다.[201]

서청 대원 3천600명의 학교 유입

국대안 파동 기간 중 9개 대학 학생 8천40명 중 총 4천956명이 제적

---

199) 김우종, 〈국대안 파동의 분수령 된 소련 비밀 지령문〉, 『한국대학신문』, 2000년 4월 24일, 7면.
200) 김우종, 위의 글.
201) 김우종, 위의 글.

당했고, 교수와 강사는 429명 중 380명이 교단을 떠났다. 국대안에 대한 미군정의 강력한 의지를 말해 주는 통계였다. 게다가 국대안은 어차피 이미 46년 9월부터 실행되었으므로 47년 들어 국대안 자체를 폐기한다는 건 기대하기 어려운 일이었다. 부분적으로 개선하는 수준에서의 변경작업만이 가능했다. 47년 2월부터 그런 법적 조치가 취해졌다. 국대안 반대운동 과정에서 탈락한 학생들 다수가 복적되고 조선인 총장과 조선인으로 구성된 이사회가 탄생함으로써 8개월 간에 걸친 국대안 파동은 마무리되었다.[202]

그러나 그런 마무리가 자연스럽게 이루어진 건 아니었다. 극우 청년 단체인 서북청년회의 역할이 컸다. 류상영은 "서청은 월남 청년들의 신분을 조사함과 동시에 이들을 대학에 편입학시켜 당시 국대안 반대투쟁을 벌이던 좌익 학생들과 대립케 했다"고 했다.

"서청 중앙본부 제2대 학생부장 김계룡이 유억겸 문교부장에게 학력증명을 요구해 서청 위원장의 확인증으로 학력을 증명하고, 이를 실행키 위해 문교부장이 전국 각급 학교에 이 같은 내용을 전달할 것을 합의했다. 1947년 2월 중순부터 한 달 사이에 3천600명이 서청 위원장 선우기성의 도장이 찍힌 증명서 하나로 대학을 비롯한 중등학교에 편입학할 수 있었고 그해 가을 학기까지 발급된 증명서는 무려 6천여 장이나 되었다."[203]

김우종은 국대안은 미군정 문교부 차장 오천석이 주도하는 형식을 띠긴 했지만, 처음부터 미국 측 발상으로 대학에 대한 통제수단을 효율화하기 위한 목적에서 비롯된 것이라고 했다.[204] 반면 국대안을 오천석의

---

202) 김우종, 〈미군정 좌익 단속에 이용된 이 땅의 교육〉, 『한국대학신문』, 2000년 5월 15일, 7면; 최혜월, 〈미군정기 국대안반대운동의 성격〉, 『역사비평』, 창간호(1988년 여름), 25~27쪽.
203) 류상영, 〈8·15 이후 좌·우익 청년단체의 조직과 활동〉, 최장집 외, 『해방전후사의 인식 4』(한길사, 1989), 98쪽.
204) 김우종, 〈국립 서울대학교 설립 파동의 확산〉, 『한국대학신문』, 2000년 4월 17일, 5면.

작품으로 보는 한준상은 "미국에는 국립대학제도가 없다는 점과 조선교육위원회나 조선교육심의회가 국대안을 구체적으로 발의한 적도 없었다는 점에 주목해야 한다"고 했다.

"게다가 민족적 정통성을 고려한다면 대의명분상으로도 해방 한국에서 설립될 국립대학으로 논의되거나 제안될 수 있는 것은 경성제대가 아니라 성균관이어야만 했다는 점이다. 또한 그 당시 교육패권 동맹세력이 주로 사립학교 관계자들이었다는 점에 관심의 초점을 맞춘다면 국립서울대학교안은 미군정 학무국의 고위관리인 오천석이 갖고 있던 개인적인 이해관계에 결부되어 나타난 복안이라고 보아야 한다."[205]

오천석은 훗날 "무능력하거나 좌경 쪽의 교수를 축출"하는 것이 국대안의 목적이었다고 말했지만, 그 이상의 무엇이 있었던 것으로 보인다. 한준상은 "경성대학의 조직과 체제는 미국 대학체제를 겉으로 모방한 채, 경성대학 운영 및 고등교육에 대한 철학으로부터 행정체계에 이르기까지 그 당시 한국 교육계 인사들의 전형적인 권력장악적 사고, 즉 소수의 권력유지를 위한 관리양성과 지배를 근간으로 삼는 일제식 고등교육적 사고가 깊숙이 삼투되었다"고 말했다.[206]

'교육이 출세의 지름길'

국대안 파동은 사회적으로 큰 파장을 일으킨 큰 사건이었지만, 해방정국에서 일어난 교육계의 가장 중요한 사건은 결코 국대안 파동은 아니었다. 이것도 사건이라고 부를 수 있다면, 가장 중요한 사건은 '교육출세론'의 확산이었을 것이다.

---

205) 한준상, 〈미국의 문화침투와 한국교육: 미군정기 교육적 모순 해체를 위한 연구과제〉, 박현채 외, 『해방 전후사의 인식 3』(한길사, 1987), 588쪽.
206) 한준상, 위의 글, 590쪽.

해방에서 정부 수립까지의 3년 간 국민학생은 136만 6천 명에서 242만 6천 명, 중학생은 8만 명에서 27만 8천 명, 대학생은 7천800명에서 47년에 1만 3천 명으로 늘었다.[207] 무엇이 이런 급격한 증가를 가져왔을까?

해방정국의 지극히 특수한 상황을 자세히 관찰할 필요가 있다. 해방 전 고급 일자리는 일본인들의 몫이었다. 그런데 해방과 함께 일본인들이 일본으로 돌아갔다. 그 고급 일자리는 당연히 조선인들에게 돌아가게 돼 있었다. 한국인들의 지위가 급상승했다. 이는 공적 및 사적 영역에서 동시에 일어났다.

그런데 무슨 기준으로 조선인들을 그 자리에 앉힐 것인가? 친일파건 뭐건 학력과 학벌 위주로 결정되었다. 교육열이 뜨거워지지 않는다면 오히려 그게 더 이상한 일일 것이다. 이는 '교육이 출세의 지름길'임을 드라마틱하게 확인한 대사건이었다.[208]

오욱환은 "일제 시대와 미군 점령 시대를 거치면서 한국인들은 전통적 지배세력이 몰락할 뿐만 아니라 지배세력을 받쳐 준 사회구조까지 붕괴되는 현상을 목격하였다"며, "구체제의 몰락은 당연히 신체제의 등장으로 이어질 수밖에 없어, 한국인들은 신체제의 등장과 함께 종전에는 지배를 받던 신분이나 계층의 사람들이 사회적으로 수직 상승하는 사례들을 목격하였다"고 말했다.

"한국인들은 새로운 지배세력으로 등장하거나 사회적 위계구조에서 상승 이동하는 기회를 잡은 사람들이 하나같이 새로운 시대에서 요구되는 지식과 기술을 갖고 있음도 확인하였다. 그 지식과 기술은 학교교육을 통해 습득되는 것이었기 때문에, 한국인들은 학력을 출세의 결정적

---

207) 오욱환, 『한국사회의 교육열: 기원과 심화』(교육과학사, 2000), 232쪽.
208) 오욱환, 위의 책, 233~234쪽.

도구로 확신하게 되었다. 결론적으로, 한국인들은 두 번의 사회변동을 겪으면서 '교육출세론'이 검증되는 실증적 사례들을 충분히 접해 볼 수 있었다."[209]

어디 그뿐인가. 학력과 학벌은 방패 또는 면죄부로서의 기능도 유감 없이 발휘하였다. 이와 관련, 오욱환은 "한국인들은 해방 후에도 친일 경력의 한국인 지배집단이 여전히 특혜를 받는 현상을 지켜봄으로써, 한국인들은 학력이 면죄부(免罪符) 역할까지 하는 또 하나의 위력(威力)을 절감하게 되었다"고 했다.

"독립운동가들의 자녀들은 일제 식민지 시대에 갖가지 위협과 경제적 어려움의 여파를 극복하지 못하여 학교교육을 제대로 받을 수 없었지만, 친일 인사들은 자신들의 지위를 십분 활용하여 자녀들에게 학교교육의 기회를 충분히 제공할 수 있었으며 사회 진출의 발판을 제공하였다. 친일·부일 인사들은 자녀들에게 높은 학력을 성취하는 기회를 제공함으로써 사회경제적 특권을 후손들에게 대물림하였다. 이러한 재생산 과정의 영향은 해방 후 지금까지 계속되고 있다."[210]

교육이 출세의 지름길이긴 했지만, 이는 이후 비교적 모든 사람들에게 다 열려 있는 기회가 되었기에 한국인들의 무서운 근면과 노력을 자극하는 동력이 되었다는 점도 간과할 수 없다. '출세의 지름길'이 되는 다른 수단에 비해 교육이 훨씬 더 바람직한 대안이었다는 것이다.

---

209) 오욱환, 『한국사회의 교육열: 기원과 심화』(교육과학사, 2000), 238쪽.
210) 오욱환, 위의 책, 236쪽.

'피는 피로써, 테러는 테러로': 좌우합작과 '신전술'

북조선로동당 창당

김일성의 북한 권력 장악에 대해 박헌영의 심기는 영 못마땅하였다. 박헌영은 김일성과 소련 점령군이 국내파 공산주의자들을 배격하고, 김일성 빨치산 부대를 중심으로 한반도의 공산혁명을 추진함으로써 많은 잘못이 저질러지고 있다고 보았다. 박헌영의 이런 비판은 스탈린에게까지 보고되었는데, 스탈린은 김일성과 박헌영을 극비리에 모스크바로 불렀다. 그게 46년 7월 20일이었다. 두 사람을 만난 뒤 스탈린은 김일성을 북한의 최고지도자로 최종 재가하였다.[211]

평양으로 돌아온 김일성은 소련 점령군 사령부와 함께 북조선공산당과 조선신민당의 통합을 적극적으로 추진하였다. 조선신민당은 중국공산당의 지지를 받는 연안파가 만든 정당이었다. 당시 중국보다는 소련의

---

211) 김학준, 『북한 50년사: 우리가 떠안아야 할 반쪽의 우리 역사』(동아출판사, 1995), 111쪽.

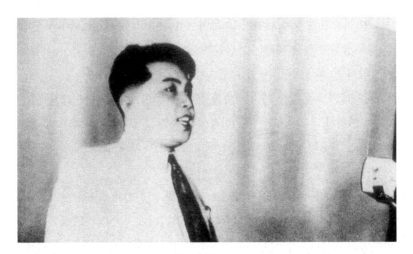

1946년 8월, 북조선로동당 성립대회에서 연설하는 김일성.

입김이 훨씬 더 강했으므로 통합 작업은 소련 점령군이 바라는 방향으로
진행되었다. 두 당은 8월 28일 평양에서 합당대회를 열고 북조선로동당,
약칭 북로당으로 새롭게 출발했다.[212]

조선신민당의 위원장은 김일성보다 23년 연상인 김두봉이었는데, 나
이를 존중하여 김두봉을 위원장으로 선출하고 부위원장엔 김일성과 국
내파인 주영하가 맡았다. 물론 실세는 김일성이었다. 이날 당의 일간 기
관지로 『로동신문』을 창간하기로 결정했다.[213]

박헌영의 좌우합작 반대

반면 남한에서의 주도적인 권력의 행방은 여전히 오리무중이었다. 6

212) 김학준, 『북한 50년사: 우리가 떠안아야 할 반쪽의 우리 역사』(동아출판사, 1995), 112쪽.
213) 김학준, 위의 책, 113쪽.

월 3일 이승만의 정읍 발언이 잘 보여주었듯이, 일부 정치세력이 남한만의 단독정부 수립을 꾀하는 조짐을 보이자 좌우합작 세력은 그 움직임을 저지하고 통일된 임시정부를 수립하기 위해 애를 쓰고 있었다.

두 차례의 좌우합작 예비 접촉을 끝낸 지 10여 일 후인 6월 11일, 여운형은 "진정한 통일정부는 좌우합작에서 수립될 것"이라는 공식 성명을 발표하였다. 6월 14일에는 제3차 예비회담이 버치의 집에서 김규식, 원세훈, 여운형, 허헌의 4자 회담으로 열렸다.[214]

미군정은 민족통일총본부(민총)를 설치한 이승만의 의도를 간파하고 있었다. 민총이 설립된 6월 29일 러치는 하지에게 입법기관의 설치를 제안하였고, 다음날 하지는 김규식과 여운형의 좌우합작을 적극 지지한다는 특별성명을 발표하였다. 이후 좌우합작운동은 본격적인 진전을 보게 되었다.[215]

좌우합작회담은 당시 좌우 양대 세력의 집결지라 할 민주의원과 민주주의민족전선(민전)을 통해 진행되었다. 7월 10일 양측 대표단이 구성되었다. 우파의 대표는 김규식·원세훈·최동오·안재홍·김붕준 등이었으며, 좌파의 대표는 여운형·허헌·김원봉·이강국·정노식 등이었다.[216]

7월 22일 1차 회의가 개최되었다. 회의장은 덕수궁 석조전이었으며, 회의는 매주 2회 열기로 했다. 김규식과 여운형이 주석을 맡았고, 미소 양측에 연락장교 한 명씩을 파견해 줄 것을 요청하기로 하는 성명을 발표하였다.[217]

그러나 바로 그날, 5주 간에 걸친 모스크바 및 북한 방문에서 돌아온

214) 송남헌, 〈민족통일독립운동의 선도자〉, 우사연구회 엮음, 『몸으로 쓴 통일독립운동사: 우사 김규식 생애와 사상 ③』(한울, 2000), 74~75쪽.
215) 김혜수, 〈1946년 이승만의 사설정보조사기관 설치와 단독정부수립운동〉, 한국근현대사연구회 편, 『한국근현대사연구』, 1996년 제5집, 215쪽.
216) 브루스 커밍스, 김자동 옮김, 『한국전쟁의 기원』(일월서각, 1986), 330쪽.
217) 송남헌, 위의 글, 76쪽.

박헌영은 민전 협의회 석상에서 좌우합작 계획에 강력히 반대하였다. 박헌영은 여운형에게 미군정에 놀아나지 말 것과 남북한 좌익세력의 단결에 의해 남한 우익반동을 구축할 것을 주장하였다.[218]

이는 '신전술'로의 전환을 의미하는 것이기도 했다. 이는 좌익에 대한 미군정의 탄압이 가중됨에 따라 '피는 피로써', '테러는 테러로', '정당방위의 역공세'라는 슬로건을 내걸고, 과거의 무저항적인 자세를 청산하고 적극적으로 공격태세를 갖추자는 상당히 급진적인 전술이었다.[219]

좌측 5원칙과 우측 8원칙

좌우합작은 그런 급진적인 전술과 상충되는 것이었다. 박헌영은 다수결에서 패배하자 5개항을 지지할 경우 합작을 지지하겠다고 제의했다. 그러나 여운형과 김원봉 등이 반대하고 나섰다. 이들은 5개항 가운데 토지몰수 조항이나 행정권을 인민위원회에 이양하는 조항, 입법기구 수립 반대 조항은 곧 합작반대로 비춰질 수 있으며 우익 측에서 도저히 받아들일 수 없는 것이라며 수정을 요구했다. 그러나 7월 27일 박헌영은 일방적으로 좌우합작의 좌측 5원칙을 발표해 버렸다.[220]

이에 맞서 7월 29일 민주의원 측에서 우측 8원칙을 발표했다. 민전은 민주의원 측에서 내세운 8원칙에 대해 "이승만의 정치노선에서 일보도 전진하지 못한 반동적 강령"이라고 비판하였다.[221]

218) 염인호, 『김원봉 연구: 의열단, 민족혁명당 40년사』(창작과비평사, 1992), 340쪽.
219) 김남식, 〈조선공산당과 3당합당〉, 박현채 외, 『해방전후사의 인식 3』(한길사, 1987), 157쪽; 이종석, 〈박헌영과 김일성: 한국공산주의운동의 두 지도자의 길〉, 역사문제연구소 편, 『한국 현대사의 라이벌』(역사비평사, 1991), 173쪽.
220) 브루스 커밍스, 김자동 옮김, 『한국전쟁의 기원』(일월서각, 1986), 331쪽; 염인호, 위의 책, 340~341쪽.
221) 김재명, 〈원세훈: 올곧은 민족정신 지닌 시베리아 투사〉, 『한국현대사의 비극-중간파의 이상과 좌절』(선인, 2003), 126쪽.

7월 29일 김원봉과 민혁당은 5원칙 지지로 돌아섰지만, 여운형은 좌우합작위원회 회합의 연기를 요청하면서 5원칙을 수정하려고 애썼다. 그러나 여운형은 자신이 당수로 있는 인민당에서조차 자신의 뜻을 관철시키기가 어려웠다.

좌우합작 문제는 좌익 3당 합당 문제와 긴밀히 얽혀 있는 것이었다. 좌익진영은 북한에서 합당이 이루어진 것처럼 박헌영이 이끄는 조선공산당과 여운형의 조선인민당 및 백남운의 남조선신민당을 묶는 3당 통합운동을 추진하였다. 그러나 문제는 합당 그 자체보다는 합당의 방법론이었다. 합당 제의는 8월 3일 인민당에 의해 이루어졌는데, 여운형은 민주주의적이며 합법적인 방법의 중요성을 역설하였다.[222]

그러나 여운형의 그런 주장은 이루기 어려운 꿈이었다. 당시 3개 정당 모두 내부적으로 좌우 갈등을 겪고 있어 3당합당은 사실상 6당합당을 하는 것과 다를 바 없는 것이었기 때문이다. 아니 어떤 점에선 3당합당은 잠복해 있던 갈등의 소지를 불거지게 만든 것이었기 때문에 "합당작업은 3개 당을 하나로 묶는 것이 아니라, 도리어 6개 파벌로 나누는 기현상을 연출"하고 말았던 것이다.[223]

그 복잡다단한 갈등의 양상에 대해 여운형의 딸 여연구는 "합당사업에서 주동이 되어야 할 공산당이 화요파와 엠엘파로 갈라져 파쟁을 벌이는 바람에 합당사업에 커다란 난관이 조성되었다"며, "인민당 안에서도 좌파와 우파가 갈라지고 신민당 안에서도 좌파와 우파가 갈라졌다"고 했다.

"인민당 안의 이기석파(48명)는 박헌영과만 손잡자고 했고, 인민당 안의 우파 인사들은 공산당 내부가 조용해질 때까지 합당을 보류하자고 하

222) 김남식, 〈조선공산당과 3당합당〉, 박현채 외, 『해방전후사의 인식 3』(한길사, 1987), 151쪽.
223) 심지연, 『허헌 연구』(역사비평사, 1994), 141쪽.

였다. 결국 인민당은 추진파, 보류파로 갈라지고 분립론까지 들고 나왔다. 신민당도 3당합당을 하자는 허헌파와 공산당과는 손잡을 수 없으니 인민당과만 손잡자는 백남운파로 갈라졌다. 인민당 안의 좌파 인사들은 여운형 때문에 합당이 추진되지 않는다며 소동을 피웠고, 우파 인사들은 여운형이 인민당을 공산당에 흡수시키려 한다고 아우성쳤다."[224]

남조선로동당 창당 합의

그런 갈등의 첫 번째 파국은 인민당에서 먼저 터져 나왔다. 8월 16일 인민당 중앙위원회는 여운형이 불참한 가운데 48 대 31로 합당 결의를 통과시켰다. 이때부터 48파(좌파)와 31파(우파)라는 이름이 생겨났는데, 이 표결은 좌파가 합작위원회 참여를 반대한다는 걸 의미하는 것이었다.[225]

9월 4일 3당의 좌파들은 자기들끼리 모여 남조선로동당, 약칭 남로당을 창당하기로 합의했다. 9월 7일 인민당은 여운형의 의견에 따라 인민당 명의로 합당 결정에 대한 태도를 밝히는 다음과 같은 결정서를 발표했다.

"인민당 안의 공산당과 내통한 일부 종파분자들이 북조선노동당 결정서를 방패삼아 고압적 폭군의 태도로써, 인민당 안에서는 여(呂) 당수 이하 주요 간부들은 알지도 못하는 합당결정서를 발표했다. 3당 합당은 서로 평등한 입장에서 우당적 신의와 전 당원을 포섭하는 태세에서 결정되어야 할 과업임에도 불구하고 신생할 동당(同黨)의 지도권을 자기 일파에서 장악하려는 심산(心算)에서 모략적 합당 중앙결정서를 발표한 것은,

---

224) 여연구, 신준영 편집, 『나의 아버지 여운형』(김영사, 2001), 224~229쪽.
225) 브루스 커밍스, 김자동 옮김, 『한국전쟁의 기원』(일월서각, 1986), 332쪽; 송남헌, 〈민족통일독립운동의 선도자〉, 우사연구회 엮음, 『몸으로 쓴 통일독립운동사: 우사 김규식 생애와 사상 ③』(한울, 2000), 80쪽.

신의와 정치적 양심을 몰각한 행위라고 생각하고 인민당으로서는 이 결정서를 비법적인 것이라고 규정한다."[226]

이 경우엔 남로당 창당 주체들에게 책임을 물어야 할 일이었지만, 어찌됐건 좌익 내부에서도 이런 치열한 헤게모니 쟁탈전이 벌어지고 있었으니 좌우 타협을 기대한다는 건 애초부터 기대하기 어려운 일이었는지도 모를 일이었다. 그 와중에서 죽어나는 건 일반 민중이었다.

---

226) 김남식, 〈조선공산당과 3당합당〉, 박현채 외, 『해방전후사의 인식 3』(한길사, 1987), 155쪽.

"쌀이 없으면 고기를 먹어라": 전평의 총파업

"쌀이 없으면 고기를 먹어라"

1946년 9월 조선노동자전국평의회(전평)는 전국적 규모의 총파업을 실시했다. 이는 미군정의 탄압에 직면한 좌익세력이 기존의 미군정에 대한 태도를 전면적으로 수정, 이른바 '신전술'의 일환으로 벌인 대대적인 파업이었다.

8월 16일 경찰이 전평 서울본부를 습격하여 가맹자 기록, 장부 및 기타 문서들을 압수한 데 이어, 미군정 당국은 9월 6일 조선공산당의 박헌영, 이강국, 이주하 등의 체포령을 내렸고, 다음날 『인민보』와 『현대일보』, 『중앙신문』 등 3개의 좌익 계열 신문을 포고령 위반으로 폐간시켰다. 이러자 전평은 노조의 존립 자체에 위기감을 느끼기 시작했다.

9월 13일 서울 용산의 철도노조원 3천여 명은 미 군정청 운수부 철도국장에게 일급제 반대, 기본급 인상, 가족수당 일인당 600원 지불, 물가수당 1천120원을 2천 원으로 증액할 것, 식량은 본인에게 4홉, 가족에게

3홉씩을 배급할 것, 운수부 직원에 대하여도 같은 대우를 할 것 등을 요구했다. 일주일을 기다려도 아무런 답이 없자 9월 23일 미 군정청 운수부장 코넬슨에게 요구 조건의 수락을 진정하였지만, 아무런 반응이 없었다.

반응이 전혀 없었던 건 아니다. 이즈음 군정 관리들의 사태 인식 수준을 보여주는 명언(?)들이 몇 개 나왔다. 운수부장 코넬슨은 "인도인들은 굶고 있는데, 조선 사람은 강냉이도 먹을 수 있으니 행복하지 않은가", 농산부장 헐츠는 "시장에는 고기도 있고 다른 잡곡도 있지 않은가. 쌀이 없으면 다른 것이라도 사야지 쌀이 없다고 굶는다는 것은 믿어지지 않는다"고 말했다.[227)]

9월 23일 부산에서도 약 8천여 명의 철도노동자들이 서울과 똑같은 요구조건을 내걸고 파업에 돌입했다. 9월 총파업의 시작이었다. 이날 서울의 철도노동자들도 즉시 동조파업에 들어갔으며, 다음날 이들은 투쟁위원회를 결성해 "북한의 민주노동법과 같은 내용의 노동법을 즉각 제정" 등을 요구하고 나섰다. 이렇게 해서 철도노동조합 18개 지부 조합원 4만여 명이 쌀 배급·임금인상·해고 반대·노동운동 자유 보장·민주인사 석방 등의 요구를 내걸고 총파업에 들어가게 되었다. 총파업이 단행되자 미군 서울방첩대(CIC)는 "쌀 사정 때문에 인민은 철도파업자들에게 전적으로 공감하고 있다"는 판단을 내렸다.[228)]

---

227) 송광성, 『미군점령 4년사: 우리나라의 자주·민주·통일과 미국』(한울, 1995), 187쪽; 김낙중, 『한국노동운동사: 해방후 편』(청사, 1982), 67쪽; 방현석, 『아름다운 저항: 방현석의 노동운동사 산책』(일하는사람들의작은책, 1999), 129쪽.
228) 박찬표, 『한국의 국가형성과 민주주의: 미군정기 자유민주주의의 초기 제도화』(고려대학교출판부, 1997), 121쪽; 브루스 커밍스, 김자동 옮김, 『한국전쟁의 기원』(일월서각, 1986), 470쪽.

"파업 진압은 전쟁이었다"

9월 25일에는 출판노조 1천300여 명과 대구우편국 종업원 400명이 파업에 참여하였는데, 당시 경성지방 출판노동조합 총파업투쟁위원회가 발표한 〈시민에게 고함〉이라는 성명서는 이들의 파업 배경을 잘 보여준다.

"극소수의 대자본가와 대지주, 모리배, 정상배를 제외하고는 120만 시민에게 돈이 떨어진 지 이미 오래다. 더구나 하루 종일 땀 흘리고 일해도 아내와 자식들은 죽도 못 먹고 굶고 있다. 먹지 않고는 노동하지 못하니 시민의 신문을 인쇄 못한다. 쌀을 달라고 요구하면서 경성지방 전역에 걸쳐 25일 총파업을 단행한다."[229]

9월 26일 전평은 '남조선 총파업투쟁위원회'를 조직하고 본격적 투쟁에 돌입했다. 전평은 경제적 요구 이외에도 정치범의 석방과 반동 테러 배격, 정간된 좌익계 신문의 복간, 언론·출판·집회·결사·시위·파업의 자유 보장 등을 요구하며 "조국의 완전한 자주독립을 위하여 남조선의 4만 철도노동자를 선두로 사생존망(死生存亡)의 일대 민족투쟁을 개시한다"고 파업 목적을 선언했다.[230]

9월 27일에는 서울 중앙우편국 600명, 중앙전화국 1천 명이 파업에 들어갔고, 계속해서 교통·체신·식료·전기·토건·조선·금속·해운 등 전평(조선노동자 전국평의회) 산하 각 산별 노조원이 파업에 합류했다.[231]

미군정은 북한 공산주의자들이 파업을 일으켰다고 비난하고 나섰다. 9월 25일 군정장관 러치가 라디오 특별담화를 통해 모든 파업자들을 구

229) 송광성, 『미군점령 4년사: 우리나라의 자주·민주·통일과 미국』(한울, 1995), 188쪽.
230) 송광성, 위의 책, 189쪽.
231) 김상웅, 〈10월 대구 양민학살〉, 『해방 후 양민학살사』(가람기획, 1996), 23쪽; 김상웅, 〈들불처럼 번진 10월 민중항쟁: 대구폭동(1946. 10. 1)〉, 『한 권으로 보는 해방후 정치사 100장면』(가람기획, 1994), 25~26쪽.

속하겠다고 선언했으며, 9월 26일부터 노조 간부와 파업 노동자들에 대한 대대적인 검거가 시작되었다. 9월 28일 대구에서는 경찰이 노조 간부를 검거하는 과정에서 수 명의 노동자가 살해당하는 사건이 발생하기도 했다.[232]

9월 30일 미군정은 경찰, 우익 청년단체를 동원해 전평의 남조선 총파업투쟁위원회가 위치해 있던 용산의 경성공장을 습격했는데, 이는 전쟁을 방불케 했다. 미군정 운수국장의 증언이다.

"우리는 전쟁하러 가는 태도로 파업장에 갔다. 우리는 그저 파업을 분쇄하러 갔지, 그 과정에서 혹시 죄 없는 사람 몇이 다칠지도 모른다고 걱정할 겨를이 없었다. 우리는 시 외곽에 정치범 수용소를 세우고 감옥이 가득 찰 때는 그곳에 노동자를 수용했다. 그것은 전쟁이었다. 우리는 전쟁하듯이 파업을 진압했다."[233]

"김두한 동지! 당신이 나라를 구했소"

그 전쟁에서 가장 맹활약을 한 건 김두한이 이끄는 대한민청 단원들이었다. 김두한은 자신이 그 전쟁에 참여하게 된 배경과 관련, "나는 서슴지 않고 수도청의 장 청장을 만났다. 당신들의 힘으로 전평 파업을 수습할 능력이 없으니 나에게 무기를 달라고 호소했다. 장 청장도 사태의 긴급에 비춰 나에게 경찰전문학교의 실습용 총 300여 정과 수류탄 세 상자를 넘겨주었다. 물론 38, 99식이다. 나는 부하들에게 일러 죽창을 준비시켰다"라고 말했다.

"나는 3천여 명의 대원들을 시 경찰국 앞에 모이게 했다. 당시 시 경

232) 송광성, 『미군점령 4년사: 우리나라의 자주·민주·통일과 미국』(한울, 1995), 190쪽.
233) 송광성, 위의 책, 191쪽.

찰국 자리가 옛날엔 금천대회관이었다. 나는 그 집에 산적한 정종 수십 통을 도끼로 깨고 3천 명의 대원들에게 아침부터 술을 먹였다. 술을 먹을 줄 아는 자고 아니고 간에 작전상 다 먹였다. 나도 간부들과 함께 아침부터 위스키를 마셔 우리의 정신을 마취시켰다. 그러지 않고서야 용산역 기관사무실 2층, 3층에 세워둔 기관총, 장총의 총구를 보고 그 앞에 뛰어들 자는 아무도 없기 때문이다."[234]

이후 김두한은 "나는 일본도를 빼어 들고 2층으로 뛰어 올라갔다"며, "여러 곳에 숨어 있던 전평원을 색출, 창고에 몰아넣고 점검해 보니 2천여 명이나 되었다"라고 했다.

"'너희들 중에 이번 파업 간부를 뽑아내어라. 안 그러면 할 수 없다. 개솔린을 뿌리고 불을 지르겠다.' 그리고 개솔린을 그들이 수용되어 있는 창고 주변에 부었다. '자, 5분 간의 시간을 준다. 내가 개솔린에 실탄만 쏘면 그만이다. 뛰어나오는 놈은 모조리 쏴 죽인다.' 나는 기관총 두 대를 그들 앞에 정조준시켰다. 4분이 경과하니 전평 간부 8명이 앞으로 뛰어나왔다."[235]

김두한은 자신의 그런 '무용담'을 자랑스럽게 생각하고 있는 듯했다.

"그런데 후일 내가 미 군사법정에서 사형 선고를 받을 때 드러난 일이지만 내 부하들은 8명의 전평 간부를 죽였었다. 어쨌든 부산행 열차가 순행 중에 추풍령에서 공비들과 일대 접전도 전개했지만 철도는 정상화되었다. 전평 파업을 완전히 수습하고 난 나에게 당시의 수도청장 장택상 씨가 찾아와, 눈물을 글썽거리며, '김두한 동지! 당신이 나라를 구했소'라고 말하면서 내 손을 꼭 쥐었다."[236]

---

234) 김두한, 『김두한 자서전 1』(메트로신문사, 2002), 237~245쪽.
235) 송광성, 『미군점령 4년사: 우리나라의 자주·민주·통일과 미국』(한울, 1995), 190~191쪽.
236) 김두한, 위의 책, 237~245쪽.

'대한노총은 테러리스트 조직'

9월 총파업의 결과, 서울에서만도 295개 공장에서 파업이 일어났으며, 3만여 명의 노동자와 1만 6천 명의 학생이 가담하였다. 남한 전역에 걸쳐 참여한 노동자 총수는 25만여 명에 이르렀다.[237]

9월 총파업으로 총 1만 1천624명이 검거되었는데, 이 가운데 약 150여 명의 파업 간부가 군사재판에 회부되었다. 9월 파업의 결과 전평은 간부들의 대량 검거로 인해 쇠락해 갔고 대신 대한노총이 성장하기 시작했다.

대한노총은 대한독립촉성건국청년총연맹이 46년 3월 10일에 결성한 것으로 정식 명칭은 대한독립촉성노동총연맹이었다. 결성대회엔 김구, 안재홍, 조소앙, 엄항섭 등 우익계 정치인들이 내빈으로 참석했다. 대한노총은 출발부터 단순한 노동자 조직이 아니었다. 대한노총은 단순한 어용 노조도 아니었으며, '우익 정치집단으로서 일종의 테러리스트 조직'이었다.[238]

미군정은 대한노총의 조직이 서북청년단이나 대동청년단에서 파견된 사람들로 구성되며 이들이 조직의 목적을 위해 폭력과 위협을 사용하는 걸로 파악했다. 미군정에 의해 테러집단으로 분류된 이승만과 김구 계열의 청년 학생단 단원들도 대한노총에서 활동했다.[239]

대한노총의 강령은 "혈한불석(血汗不惜: 피와 땀을 아끼지 않음)으로 노자(勞資)간 친선을 기"한다는 것이었다. 대한노총의 전평 와해공작이 치열하게 전개되면서 노동자들은 양자택일의 선택을 강요당했다.[240]

237) 브루스 커밍스, 김자동 옮김, 『한국전쟁의 기원』(일월서각, 1986), 441쪽.
238) 조순경 · 이숙진, 『냉전체제와 생산의 정치: 미군정기의 노동정책과 노동운동』(이화여자대학교출판부, 1995), 125, 312쪽; 김낙중, 『한국노동운동사: 해방후 편』(청사, 1982), 80~83쪽.
239) 조순경 · 이숙진, 위의 책, 125쪽; 김낙중, 위의 책, 80~83쪽.
240) 이우용, 『해방공간의 민족문학사론』(태학사, 1991), 271~272쪽.

대한노총은 미군정 차원에서 구상되고 실현된 것이었다. 46년 9월 총파업 때 미군정이 이승만의 도움을 요청하자 이승만은 대한독립촉성전국총연맹 위원장으로 있던 전진한으로 하여금 대한노총을 맡게 했으며, 46년 9월 일시적으로 이승만이 위원장으로 추대되었던 일도 있었다. 47년 3월 17일 대한노총의 제1차 대의원대회에선 총재에 이승만, 부총재 김구, 전진한을 다시 위원장으로 선출하였다.[241)

미군정이 지원하는 대한노총과 방계조직의 총공세로 9월 총파업은 일단락되었으나, 전국 각지에서 잇따른 크고 작은 각종 파업은 그칠 줄을 몰랐다. 10월 대구항쟁은 이런 흐름 속에서 발생한 것이었다.

---

241) 김낙중, 『한국노동운동사: 해방후 편』(청사, 1982), 89쪽.

'해방의 선물은 기근': 대구 10월항쟁

'해방의 선물은 기근'

1946년 10월 1일에 발생한 대구항쟁은 쌀에서부터 시작되었다. 몇 개월 전 대구 『영남일보』는 "쌀 배급이 제대로 되지 않아 굶어 죽을 지경"이라고 썼다가 이틀간 정간 처분을 당하기도 했다. 1946년 대구의 식량 사정은 어떠했던가?

1945년 11월에 쌀 한 말 가격은 140원이었지만, 1946년 9월 말에는 1천500원으로 1년도 안 되는 사이에 10배 이상이나 올랐다. 시민들은 쌀을 살 엄두도 내지 못한 채 굶주려야만 했다. 문자 그대로 풀뿌리나 나무 껍질로 허기진 배를 채우는 초근목피(草根木皮)의 비참한 생활을 하는 사람들이 많았다. 국민학교 학생 중 80% 이상이 결식아동이었으며, 그로 인해 먹을 것을 구하기 위해 결석하는 학생들이 속출했다. 전매청의 연초 공장 노동자들은 심지어 담뱃잎을 마는 종이에 붙이는 풀까지 먹었다.[242]

당시 전평 대구화학노조 서기 이일재의 증언이다.

"기아상태가 어느 정도 심각했느냐 하면 전매청의 연초공장에서 담배를 말아 붙이는 데 쓰는 풀이 나오면 직공들이 그 풀을 다 먹어치워 버릴 정도였어요. 풀을 먹지 못하게 검고 붉은 물감을 섞어서 내놓았지만 그것조차 몰래 먹으며 허기를 달래는 지경이었지요. 그런데도 미군과 경찰은 굶주림으로 힘 없이 누워 있는 사람들을 콜레라에 감염되었다고 환자들만 격리 수용되는 곳으로 싣고 갔는데, 그러면 영락없이 죽고 마는 거지요."[243]

1946년 4월 『영남일보』에 실린 기사 제목 그대로 '해방의 선물은 기근'이라는 말이 실감나는 세상이었다. 설상가상(雪上加霜)이었다. 5월에는 콜레라마저 발생하여 대구시민 1천200여 명이 사망하는 참극이 빚어진 데다 그로 인해 외부에서의 쌀 반입도 끊기게 되었고, 6월에는 수해가 발생하여 쌀 대체작물이 큰 피해를 입은 데다 교통마저 두절되어 굶어죽는 사람들이 속출했다. 그런데도 미군정은 나 몰라라 했다. 굶어죽게 된 시민들이 군정에 식량배급을 요구하는 시위를 전개하자, 미군정 관리는 대책을 마련하기보다는 "조선에는 빵, 고기, 과일 등이 많은데 왜 쌀만 요구하느냐"고 질책하였다.[244]

대구의 정치적 사정도 다른 지역과는 달랐다. 대구의 좌익세력은 일제하에서 어느 세력보다 더 치열하게 민족해방운동을 전개해 왔기 때문에 시민들의 강한 신뢰를 얻어 해방 후에도 각 부문별 대중조직을 결성하여 폭넓은 지지기반을 확보하고 있었다. 반면에 우익세력엔 친일파가 많아 대중적 기반이 매우 취약하였다.[245]

242) 허종, 〈'1946년 대구 10 · 1사건'은 '폭동'인가 '항쟁'인가〉, 『역사 속의 대구, 대구사람들』(중심, 2001), 276~277쪽.
243) 방현석, 『아름다운 저항: 방현석의 노동운동사 산책』(일하는사람들의작은책, 1999), 127쪽에서 재인용.
244) 허종, 위의 책, 277쪽.
245) 허종, 위의 책, 271쪽.

대구에 분 피바람

10월 1일 정오 대구시청 앞에서는 약 1천 명의 부녀자와 어린이들이 모여 쌀을 달라고 요구하는 시위를 벌였다. 오후 2시 30분에는 대구역 앞에서 동맹파업에 들어간 노동자 500여 명이 경찰과 충돌하였는데, 시위를 해산시키는 과정에서 경찰의 발포로 시위대 가운데 1명이 사망했다.

이 사망으로 인해 다음날인 10월 2일 시위대의 숫자는 걷잡을 수 없이 늘어났다. 이들 가운데 일부는 전날 경찰의 발포로 사망한 사람의 주검을 메고 시위에 참여할 만큼 격렬하게 시위를 전개했다. 시위대는 대구경찰서를 점령해 무기를 탈취해 무장을 꾸리고 시내 대부분의 파출소까지 점령해 버렸다.[246]

한 국제통신사는 "24시간에 걸친 피의 폭동이 일어나 38명의 경찰관이 죽고 확인할 수 없는 많은 수의 시민들이 사살당했다. 이 도시는 마치 전쟁터 같았다"고 보도했다.[247]

대구항쟁은 직접적으로는 식량 문제와 더불어 친일 경찰에 대한 불만이 큰 요인으로 작용하였다. 친일파 중에서도 친일 경찰이 가장 심한 증오의 대상이었기 때문에, 해방 직후 거의 다 자취를 감추었던 친일 경찰들이 미군정의 부름을 받아 전보다 더 큰 권력을 누리면서 횡포를 일삼는 것에 대한 민중의 분노는 극에 이르렀던 것이다.[248]

미군정은 10월 2일 오후 6시쯤에 대구 지역에 계엄령을 선포한 채 전차를 앞세워 시위를 진압했다. 진압 후 대구에 도착한 수도경찰청장 장택상은 "폭동에 가담했던 폭도들은 모조리 체포·구속하고 주모자는 즉

---

246) 김삼웅, 〈들불처럼 번진 10월 민중항쟁: 대구폭동(1946. 10. 1)〉, 『한 권으로 보는 해방후 정치사 100장면』(가람기획, 1994), 27쪽.
247) 송광성, 『미군점령 4년사: 우리나라의 자주·민주·통일과 미국』(한울, 1995), 197쪽.
248) 우사연구회 엮음, 서중석 지음, 『우사 김규식 생애와 사상 2: 남·북협상―김규식의 길, 김구의 길』(한울, 2000), 33쪽.

결처분해 버리라"고 지시했고, 이후 피바람이 불었다. 경무부 고문인 대령 매글린이 "민주경찰이 국민의 생명을 파리 목숨만큼도 여기지 않으니 이럴 수가 있단 말인가?"라고 장택상에게 항의할 정도였다.[249]

대구봉기는 미군정과 경찰에 의해 곧 진압되었으나 그 여파는 경남북 지방의 농촌을 거쳐 다른 지역으로 급속히 확대되면서 전국적인 농민봉기의 성격을 띠게 되었다. 11월 상순까지 전국 90개 군 이상에서 항쟁이 연속적으로 일어났다.

예컨대, 선산 지역의 항쟁은 박상희(박정희의 형)가 10월 3일 오전 9시경 2천여 명의 군중을 이끌고 구미경찰서를 공격함으로써 시작되었다. 군중들은 구미면사무소와 선산군청도 공격해 식량 130여 가마니를 탈취하였다. 박상희는 분노한 군중으로부터 경찰관을 보호함으로써 많은 인명피해가 난 경북의 다른 지역과 달리 유혈사태를 막을 수 있었다. 선산 지역의 항쟁은 6일 경찰에 의해 진압되었으며, 박상희는 그 과정에서 사살당하였다.[250]

"내쟁(內爭)에만 용감한 백성"

진압 후에도 대구 시민들을 대상으로 한 폭력은 끊이지 않았다. 김두한의 대한민청을 비롯한 우익 청년단원들은 아무런 법적 근거도 없이 귀속가옥에 급조한 유치장을 만들어 수많은 사람들을 잡아 가두면서 폭력을 행사했기 때문에 "경찰보다 더 무서운 존재"로 공포의 대상이 되었다.[251]

---

249) 김태선, 〈남기고 싶은 이야기: 국립경찰 창설〉, 『중앙일보』; 강원용, 『빈들에서: 나의 삶, 한국 현대사의 소용돌이 1-선구자의 땅에서 해방의 혼돈까지』(열린문화, 1993), 212쪽에서 재인용.

250) 허종, 〈박상희: 대통령의 형으로 잊혀진 선산의 사회운동가〉, 김도형 외, 『근대 대구 경북 49인: 그들에게 민족은 무엇인가』(혜안, 1999), 252~253쪽.

251) 오유석, 〈'야인시대' 주인공 김두한은 '협객'이었나〉, 『신동아』, 2002년 10월, 623쪽.

12월까지 전국으로 확대된 10월항쟁에는 약 300만 명이 참여했는데, 경찰 200명 이상이 피살되었고, 죽은 관리, 시위자 및 민간인 수는 1천 명이 넘었다. 체포된 사람은 3만 명으로 추산되었다.[252]

하지는 대구항쟁시 남한을 '끓고 있는 화산', '화약상자'로 비유했지만, 주된 원인 제공자는 미군정이라는 점은 언급하지 않았다. 대구항쟁의 배경에 대해 김삼웅은 "전평 등 좌익의 조종도 있었지만, 보다 근본적인 원인은 해방 이후 새로운 민주사회 건설에서 제반 개혁의 요구가 좌절된 데 대한 민중의 항거라 할 수 있다"고 했다.

"처벌되기는커녕 당당하게 재등장하는 친일파, 토지개혁의 지연, 미소공위 결렬로 통일정부 수립 기대에 대한 좌절, 미군정의 공장 접수, 만연하는 실업난과 물가고, 귀환동포에 대한 무대책 등이 민중들에게 극심한 좌절감과 분노를 안겨주었고, 이런 상황에서 직접적인 도화선이 된 것은 일제의 공출이나 다름없는 미군정의 하곡 · 추곡에 대한 강제매입과 극심한 식량난이었다."[253]

언론인 오기영은 월간 『신천지』 47년 11월호에 쓴 글에서 이 사건에 대해 "나는 일찍 만보산사건을 빌미로 일어났던 중국인 배척 사건을 평양에서 목격하고 제 살을 깎고 뼈를 저리게 하는 압박자에게는 지친 듯이 유순하던 조선 사람이 이역에 와서 날품팔이하는 고독한 중국인에게는 어이 이리 잔인한가를 통탄하였습니다"라고 개탄했다.

"그러나 그때는 그래도 만주에 있는 동포가 학대되었다는 적개심에서 폭발된 참극입니다마는 40년이나 우리의 피를 빨던 왜구는 뺨 한 개 친 일 없이 주지 말라는 돈까지 몰래 주어서 고이고이 돌려보내더니 이제 골육간에 이런 피를 흘리다니 이래도 이 땅에 풍년을 주는 하늘의 은혜

252) 브루스 커밍스, 김자동 옮김, 『한국전쟁의 기원』(일월서각, 1986), 471쪽.
253) 김삼웅, 〈들불처럼 번진 10월 민중항쟁: 대구폭동(1946. 10. 1)〉, 『한 권으로 보는 해방후 정치사 100장면』(가람기획, 1994), 27~28쪽.

가 그지없이 두렵습니다. 외적에게 무력하고 내쟁(內爭)에는 용감한 백성이라고 나의 어느 선배는 말한 일이 있는데 이번 사건을 통하여 나는 이것을 통감하는 바입니다."[254]

농민의 보수화 시작

10월항쟁은 결과적으로 공산당에게 큰 타격을 입혔으며, 당시까지 지방에서 영향력을 행사하고 있던 인민위원회의 파국을 낳았다.[255] 그러나 궁극적인 피해자는 농민이었다. 커밍스는 "봉기의 결과가 가져온 한국 빈농들의 가장 큰 손실은 그들의 이익을 지켜 주었던 지방 조직들의 붕괴였다"며, "대부분의 인민위원회와 농민조합들의 죽음을 알리는 종소리가 남한 전역에 울려 퍼졌다"라고 했다.

"좌파의 주요 기구의 전국 및 지방 지도자들은 대부분 죽든지, 투옥되었든지, 쫓기고 있든지 혹은 지하로 잠입하였다. 그들의 수많은 지지자들은 정치에서 떠나거나 더욱 급진적으로 되었다. 좌파 전체를 포용했던 민주주의민족전선은 분쇄되었으며 결과적으로 대중적 지지를 상실한 채 보다 극단적이며 포용력이 적은 남조선노동당의 출현을 보게 되었다. 빈농들은 다른 모든 것을 제쳐놓는다는 단순한 합리성에 입각하여 묵묵히 경작으로 되돌아갈 수밖에 없었다."[256]

여기서부터 농민의 보수화가 이루어지기 시작했고, 나중에 대한민국 정부가 수립된 이후 이승만이 농촌을 자신의 주요 지지기반으로 삼을 수 있었던 것도 바로 그런 역사적 상처에 근거한 것이었다.

---

254) 오기영, 『민족의 비원 자유조국을 위하여』(성균관대학교출판부, 2002), 149쪽.
255) 김삼웅, 〈들불처럼 번진 10월 민중항쟁: 대구폭동(1946. 10. 1)〉, 『한 권으로 보는 해방후 정치사 100장면』(가람기획, 1994), 28쪽.
256) 브루스 커밍스, 김자동 옮김, 『한국전쟁의 기원』(일월서각, 1986), 473쪽.

'좌우합작'에서 '우파 과도입법의원'으로

좌우합작 7원칙

미군정은 46년 9월 6일 박헌영과 이강국 등에 대한 체포령을 내리고 나서 좌우합작위원회를 다시 개최하였다. 체포령 때문에 박헌영은 전면에 나설 수 없었다. 박헌영은 10월 11일 영구차를 타고 관 속에 숨어 월북한 뒤 38선에 가까운 해주의 사무실에서 남한의 좌익세력을 '지도'하게 되었으며, 남로당 창당 작업은 '박헌영의 충실한 추종자'인 허헌에 의해 이루어지게 되었다.[257]

---

257) 김학준, 『해방공간의 주역들』(동아일보사, 1996), 186~187쪽. 이강국은 46년 10월 자신의 애인인 김수임의 도움으로 월북했다. 김수임은 당시 미군 헌병감인 대령 베어드와 결혼을 전제로 동거하고 있었는데, 미군 헌병이 운전하는 사령관 차에 이강국과 동승해 38선까지 검문을 피할 수 있게 해준 것이었다. 김수임은 50년 3월 5일 간첩 혐의로 체포돼 6월 16일 총살형을 선고받았다. 정확한 형 집행일은 알려져 있지 않다. 북으로 간 이강국은 북조선 인민위원회 사무국장(48년 9월), 인민군 병원장(50년 12월), 무역성 일반제품 수입상사 사장(51년 11월) 등을 지내다가 53년 3월 남로당 숙청 때 연루 피체돼, 55년 12월 사형선고를 받았다. 임헌영, 〈해설: 붉은 연애, 그 비극적 종말－김수임과 이강국〉, 전숙희, 『사랑이 그녀를 쏘았다: 한국의 마타하리 여간첩 김수임』(정우사, 2002), 285~286쪽. 그런데 2001년 9월에 발굴돼 공개된 미군 정보장교인 소령 조지 실리의 보고서에 따르면, 이강국은 미군방첩대(CIC) 요원으로 이강국이 김

좌우합작위원회의 우익 대표단은 그대로였으나 좌익에서는 장건상과 장권이 허헌 및 이강국을 대체하였다. 10월 4일 좌우합작위원회는 좌익의 5개항 및 우익의 8개항 강령의 절충으로 좌우합작 7원칙을 결정하고 10월 7일에 발표하였다.

공산당이 서명을 방해하기 위해 여운형을 납치하였기 때문에 여운형의 서명은 장건상이 대신하였다. 어렵게 합의되었지만 합작 7원칙 가운데 토지 문제, 신탁통치 문제, 친일파 문제 등 주요 쟁점에 대해선 좌우 양측이 다 같이 반발함으로써 좌우익 내부의 극심한 분열을 초래하였다.

좌우합작 7원칙 가운데 특히 제3항목인 토지개혁 문제를 둘러싸고 일대 파동이 벌어졌다. 그 인적 구성상 대지주층의 이해를 대변하는 한민당의 토지정책은 '유상매수·유상분배'였는바, 무상분배를 내세운 좌우합작 제3항에 대해 한민당이 즉각 거세게 반발하였기 때문이다.

한민당의 반대 성명이 나오자, 한민당을 대표하여 민주의원과 같이 좌우합작에 나섰던 원세훈·이병헌·박명환·송남헌·이순탁 등 한민당의 중앙위원 16명이 1차로 탈당하고, 김병로·김약수 등 원로급과 중진급 270여 명이 탈당하는 사태가 발생하였다. 이들은 당 지도층이 지주제도의 유지를 고집한다고 비난했다.[258]

이들의 탈당으로 "한때는 한민당의 붕괴를 가져올 것이라는 설까지 나돌 정도로 그 영향은 매우 큰 것이었"지만,[259] 한민당은 계속 건재했다.

수임을 통해 남한 정보를 수집해 간 것이 아니라 거꾸로 베어드가 김수임과 연결된 이강국을 통해 북측 정보를 수집했을 가능성을 시사하고 있다. 정운현, 〈남로당 핵심 이강국·임화 CIC 요원으로 활동했다〉, 『대한매일』, 2001년 9월 5일, 5면.

258) 브루스 커밍스, 김자동 옮김, 『한국전쟁의 기원』(일월서각, 1986), 334쪽.

259) 송남헌, 〈민족통일독립운동의 선도자〉, 우사연구회 엮음, 『몸으로 쓴 통일독립운동사: 우사 김규식 생애와 사상 ③』(한울, 2000), 82쪽.

경찰 개혁의 무산

'10월항쟁'의 여진이 계속되고 있는 상황에서 좌우합작위원회는 진상규명을 위해 합작위원회와 미군정 당국 간의 공동기구로서 남조선혼란대책위원회 조직을 요구하였다. 미군정은 10월 사태의 조속한 수습과 좌우합작파들을 입법의원 설립에 끌어들이기 위해 요구를 수용함으로써 '조미공동위원회'가 구성되었다. 조미공동회담은 10월 23일부터 회담을 개시하여 입법의원 성립 직전인 12월 10일까지 총 27회의 회의를 개최하였는데, 총 회의 시간 84시간 중 75시간 정도를 경찰 문제에 할애하였다.[260]

조병옥은 조미공동위원회에 출석하여 이렇게 말했다.

"경무부장인 내가 친일 경찰관들을 많이 등용하였기 때문에 민심이 이탈, 폭동이 일어났다고 주장하는 것은 잘 알고 있습니다. 그러나 친일은 두 가지로 구별해야 한다고 생각합니다. 하나는 직업적인 친일이고 다른 하나는 가족과 생명을 보호하기 위한 연명책으로 관리가 된 경우입니다."[261]

그러나 수사국장 최능진의 생각은 달랐다. 독립운동가 출신인 최능진은 국립경찰을 "북한에서 공산주의자들에 의하여 축출된 부패한 경찰관들을 포함해서, 일본의 훈련을 받은 경찰과 반역자들의 피난처"라고 불렀다.[262]

12월 2일 조병옥은 조미공동위원회에서 자신을 비방한 최능진에게 "국립경찰의 협화와 명령계통의 확보에 유해하기 때문"이라는 이유를 들어 사직을 요구하였다. 최능진은 사직한 뒤 조병옥을 비난하는 공개장

260) 박찬표, 『한국의 국가형성과 민주주의: 미군정기 자유민주주의의 초기 제도화』(고려대학교출판부, 1997), 189~191쪽.
261) 조갑제, 『고문과 조작의 기술자들: 고문에 의한 인간파멸과정의 실증적 연구』(한길사, 1987), 33쪽에서 재인용.
262) 브루스 커밍스, 김자동 옮김, 『한국전쟁의 기원』(일월서각, 1986), 221쪽에서 재인용.

을 발표하였다. 최능진은 이 공개장에서 조병옥을 "민족운동자를 잡아 주던 사람을 고관대작에 채용하고 순수한 독립운동자를 무경험자라고 배척한" 사람이라고 비판하고 "해방 전의 조병옥으로 돌아가라"고 촉구했다. 장택상이 조병옥의 편을 들어 최능진을 비난하는 성명을 내자 최능진은 12월 13일 이에 답하는 성명을 또 냈다.

"일제 주구가 일조일석에 애국자가 되어 민중 지휘자가 될 수는 없으므로 간부급에서 이들을 제거하고 하부 진영에만 경찰기술자를 존치시켜 민주경찰진을 강화하고자 하였으나 조씨는 끝내 나와 의견이 대립되었다. 금일의 경찰은 친일경찰이 아니고 무엇일까."[263]

이들 사이의 성명전과는 별도로, 46년 11월 29일 조미공동위원회는 하지에게 제출한 보고서에서 경찰개혁 방안을 제시하였다. 이 보고서는 경찰에 대한 원한과 군정청 내 친일파의 잔류 문제를 거론하면서 시정을 촉구하였다. 경무부장 조병옥의 인책 파면도 요구하였다. 그러나 미군정은 이러한 요구를 무시하였으며, 46년 12월부터 47년 5월까지 '비민주적 행위'를 저지른 56명을 해고하는 선에서 경찰개혁 작업을 마무리짓고 말았다. 미군정은 좌우합작파를 과도입법의원에 끌어들이기 위한 유인책으로 조미공동회담을 이용하였다는 걸 스스로 입증하고 말았던 것이다.[264]

남조선과도입법의원 선거

1946년 10월 12일 미군정은 좌우합작운동을 근거로 남조선과도입법

---

263) 조갑제, 『고문과 조작의 기술자들: 고문에 의한 인간파멸과정의 실증적 연구』(한길사, 1987), 33~34쪽에서 재인용.
264) 박찬표, 『한국의 국가형성과 민주주의: 미군정기 자유민주주의의 초기 제도화』(고려대학교출판부, 1997), 189~192쪽; 송남헌, 〈민족통일독립운동의 선도자〉, 우사연구회 엮음, 『몸으로 쓴 통일독립운동사: 우사 김규식 생애와 사상 ③』(한울, 2000), 85~86쪽.

의원의 설치를 규정한 군정법령 제11호를 공포하였으며, 10월 하순 45명의 민선 대의원을 뽑는 선거를 실시하였다. 아직 대구항쟁의 여진이 계속되고 있는 상황인지라 선거를 실시하기엔 적합지 않았지만, 오히려 그게 바로 미군정이 원한 것이었다. 미군정 관리는 "전략적으로 지금이 우익이 선거를 실시할 적당한 시간이다. 모든 좌익들은 감옥에 있거나 산속에 숨어 있다"고 논평했다.[265]

좌파세력이 참여 자체를 거부한 선거의 결과는 이미 예정된 것이었다. 선거 결과, 한민당원이 12명, 이승만의 독립촉성국민회원이 17명, 김구의 한국독립당원이 4명, 무소속 13명, 기타 4명이었다. 무소속으로 당선된 13명도 사실상 한민당 계열의 사람들이었다.

선거 방식은 몇 단계를 거치는 간접선거였다. 각 리(里)에서 대표 2명을 뽑고, 리 대표들이 면(面) 대표 2명을 뽑으며, 면 대표는 다시 군(郡) 대표 2명을 뽑고, 최종적으로 이들 군 대표들이 각 도에 할당된 도 대표를 뽑는 방식을 취했다.[266]

그 결과 경찰과 지방유지들이 판치는 선거가 되고 말았다. 선거가 너무 빨리 진행되어서 선거가 실시되는 사실조차 모르는 사람들이 많았고, 지방의 여러 지역에서는 납세자와 지주에게만 투표권을 허용했다. 일부 리와 면에서는 마을의 연장자들이 선거권자를 대신해 투표하는 사태도 발생했으며 단지 군 단위에서만 비밀투표가 실시되었다. 그밖에도 여러 부정선거 의혹이 제기되었다.[267]

외형적으론 좌우합작위원에서 파견한 선거감시위원회의 감시하에 실시된 선거였기에 김규식은 그런 문제들에 대해 침묵할 수 없었다. 김규

---

265) 송광성, 『미군점령 4년사: 우리나라의 자주·민주·통일과 미국』(한울, 1995), 122쪽.
266) 우사연구회 엮음, 심지연 지음, 『송남헌 회고록: 김규식과 함께 한 길』(한울, 2000), 84쪽.
267) 정해구, 〈한국정당정치의 형성과 왜곡: 해방에서 한국전쟁까지〉, 안희수 편저, 『한국정당정치론』(나남, 1995), 240쪽; 송광성, 위의 책, 122쪽; 김삼웅, 『한국현대사 뒷얘기』(가람기획, 1995), 133쪽.

식은 11월 4일 하지에게 서한을 보내 이렇게 말했다.

"전체적으로 유능한 애국자가 못 나왔고 더구나 좌익진영은 전면적 검거 때문에 피선될 기회가 거의 없었다는 것 때문에 유감이다. 더구나 피선된 자가 극도로 편향적인 데다가 친일파라고 지목된 자가 다수 피선된 것은 이 입법기구에 대하여 전 민중에게 실망을 주었고, 충분한 민의를 반영시키지 못한 반민주적 선거라는 것을 국민대중에게 인식하게 하여 진정한 입법기구가 아니라는 인상을 주게 되었다."[268]

이어 김규식은 "이번 선거는 조선 인민에게 손해를 끼치고 일본인과 협력한 자는 대의원이 될 자격이 없다는 규정이 서울특별시와 강원도에서는 적용되지 않았다"고 지적하면서, "부분적이나마 재선이 있기를 요망한다"고 말했다. 이에 하지는 서울특별시 당선자였던 김성수, 장덕수, 김도연, 그리고 강원도 당선자인 서남준과 조진구, 전영직의 당선무효를 선언하고 재선거를 실시하도록 했다. 이 가운데 김성수와 장덕수는 낙선했다.[269]

좌파와 중도좌파가 빠진 입법의원

이로 인해 김규식은 우익인 한민당으로부터 강한 비난을 받았는데, 좌익도 우익 이상으로 김규식을 비난했다. 좌익은 좌우합작위원회와 합작 7원칙을 비난하면서 김규식이 깊이 관여한 입법의원이 "미군정의 전속기관이며 군정장관이 최후 결정권을 보유하고 있다"는 점을 꼬집어 "하등 민주주의적 결의기관의 성격"을 갖추지 못했으며, "결국 (일제시

---

268) 김재명, 〈김규식: 한 온건 지식인의 실패한 이상주의〉, 『한국현대사의 비극-중간파의 이상과 좌절』(선인, 2003), 330쪽에서 재인용.

269) 연시중, 『한국 정당정치 실록 1: 항일 독립운동부터 김일성의 집권까지』(지와 사랑, 2001), 260쪽; 김재명, 위의 글, 330~331쪽.

제2장 좌우(左右) 갈등의 폭발 · 1946년___307

남조선과도입법의원 개원식 장면.

기) 중추원의 재판"이 될 것이라고 비판했다.[270]

　미군정에 대한 지지를 넓히기 위해 설치된 과도입법의원은 총 90명으로 민선의원과 관선의원이 각기 45명이었다. 민선인사는 대부분 이승만계와 한민당계가 차지했지만, 하지는 11월 7일 주로 중도파 중심으로 관선의원을 임명함으로써 김규식을 지원하였다.[271]

　여운형은 11월 23일 입법의원을 절대로 반대한다는 성명을 발표하였다. 여운형 · 김원봉 · 홍명희 · 장건상 · 조완구 · 엄항섭 등 일부 관선대의원들은 그 선임을 거부하였기 때문에, 결국 과도입법의원은 좌파세

270) 김재명, 〈김규식: 한 온건 지식인의 실패한 이상주의〉, 『한국현대사의 비극−중간파의 이상과 좌절』(선인, 2003), 331쪽.
271) 정해구, 〈분단과 이승만: 1945∼1948〉, 『역사비평』, 제32호(1996년 봄), 272쪽.

력은 불참하고, 중도좌파는 대부분 사퇴한 가운데, 다수의 우파세력과 관선을 통해 선임된 중도우파세력만으로 구성되는 한계를 드러내고 말 았다.[272]

1946년 12월 12일 미 군정법령 제118호로 설치된 남조선과도입법의 원의 개원식이 열렸다. 의장은 김규식이 맡았다. 미군정은 입법의원 구 성이 끝나자 김규식에게 좌우합작위원회의 해체를 요구하였다. 김규식 이 거부하긴 하였지만, 미군정의 속셈을 잘 드러내 준 요구였다.[273]

272) 정해구, 〈한국정당정치의 형성과 왜곡: 해방에서 한국전쟁까지〉, 안희수 편저, 『한국정당정치론』(나남, 1995), 240쪽.
273) 정용욱, 『존 하지와 미군 점령통치 3년』(중심, 2003), 161쪽.

여운형과 김규식의 좌절: 중간파의 몰락

남조선노동당 창당

입법의원에 반대하고 나선 여운형은 좌익 3당합당에도 반대하여, 좌우합작을 지지하는 공산당의 강진, 신민당의 백남운과 함께 사회노동당 (사로당)을 결성하기로 하였다. 여운형은 46년 10월 16일 사로당 결성 결정서와 강령을 발표하였고, 11월 7일 남조선노동당(남로당)과의 합당을 제의했다. 남로당이 이 제의를 거절하자, 여운형은 11월 12일 사로당을 창당하여 좌우합작의 기반을 구축하고자 하였다.[274]

여운형의 제의를 무시한 남로당은 11월 23일 창립대회를 개최했으며, 위원장은 허헌이 맡았다. 12월 2일 허헌은 기자회견에서 사로당을 겨냥하여 "기회주의적이고 영웅주의적인 태도로 인민의 갈 바를 혼란시키는

---

274) 송남헌, 〈민족통일독립운동의 선도자〉, 우사연구회 엮음, 『몸으로 쓴 통일독립운동사: 우사 김규식 생애와 사상 ③』(한울, 2000), 80쪽.

것은 절대로 배격하는 바"라고 비난하고, "진실로 독립과 인민의 이익을 위하여 싸우려는 진정한 동지는 남로당에 들어와 같이 싸울 수 있다"고 밝혔다. 이 발언으로 사로당 간부들이 동요하여 자기비판과 탈당이 잇따랐다.[275]

남로당의 사로당 와해 공작과 더불어 북로당이 남로당에 대한 절대 지지를 표명함으로써 사로당은 일대 위기에 처하게 되었다. 대부분의 사로당 간부들이 탈당 성명서를 내고 사로당의 해체를 주장했다. 결국 사로당은 창당 3개월여 만인 47년 2월 27일 '발전적 해체'를 만장일치로 가결하였다.[276]

좌우합작위원회에서의 좌절과 더불어 사로당의 위기로 충격을 받은 여운형은 46년 12월 4일에 발표한 〈좌우합작·합당공작을 단념하면서〉라는 성명에서 "좌익 3당합당 문제가 제기된 이래 지도층의 경험부족과 기술빈곤으로 일어난 오해와 충돌은 결국 좌익진영에 커다란 분열을 초래했으니, 이에 관해 누구보다도 내 자신이 그 책임을 느끼게 되어 남로·사로 양당의 무조건 통일을 주장했으나 성공치 못하고, 최후로는 사로를 해체하고 남로에 통일하기를 간청했으나 이것마저 실패하고 말았다"고 말했다.

"합동운동은 전 민족 통일을 의도함이요 좌익 합당을 단일화하려 함이다. 그러나 현상은 근본 의도와는 정반대의 방향으로 나가고 있다. 이러한 국면을 타개치 못한다면 우리의 전도는 실로 암흑이다. 이러한 난국에 처하여 역량 없고 과오 많은 내가 이 중임을 지려다가 일보도 전진 못하고 넘어져서 일을 그르치는 것보다 차라리 민중 앞에 사죄하며 이 중책에서 물러감이 옳다고 생각한다. …… 이것은 내가 혁명전선에서 이

---

275) 심지연, 『허헌 연구』(역사비평사, 1994), 149~150쪽.
276) 김남식, 〈남로당의 혁명노선〉, 동아일보사, 『현대사를 어떻게 볼 것인가 1』(동아일보사, 1987), 238쪽.

탈하는 것이 아니라 지도자의 자리에서 내려서는 것이요, 나의 여생을 민주진영의 한 병졸(兵卒)로서 건국사업에 바칠 것을 맹세한다."[277]

12월 7일 백남운도 정계은퇴 성명서를 발표하였다. 방기중은 "여운형의 합작·합동 포기선언과 백남운의 정계은퇴는 해방정국기 통일민주국가 수립운동 과정에서 중요한 의미를 갖는 것이었다"고 평가했다.

"그것은 해방 이래 지속되어 온 민족통일전선운동의 구도가 사실상 해체되었음을 뜻하였다. 미소의 분할점령과 좌우대립 속에서 민족통일전선 결성의 가능성을 어느 정치세력보다도 가시적으로 보여주었던 매개세력(인민당·신민당)의 역할은 이로써 끝을 맺게 되었다."[278]

'공산당'에서 '노동당'으로 간판 바꾸기

남로당은 46년 12월 53만여 명의 당원, 47년 10월엔 100만 당원을 돌파했다고 발표하게 되지만, 공산당의 기존 노선과 활동을 답습함으로써 명백한 한계를 드러냈다. 박헌영이 비밀 경로를 통해 절대적인 영향력을 행사하고 있었기 때문에, 남로당은 "말이 노동당이지 사실은 공산당 간판을 노동당 간판으로 바꾸어 놓은 것에 지나지 않았다."[279]

김남식은 "박헌영을 중심으로 한 조선공산당 지도부는 조선공산당을 대중정당으로 전환하는 문제, 그러기 위해서 인민당과 신민당과 합당하는 문제에 대한 올바른 인식이 부족했다고 볼 수 있다"며, "즉 공산당의 이념과 조직체 및 그 운영 등이 인민당과 신민당과는 크게 다른 특수성을 지니고 있기 때문에, 그들과 무조건적 그대로 합당을 한다면 당을 격

---

277) 김남식, 〈조선공산당과 3당합당〉, 박현채 외, 『해방전후사의 인식 3』(한길사, 1987), 169쪽에서 재인용.
278) 방기중, 〈해방정국과 백남운의 '신국가' 건설활동 (하)〉, 『역사비평』, 제13호(1991년 여름), 364쪽.
279) 여연구, 신준영 편집, 『나의 아버지 여운형』(김영사, 2001), 224~229쪽; 심지연, 『허헌 연구』(역사비평사, 1994), 150~151쪽.

312__ 한국 현대사 산책·1940년대편 ①

하시키는 것으로 생각했던 것이다"라고 평가했다.

"그러므로 3당합당을 바람직한 것으로 생각하지 않을 뿐더러 그를 지연시키면서 인민당과 신민당의 좌파세력만을 흡수 통합시키는 입장을 견지했던 것이다. 이는 당시 조선공산당 지도부의 편협성과 종파성, 그리고 대중정당에 대한 인식의 부족, 당권욕 등을 그대로 나타낸 것이라 할 수 있으며, 또한 인민당과 신민당을 그대로 통합시킬 만한 주도세력으로는 역량이 부족했다는 것을 말해 주는 것이었다. …… 해방 후 공산주의 활동에서 박헌영 일파의 편협과 종파성으로 인한 3당합당의 실패는, 그 후의 투쟁에서 남로당의 총붕괴를 가져오게 하는 결정적 요인으로 작용했다고 해도 지나친 평가는 아닐 것이다."[280]

좌우합작운동에서 여운형의 파트너였던 김규식도 여운형 못지않은 고통을 겪고 있었다. 극좌·극우로부터의 비난은 테러 위협으로까지 나타났고, 심지어 김규식을 암살하려는 조직이 생겨났다는 정보도 잇따랐다. 그래서 김규식은 자신이 머무르는 삼청장 안에서도 침실을 자주 옮겨다니기까지 했으며, 측근들은 만일의 테러사태를 염려해 강원도 홍천에 있는 선친의 묘소로 참배를 가는 것도 만류할 정도였다.[281]

"좌우는 싸움으로 세월을 허비하고 있다"

중간파 언론인이라고 할 수 있는 오기영은 『신천지』 46년 11월호에 쓴 〈경애하는 지도자와 인민에게 호소함〉이라는 제목의 글에서 좌우(左右)는 싸움으로 세월을 허비하고 있다고 지적하면서 "'동인(東人)이라 하여서 어찌 다 소인(小人)이며 서인(西人)이라 하여서 어찌 다 군자(君子)

---

280) 김남식, 〈조선공산당과 3당합당〉, 박현채 외, 『해방전후사의 인식 3』(한길사, 1987), 176, 179쪽.
281) 김재명, 〈김규식: 한 온건 지식인의 실패한 이상주의〉, 『한국현대사의 비극−중간파의 이상과 좌절』(선인, 2003), 331쪽.

랴' 하고 율곡은 울었다지만 오늘날 좌라 하여 모두가 극렬분자일 리가 없고 우라 하여 모두가 반동분자일 리가 없는데 좌우 양 노선이 달랐기로 그렇게도 불공대천(不共戴天)의 구수(仇讐)가 되어야 할 까닭이 어째서 항상 상대편만의 책임이라고 하는지 한심하며 조선민족이 이렇게도 도량이 좁은 민족인가를 슬퍼하지 않을 수 없습니다"라고 개탄했다.

"경애하는 좌우의 지도자 여러분, 지금 정치를 운운하는 이들은 확실히 열병 환자라고 보게끔 되어 있습니다. 모두 냉정을 잃고 무엇이나 제 편이면 다 옳고 제 편이 아니면 모두 그르다고 합니다. 나는 실상 아직 『공산당선언』조차 똑똑히 읽어본 일이 없는 사람인데 공산주의자라는 말을 우익 측 지인(知人)으로부터 듣는 이유는 우익 정당에 가입하지 않은 것과 우익의 비(非)를 비라고 한 까닭 이외에 아무것도 없습니다. 또는 나를 기회주의자라, 심하게는 반동분자라는 비난을 좌익 측 지인으로부터 많이 듣고 있는데 이것도 내가 좌익 정당에 가입하지 않은 것과 좌익의 비를 비라고 한 까닭 이외에 아무 이유도 없습니다. 지금 이 판이 어느 판이라고 중립적 존재가 있을 수 있느냐 하지마는 암만해도 나는 우나 좌나 시(是)는 시요, 비(非)는 비라고 하고 싶지, 결코 비를 시라고 하거나 시를 비라고 할 수는 없습니다. 뿐만 아니라 이러한 비판은 필요한 일이라고 나는 믿습니다."[282]

실로 일반 민중의 입장에선 과연 무엇이 좌익이고 무엇이 우익인지 그 구분이 명확한 건 아니었다. 문인 김동리도 『백민』 1946년 11월호에 쓴 〈좌우간의 좌우〉라는 글에서 다음과 같이 토로하였다.

"만약 토지개혁과 주요 기업의 국유를 주장하는 것이 좌익이라면 조선 사람은 전부 좌익이요, 민족해방과 완전독립을 갈망하는 것이 우익이라면 조선 사람은 전부가 우익일 것이다. 조선의 소연방화 거부를 우익

---

282) 오기영, 『민족의 비원 자유조국을 위하여』(성균관대학교출판부, 2002), 144~145쪽.

이라면 우리는 모두 우익이어야 할 것이고, 조선의 미국 식민지의 배격을 좌익이라면 우리는 모두 좌익일 것이다. 그렇다면 우리의 좌우익은 어떠한 근거에 입각한 것인가?"[283]

김동리는 '좌익문학에 대해 가장 원색적인 비판의 선봉'에 섰던 문인인지라 위와 같은 발언은 자신의 반공(反共) 논지를 위한 '교묘한 술수'로도 볼 수 있는 것이었지만,[284] 당시의 좌우 갈등이 다분히 허구적인 것이었음은 분명한 사실이었다.

무엇보다도 좌우 구분의 기준이 애매했다. 일제 시대엔 독립운동의 노선과 방법론을 따졌지만, 해방 후엔 미군정에 대한 태도를 기준으로 좌우를 나누기도 했다. 『주한미군사』를 쓴 군사관(軍史官) 리처드 로빈슨은 "한국에서 좌우 구분은 지도자의 개인적 차이에 불과했고, 식민 시기에는 민족주의자조차 우익의 위장(stomach)과 좌익의 입을 가지고 있었다"라고 표현하였다.[285]

미국과는 전혀 다른 상황을 가진 한국에서 중간파가 처할 수밖에 없었던 어려운 입지를 이해할 리 없는 로빈슨의 표현은 그 한계를 감안하고 들어야 할 것이다. 그렇다 하더라도 당시의 좌우 갈등이 전부는 아닐망정 상당 부분은 개인 및 집단의 이해관계에 따라 조성되었고, 그 목적을 위해 이데올로기가 동원되기도 했다는 건 분명한 사실이었다. 먹고 살기 위한 취업 차원에서 잘 알지도 못하는 이데올로기를 표방했던 극우 청년단체들의 경우에서 보이듯, 해방정국은 적나라한 생존 의지와 욕망의 표출 공간이었던 것이다.

---

283) 이우용, 『해방공간의 민족문학사론』(태학사, 1991), 205~206쪽에서 재인용.
284) 임헌영, 〈미군정기의 좌우익 문학논쟁〉, 박현채 외, 『해방전후사의 인식 3』(한길사, 1987), 517쪽; 이우용, 위의 책, 206쪽.
285) 정용욱, 『미군정 자료연구』(선인, 2003), 287쪽에서 재인용.

이승만의 방미(訪美): 이승만·하지의 충돌

이승만과 하지의 동상이몽(同床異夢)

하지와 충돌하던 이승만은 위기감을 느끼고 자신이 직접 미국으로 건너가 자신의 주장을 펼치기로 하였다. 그는 도미(渡美) 목적이 유엔에서 조선의 독립 문제를 호소하기 위함이라고 밝혔지만, 미 정부의 관계자들을 직접 상대해 자신의 뜻을 관철시키겠다는 뜻이 강했다.[286]

46년 11월 5일 미국의 중간선거에서 공화당이 승리를 거둬 상하 양원의 다수당으로 등장하자 이승만의 도미 의지는 고무되었다. 그는 자신의 추종자들에게 "나의 미국 내 가장 친한 친구들은 공화당원이다. 하지는 민주당원이다. …… 그러나 이제 공화당이 정권을 장악했다"고 말하면서 공화당의 승리를 환영하였다.[287]

---

286) 정해구, 〈분단과 이승만: 1945~1948〉, 『역사비평』, 제32호(1996년 봄), 272쪽.
287) 정용욱, 『존 하지와 미군 점령통치 3년』(중심, 2003), 196쪽. 실제로 이승만과 그의 지지자들은 하지를 '진보적 민주주의자'로 간주하곤 했는데, 이는 그들이 반공(反共)에 관한 한 하지의 오른쪽에 있었다는 걸로 이해하는 것이 옳을 것 같다. 한표욱, 『이승만과 한미외교』(중앙일보사, 1996), 40쪽.

이승만의 고문이었던 로버트 올리버는 이승만이 하지를 만나 자신의 워싱턴 여행 편의를 요청하자, 하지는 자신을 제치고 워싱턴과 직접 상대하겠다는 이승만의 의도에 "충격을 받았다"고 말하면서 언성을 높였다고 말했다.[288]

그러나 정용욱은 그간의 연구와 주장들은 대부분 이승만과 하지 사이의 갈등을 과장하면서 이승만이 하지의 방해와 반대를 무릅쓰고 맥아더의 도움을 받아 겨우 도미할 수 있었던 것처럼 얘기하고 있지만, 그와는 정반대로 이승만에게 미국행을 먼저 권유했던 것은 하지라고 주장했다. 이승만은 하지의 방미 제의를 자신의 구상을 미군정으로부터 승인받는 기회로 삼고자 한 반면, 하지에겐 두 가지 의도가 있었다는 것이다.

"첫째, 미군정이 처한 입장을 상부에 알리고 상부의 정책결정을 촉구하는 데 이승만을 이용하려는 의도이다. …… 둘째, 이승만을 외유시켜 잠시 한국 내 정치로부터 분리시키고, 언론의 조명으로부터 물러나 있게 하려는 의도이다. 그 이유는 이승만의 노골적인 반소·반공적 태도가 미군정을 곤란하게 하고, 미군정의 남한에서의 정치활동 계획을 교란한다고 생각하였기 때문이다."[289]

이승만과 하지의 이러한 협력 관계는 동상이몽(同床異夢)이었을 것이다. 실제로 하지는 도미 후 이승만이 하지와 미군정의 실정(失政)을 선전재료로 삼자 격렬한 분노를 터뜨리면서 이승만의 미국 측근과 미 국무부에 이승만을 견제해 줄 것을 요청하였기 때문이다.[290]

이승만은 미국으로 떠나기 전 한민당, 김구 진영 등 다른 우익세력과 다음과 같은 계획을 세워 놓았다고 한다.

"반탁, 반군정, 반하지 운동의 일환으로 시위와 폭동을 일으킨다.

---

288) 로버트 올리버, 황정일 옮김, 『이승만: 신화에 가린 인물』(건국대학교출판부, 2002), 249쪽.
289) 정용욱, 〈미군정기 이승만의 '방미외교'와 미국의 대응〉, 『역사비평』, 제30호(1995년 가을), 313~314쪽.
290) 정용욱, 위의 글, 320쪽.

······ 김구는 사태발전의 적절한 단계에서 체포되어 투옥되고, 순교자로 집중조명을 받는다."[291]

이승만의 여행 경비 징수 파동

어찌됐건 이승만은 자신의 방미 계획을 11월 22일에 기자들에게 공식적으로 밝혔는데, 이후 우익진영에선 떠들썩한 환송 움직임이 일어났다. 그의 미국행은 우익 언론에 의해 집중 조명을 받았으며, 우익단체들은 이승만을 '민족 대표'로 임명하는 동시에 그의 방미외교를 응원하기 위해 한국민족대표외교사절후원회까지 구성하였다. 이 후원회는 여행 경비를 모집하는 대대적인 캠페인을 전개하였는데, 무리한 할당식 강제 징수로 큰 논란을 빚기도 했다.[292]

언론인 오기영은 월간 『신천지』 47년 1월호에 쓴 글에서 이승만에게 "'민족 대표'라는 어마어마한 훈장을 바치고 그를 환송하는 '민족 무슨 후원회'가 발기되었는데 거기 선전부원으로 각 신문사의 주간, 주필, 편집국장의 이름이 나열된" 것에 대해 경악을 금할 수 없다며 이렇게 말했다.

"노(老)박사는 이번 행각의 여비로서 1억 원의 헌상(獻上)을 굶주리고 헐벗고 도탄의 심연에 빠져 헤어날 수 없는 가엾은 이 땅 백성들에게 명령하였다. 해방의 조국이라고 찾아와서 하늘을 이불 삼아 울고 있는 전재동포(戰災同胞)가 노지(露地)에 방치되어 있는 판국에 그에게 1억 원의 대금(大金)을 쾌정(快呈)할 사람들이 어떤 계급에 속하는 어떤 인물들일 것도 짐작할 만하다. 그들이 어째서 이렇게 부당한 거액의 여비를 부담

291) 정용욱, 〈미군정기 이승만의 '방미외교'와 미국의 대응〉, 『역사비평』, 제30호(1995년 가을), 319쪽.
292) 정용욱, 위의 글, 316쪽.

하며 그 대가로 무엇을 바라겠느냐 하는 것도 생각해 볼 일이거든, 그 선전부원의 명예를 얻은 각 신문은 이 1억 원 헌상운동을 일으키어, 일찍 수해 구제금 모집에 어린아이의 벙어리 궤를 받고 칭찬하는 식의 신문기사가 연일 게재되고 있다. 다시 이 기부금을 내지 않는 가정에는 쌀 배급을 정지하였다는 언어도단의 현상에 직면하여 아연하지 않을 수 없는 바이다."[293]

그러나 모두 걷힌 돈은 1억 원엔 미달하였다. 미군 방첩대 정보보고서에 따르면, 이때에 걷힌 정치 헌금은 모두 3천만 원이었다.[294]

"하지는 공산주의자의 도구"

12월 1일, 이승만은 미국행 배를 타기 위하여 인천으로 가고 있었다. 이승만은 성대한 환송식을 받으면서 인천으로 향하였지만, 그날로 은밀히 서울로 돌아와 12월 4일 미군정에서 제공한 비행기로 출국하였다. 그는 도쿄에서 하루를 묵으면서 맥아더를 만난 뒤 12월 5일 오후 늦게 도쿄를 떠났다.

정용욱은 이승만이 이런 쇼를 한 건 "하지와의 갈등을 과대 선전하면서 자신을 핍박받는 한국의 지도자로 분식"하기 위해서였다고 주장했다. 하지가 비행기를 내주지 않아 배로 출국하는 것처럼 위장했고, 12월 2일엔 기상이 나빠 출국하지 못했는데도 나중에 이승만 지지자들은 하지가 비행기를 내주지 않아 맥아더에게 연락해 가까스로 12월 4일에 출국했다고 선전했다는 것이다.[295]

293) 오기영, 『민족의 비원 자유조국을 위하여』(성균관대학교출판부, 2002), 65~66쪽.
294) 김재명, 〈정치헌금: 대한경제보국회 등 통해 1년간 3천만원 모금〉, 『월』, 1996년 9월, 73쪽.
295) 정용욱, 『존 하지와 미군 점령통치 3년』(중심, 2003), 201~202쪽; 정용욱, 〈미군정기 이승만의 '방미외교'와 미국의 대응〉, 『역사비평』, 제30호(1995년 가을), 309, 316, 327쪽.

12월 7일 미국에 도착한 이승만은 자신의 측근인 임병직, 임영신, 김동성, 굿펠로우, 스태거스, 올리버 등을 가동시켰다. 이승만은 한국이 통일국가를 건설할 때까지 전 인구의 3분의 2를 차지하고 있는 남한에 단독정부를 세워야 한다는 방안을 미 국무성에 제출하는 등 남한만의 단독정부 수립을 촉구하는 외교활동을 적극적으로 펼쳤다.[296]

방미 기간 동안 이승만은 미 국무성 내 일부 분자가 "미국의 대한 정책을 방해"하고 있으며, "하지 중장은 공산분자를 도울 뿐만 아니라 그들의 도구 구실을 하고 있다"고 주장하였다. 심지어 그는 "하지 중장이 남조선입법의원의 상당한 수의 관선의원직을 공산주의자들에게 배정, 임명하였다"고 비난하였다.[297]

천하의 반공주의자 하지를 용공(容共)으로 모는 이승만의 반공은 이후 더욱 치열한 모습으로 나타나게 된다.

---

296) 연시중, 『한국 정당정치 실록 1: 항일 독립운동부터 김일성의 집권까지』(지와 사랑, 2001), 261쪽; 정해구, 〈분단과 이승만: 1945~1948〉, 『역사비평』, 제32호(1996년 봄), 272~273쪽.
297) 연시중, 위의 책, 261쪽; 정해구, 위의 글, 273쪽.

'종이'와 '극장'을 달라

종이가 없어 신문이 휴간하다

해방과 함께 '언론과 출판의 둑'이 터지면서 범람하게 된 표현의 욕구는 1946년 들어서도 계속되었다. 『동아일보』 1946년 3월 23일자에 따르면,

"신문이 쏟아지고 잡지가 밀린다. 삐라가 깔리고 포스터가 덮인다. 쓰는 대로 글이 되고 박히는 대로 책이 된다. 활판(活版)과 석판(石版)이 몸부림친다. 사진판·등사판까지 허덕거린다. 이렇게 하여 없는 종이가 갈갈이 없어진다. 8·15 이후의 장관은 실로 유흥계와 쌍벽으로 출판계였다. 종이의 소비량으로는 아마 조선 유사 이래에 처음일 것이다. 출판홍수라 함이 단순한 형용이 아니오 과장이 아닐 듯싶다. 배수구의 준비와 방파제의 필요를 운운케 됨도 지당한 일이다. 홍수도 터짐 즉하리라. 입이 있어도 말을 못하였고, 붓이 있어도 글을 못씀은 40년 동안 통한(痛恨)이 뼈에 사무쳤거든, 자유를 얻은 바에야 무엇을 꺼릴 것인가?"[298]

사정이 그와 같았으니 당연히 종이가 큰 문제가 되었다. 신문과 잡지 뿐만 아니라 그때까지 일본 글자로 되어 있던 교과서 등의 책들을 우리 말로 바꾸어 펴내야 했으므로 종이가 극심한 품귀현상을 빚었다. 신문 용지난은 극도로 악화되어, 종이가 없어 신문이 휴간하는 일까지 벌어졌다. 『조선일보』의 경우, 5월 8일에서 9일까지, 또 24일에서 30일까지 신문을 내지 못했다.[299]

1946년 10월 6일 가톨릭 교계의 신문으로 창간된 『경향신문』이 급속히 두각을 나타내게 된 이유 중의 하나도 미군정의 도움으로 종이를 확보할 수 있었기 때문이다.

『경향신문』의 창간은 미군정의 좌익 언론 탄압정책 덕택이었다. 46년 5월 정판사 위조지폐사건 이후 정판사 사옥과 인쇄시설은 미군정 산하로 넘어갔는데, 이게 바로 『경향신문』에게 불하된 것이다.

천주교 서울교구장인 노기남은 미군의 서울 입성 나흘째인 9월 12일 하지의 정치고문인 준장 세실 나이스트와의 면담에서 미군정 당국과 함께 일할 한국인 지도자 60명을 추천하는 지위를 부여받을 정도로 미군정과 매우 가까웠다. 미군정이 그런 관계로 먼저 노기남에게 정판사를 불하받을 걸 권했던 것이다.

노기남이 추천해 준 60명은 이승만·김구·송진우·김성수·장덕수 등 우익 일색이었다. 노기남은 평안도 출신의 반공주의자로서 신자들에게 순교정신을 갖고 반공투쟁에 나설 것을 호소하는 동시에 유지급 신자들에겐 한민당에 가입하여 정치활동에 나설 것을 촉구하였다. 『경향신문』은 노기남의 그런 노선을 상당 부분 반영하였다.[300]

298) 조상호, 『한국언론과 출판저널리즘』(나남, 1999), 73쪽; 이임자, 『한국 출판과 베스트셀러 1883~1996』(경인문화사, 1998), 95쪽.
299) 조선일보사, 『조선일보 칠십년사 제1권』(조선일보사, 1990), 465쪽.
300) 김상태, 〈평안도 기독교 세력과 친미엘리트의 형성〉, 『역사비평』, 제45호(1998년 겨울), 200쪽; 강인철, 『한국기독교회와 국가·시민사회 1945~1960』(한국기독교역사연구소, 1996), 252쪽; 노기남, 〈경향신

당시 정판사 인쇄시설은 국내 최상의 것이었다. 『경향신문』은 다른 신문사에는 없는 오프셋 인쇄기를 2대 인수한 데다 다른 신문들이 쓰던 누런 화선지가 아닌 질 좋은 갱지를 대량 확보할 수 있었다. 그 결과, 『경향신문』은 다른 신문들에 비해 늦게 창간되었음에도 불구하고 창간 1년 만에 6만여 부라는 최대 부수를 기록하게 되었다.[301]

재생종이에 고춧가루가 박혀 있는 이유

모든 신문이 『경향신문』의 행운을 누릴 수는 없었기에 여기저기서 "종이를 달라!"는 외침이 터져 나왔다. 『조선일보』 1946년 12월 10일자는 당시의 용지난에 대해 "방금 남조선에는 출판문화의 일대 위기에 직면해 있다"고 보도했다.

"38선 이남 지구는 본래부터 펄프의 생산지가 아니어서 종래에 있어서도 용지는 일본이나 북조선에 의뢰하여 사용하던 바 해방 이후 38선 장벽이 생겨 물자의 교류가 두절되고 대외무역도 안 되어 건국을 앞두고 활발히 전개되어야 할 문서운동은 현재 총 소요량의 1할도 안 되는 휴지를 원료로 하는 몇 개의 재생 제지공장 생산품에 매달려 허덕이고 있어 서울만을 단위로 하고 따져보아도 300여 대소 출판사가 총휴업 상태에 빠져 있고 600여 인쇄소도 용지가 없어 인쇄를 못하고 있는 기막힌 현실에 있으며, 따라서 이 용지 기근은 각 학교교육에 막대한 불편을 주어 소학·중학·전문대학 등의 교과서를 못 만들고 또 학용지 구입난으로 거의 수업 불가능 상태에서 학교 당국은 임시 교과서 학용지 구독에 동분

문과 나: 산고(産苦) 이겨낸 탄생에 기쁨은 두배〉, 경향신문사, 『경향신문50년사』(경향신문사, 1996), 64~65쪽; 박태영, 〈노기남: 호교(護敎) 위해 신을 판 성직자〉, 반민족문제연구소, 『청산하지 못한 역사 2: 한국현대사를 움직인 친일파 60』(청년사, 1994), 319~321쪽.
301) 경향신문사, 『경향신문50년사』(경향신문사, 1996), 68쪽; 한원영, 『한국현대 신문연재소설연구 上』(국학자료원, 1999), 115~116쪽.

서주하는 현상이라 한다."[302]

아마도 이동순의 다음과 같은 증언이 당시의 종이난을 가장 실감나게 말해 주는 것인지도 모르겠다.

"해방 직후에 찍어낸 각종 잡지들을 보면 당시의 심각했던 물자난과 힘겨웠던 경제사정을 짐작하고도 남음이 있다. 매우 결이 거친 마분지(馬糞紙)에 구멍이 숭숭 뚫렸다든가, 재생종이를 만드는 과정에서 미처 덜 파쇄된 신문지의 활자가 군데군데 거꾸로 박혀 있는 광경을 보면 눈물겹다. 더욱 기절초풍할 사실은 재생종이의 투박한 표면에 수상한(?) 고춧가루가 점잖게 박혀 있다는 점이다. 아마도 화장실 '질가미(휴지)'의 흔적이리라."[303]

악극의 인기와 흥행모리배들의 횡포

해방 직후 대중의 오락생활에서 가장 큰 비중을 차지한 건 개량 신파극과 악극이었다. 악극의 인기가 워낙 높아 면세 혜택을 노린 사회단체들까지 돈벌이를 위해 공연에 나설 정도였다. 황문평에 따르면,

"공익사업기금 모집이라는 명목으로 공연허가를 받아내면 면세조치가 가능했기 때문이다. 공연단체 측에서도 안심할 수 있는 극장 수입으로 단체를 운영하기 위해서였다. 예를 들어 XX 사회단체, 심지어는 철도경찰 후생사업 명목으로 흥행(공연물)을 주관했었다. 호남 지방에서는 모 지방 검찰청이 후원, 공연을 주최해 주고 직원들의 후생사업비로 나누어 먹기식 흥행도 했다. 서울 수도청 경찰국 문화반을 위해 국도극장에서 악극계의 스타, 국악계의 명인 명창들이 총동원 무료봉사해 주는

---

302) 이임자, 『한국 출판과 베스트셀러 1883~1996』(경인문화사, 1998), 95쪽에서 재인용.
303) 이동순, 〈'막간 아가씨'와 손풍금〉, 『월간조선』, 1998년 5월, 556~557쪽.

공연까지 했다. 신문사 주최로 국방기(비행기) 헌납모금 공연, 수도청 주관 교통질서공연(캠페인)을 빙자해서 흥행을 하는 단체도 있었다."[304]

가요도 레코드 제작 기술의 한계로 인해 공연무대 중심이었다. 당시의 레코드 제작 기술은 프레스 시설이 아니라 숯불에 구워서 만드는 수공업 수준에 머물러 있었기 때문에 하루에 겨우 10여 장을 만들 수 있었다. 그것도 1947년 고려레코드사가 처음 생기면서부터였다. 우리 손으로 만들어진 레코드가 나온다 하여 사람들은 선금을 맡겨 두고, 레코드가 나오기를 기다리는 형편이었다. 그래서 가요 작곡가들은 무대공연물 창작에 열중하게 되었으며, 모든 신작 가요들은 먼저 공연무대를 통해 발표되고 대중에게 전파되었다.[305]

사정이 그러했던 만큼 모든 대중 예술인들이 가장 절실하게 느낀 건 극장난이었다. 도무지 극장을 잡기가 어려웠던 것이다. 당시 극장은 영화 상영과 공연뿐만 아니라 연극의 무대이기도 했기 때문에 연극인들의 불만도 매우 컸다.[306]

미군정은 일본이 남기고 간 극장(남쪽에만 96관)에 대해 조선 영화인들의 의견에 따라 불하한다고 공언했지만 당시 적산이 일부 친일 지주와 친미 자산가에게 넘어간 것과 마찬가지로 그 약속을 어김으로써 국내 예술인들의 거센 반발을 샀다. 당시 극장을 접수한 사람들은 대부분 일제시대 일본인 극장에서 일하던 사람들이었는데, 일본인 흥행주 밑에서 배운 나쁜 것은 모두 그대로 써먹어서 영화인들을 비롯한 예술인들은 일제시대 이상의 곤욕을 치르지 않을 수 없었던 것이다.[307]

당시 나온 비판의 한 대목을 음미해 보자.

304) 황문평, 『한국대중연예사』(부루칸모로, 1989), 323쪽.
305) 박영수, 『운명의 순간들: 다큐멘터리 한국근현대사』(바다출판사, 1998), 220~221쪽.
306) 유민영, 『한국 근대극장 변천사』(태학사, 1998), 295쪽.
307) 이효인, 〈해방 직후의 민족영화운동〉, 최장집 외, 『해방전후사의 인식 4』(한길사, 1989), 481쪽; 유민영, 위의 책, 295~296쪽.

"(흥행모리배들은) 자기네들의 이익이 되는 흥행을 위해서는 8월 15일 (해방) 이전에 우려먹을 대로 우려먹었던 악극단의 연출 형식과 곡조에다 가사만 슬쩍 갈아 붙여 놓은 『사랑에 속고 돈에 울고』를 그대로 상연하고 심지어는 일본 제국주의 시대의 『지원병』이라 하는 영화를 『희망의 봄』이라고 갈아 내어놓을 만큼 타락했다. 이밖에도 연극이나 영화를 통해서 과연 세상에 내놓아야 옳으냐가 문제될 만한 작품까지 하등의 제재도 받지 않고 흥행할 정도였다."[308]

예술인들은 문화단체 이름으로 〈극장을 예술가들에게 맡기라〉는 건의서를 군정청에 제출했지만, 아무런 답을 듣지 못했다. 앞으로의 전망도 어두웠다. 극장주들이 46년 11월 한성극장협회를 조직하여 이 협회의 명예회장에 수도경찰청장 장택상을 추대하였으며, 장택상은 그 추대를 수락하였기 때문이다.[309]

『똘똘이의 모험』

미군정의 최대 관심은 '예술'이 아니라 '이데올로기'였다. 미군정은 1946년 3·1절 기념행사와, 5월 1일부터 10일까지 조선영화동맹 주최로 제일극장에서 열린 메이데이(노동절) 기념행사, 그리고 국제극장에서 가진 6·10만세운동 기념주간의 행사(1946. 6. 10~16)를 못마땅하게 여겨 만담가 신불출과 조선영화동맹의 서기장이었던 추민을 군사재판에 회부하여 벌금을 내게 하는 등 통제를 가하기에만 바빴다.[310]

10월 8일 미군정은 법령 제115호인 영화에 관한 포고령(영화법)을 발

---

308) 유민영, 『한국 근대극장 변천사』(태학사, 1998), 296~297쪽에서 재인용.
309) 유민영, 위의 책, 297쪽; 조미현·이종은, 〈한국영화 오십년, 비디오 일백편〉, 『KINO』, 1996년 2월호, 240쪽.
310) 이효인, 〈해방 직후의 민족영화운동〉, 최장집 외, 『해방전후사의 인식 4』(한길사, 1989), 464, 481쪽.

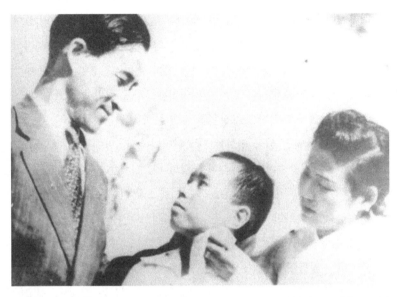

해방 후 제작된 극영화 제1호로 1946년에 상영된 『똘똘이의 모험』. 이 영화는 폭발적 인기를 모았던 KBS 라디오의 어린이 연속극을 영화화한 반공영화였다.

표하였다. 이 포고령의 주요 내용은 상영 전 사전허가, 사전허가 미필 영화에 대한 조치, 허가수속 방법, 허가·불허의 경우에 관한 규정, 허가증명 방법 등이었다.

이에 문화 8개 단체는 10월 23일 조선영화동맹 회의실에 모여 "조선영화의 민주주의적 재건을 저해하고 영화 상영의 자유를 압박하는 것이므로 포고령 115호는 철폐되어야 한다"는 결의를 하고 이를 미 군정청에 보냈으나 미 군정청은 답변조차 없었다. 이후 10월 30일 재차 조선문화단체총연맹 산하 단체들은 좌익단체 탄압 철회와 자신들의 정당한 요구에 대해 폭력과 검거로 대응하지 말 것을 요구하는 항의방문을 했으나 이 또한 아무런 실효를 거두지 못했다.[311]

---

311) 이효인, 『우리 영화의 몽상과 오만』(민글, 1994), 274쪽.

미군정이 관심을 갖고 있는 건 '이데올로기'와 더불어 미국 영화였다. 미군정은 미국 영화 상영 우대 조치를 취하였으며, 그 결과 100편이 넘는 미국 영화가 상영되었다. 미군정은 이미 45년 9월 8일 남한에 진주하자마자 미국 영화 배급을 위해 중앙영화배급사를 설립케 하고 국내 극장에 미국 영화를 독점적으로 상영할 수 있도록 했던 것이다.

1946년에 상영된 한국 영화는 단 4편이었다. 45년엔 영화를 제작할 겨를이 없었던지라 해방 후 제작된 극영화 제1호는 46년에 상영된 『똘똘이의 모험』이었다. 이 영화는 폭발적 인기를 모았던 KBS 라디오의 어린이 연속극을 영화화한 반공영화였다. 미 여성 고문관인 브라운이 『톰 소여의 모험』에서 아이디어를 얻어 창안해 낸 라디오 프로그램이었다.[312]

줄거리는 똘똘이와 복남이가 창고에서 쌀을 훔쳐 북으로 가려는 도적들을 추적하여 일망타진케 한다는 것이었다. 이 영화는 '간첩을 신고하라고 제작한 반공 계몽영화'였으므로 나중에 무료로 상영되기까지 했는데, 관중은 "카빈총을 어깨에 멘 경찰관들이 트럭을 타고 간첩을 잡으러 갈 때는 모두 신나게 박수를 치곤 했"다.[313]

이 영화는 지나친 '반공 계몽성'으로 인해 일부 비평가들로부터 비난을 받기도 했지만,[314] 이제 곧 반공의 종교화가 이루어지는 사회에선 남녀노소(男女老少) 가릴 것 없이 반공의 전사(戰士)가 되어야만 했다.

---

312) 이내수, 『이야기 방송사 1924~1948』(씨앗을뿌리는사람, 2001), 318쪽. 한국 영화의 제작 편수는 1946년 4편, 1947년 13편, 1948년 22편, 1949년 20편이었다.
313) 김성곤, 〈『겨울여자』와 『바보들의 행진』에 울고 웃다〉, 『신동아』, 2001년 4월호, 527쪽.
314) 김영수, 〈장개석 총통 관람 후 휘호〉, 『매일신문』, 1998년 12월 17일, 16면; 이효인, 『우리 영화의 몽상과 오만』(민글, 1994), 270쪽.

자세히 읽기

마지막 경평전 축구

1945년 8월 15일 해방과 함께 그간 억눌렸던 축구에도 봇물이 터졌다. 클럽·직장·동네마다 상호교류 친선경기가 열렸다. 축구인들은 매일 부푼 꿈을 안고 서울 계동의 금성운동구점에 모였다. 이들은 10월 6일 OB와 현역 팀을 구성하여 해방 후 처음이 되는 축구경기를 벌였다.

10월 27~31일 서울운동장에선 조선체육회재건준비위원회가 주최한 자유해방 경축 전국종합경기대회가 열렸는데, 9개 종목 중 축구 부문에는 일반부 24개 팀, 중학부 22개 팀이 출전했다. 12월 4일엔 서울운동장에서 연희전문과 보성전문의 졸업생들로 구성된 OB전이 벌어졌다. 그리고 45년 12월 10일 서울신문사 강당에서 발기인 총회를 갖고 축구협회가 출발했다.[315]

1946년 3월 25~26일 이틀간 자유신문사 주최로 서울운동장에서 경평축구대회가 재개되었다. 『자유신문』은 "조선민족 통일정권 수립을 위한 민족 여론의 공기(公器) 되기를 기한다"고 선언하면서 45년 10월 5일에 창간된 신문이었다. 이승만과 한민당계에서는 이 신문을 좌경신문이라 비난하기도 했으나, 1947년 9월 미군정 당국의 『조사월보』에 의하면 『자유신문』은 발행 부수 4만 여에 이르는 중립적 신문이었다.[316]

이 대회에서 1차전은 2 대 1로 서울 팀, 2차전은 3 대 1로 평양 팀이 승리를 거두었다. 2차전에서 패하자 관중들은 심판이 공정치 못하다면서 흥분하기 시작했다(공교롭게도 심판은 평양 팀 감독인 강기순이었다). 해방의 감격도 관중의 승리에 대한 집착은 누그러뜨리지 못한 셈이었다.

---

315) 신덕상·김덕기, 『국기(國技) 축구 그 화려한 발자취: 이야기 한국체육사 10』(국민체육진흥공단, 1999), 21~25쪽.
316) 송건호, 〈미군정하의 언론〉, 송건호 외, 『한국언론 바로보기』(다섯수레, 2000), 117~119쪽.

사태가 위험하게 전개되자 경비를 맡았던 경찰이 공포를 쏘아 가까스로 진정시켰지만, 이 개운치 못한 경기가 경평전의 마지막이 되고 말았다.[317]

육로로 왔던 평양 선수들은 서울운동장에서 경기를 마친 뒤 돌아갈 때는 미·소가 갈라놓은 38선이 위험해 뱃길로 갔다. 그 험한 길을 돌아가면서 다음에는 서울 선수들을 꼭 초청하겠다고 했지만, 이는 이후 40여 년 간 실현되지 못했다. 1929년 1회부터 1946년 마지막 경기까지 경평축구전은 8회에 걸쳐 23경기를 펼쳐 경성 6승7무10패, 평양 10승7무6패의 종합전적을 기록했다.[318]

46년 처음으로 전국중학축구선수권대회가 창설되었다(학제 변경으로 52년부터 고등학교 팀 창설). 46년 4월엔 서울에서 동(洞)대항 축구대회가 열렸으며, 6월 서울신문사 주최 제1회 서울시 실업축구대회엔 53개 팀이 출전해 대성황을 이뤘다.

47년 4월 서울축구단은 상해로 원정 경기를 떠났는데, 총 다섯 차례 경기에서 3승1무1패의 성적을 거두었다. 국가대표팀으로 불러도 손색이 없을 만큼 최강팀이었지만 국가 대항전이 아니기 때문에 '서울축구단'이라는 명칭을 사용한 것이었다. 마침 장제스(장개석) 총통을 만나러 왔던 이승만 박사가 한국 팀과 상해 최강인 동화 팀과의 경기를 관전하였다. 한국 팀이 4 대 0으로 크게 이기자 감격한 이승만은 그라운드에까지 내려와 눈물을 흘리며 선수들을 격려하기도 했다. 한국 팀은 대전료로 받은 거금 2천만 원 전액을 교포 학교에 기증하고 돌아왔다.[319]

317) 박경호·김덕기, 『한국축구 100년 비사』(책읽는사람들, 2000), 87~88쪽.
318) 박숙경, 〈29년 첫 경평축구 개최(금주의 작은역사)〉, 『한겨레』, 1994년 10월 4일, 15면.
319) 정태룡, 〈김용식: 불꽃처럼 살다 간 '축구의 신'〉, 대한축구협회 엮음, 『한국축구의 영웅들: 축구 명예의 전당 헌액 7인 열전』(랜덤하우스중앙, 2005), 37쪽.